Diogenes Taschenbuch 22831

Leon de Winter

Hoffmans Hunger

Roman

Aus dem Niederländischen von Sibylle Mulot

Diogenes

Titel der 1990 bei De Bezige Bij, Amsterdam,
erschienenen Originalausgabe:
›Hoffman's honger‹
Die deutsche Erstausgabe erschien 1994
im Diogenes Verlag
Die Wiedergabe der Zitate aus
Baruch de Spinoza, ›Abhandlung über
die Verbesserung des Verstandes‹
(Tractatus de Intellectus Emendatione)
folgt der deutschen Übersetzung
von Carl Gebhardt – unter Berücksichtigung
der von Leon de Winter im Original
verwendeten niederländischen Übersetzung
von W. N. A. Klever
Der Verlag dank dem Nederlands
Literair Produktie- en Vertalingenfonds
für die Übersetzungsförderung
Umschlagillustration: Max Beckmann,
›Quappi in Grau‹, 1948 (Ausschnitt)

Veröffentlicht als Diogenes Taschenbuch, 1995

80/97/8/5
ISBN 3 257 22831 7

Inhalt

Die Nacht des 21. Juni 1989

Freddy Mancini hatte beim Ungarn vier Steaks verdrückt, aber er hatte Hunger, als er über den Flur zu seinem Hotelzimmer trottete. Es war warm in Europa. Freddys gewaltiger Bauch hing schwer unter seiner schwitzenden Brust, die maßgefertigten Jeans spannten über seinem fetten Hintern. Seine Frau Bobby ging leichtfüßig neben ihm her. Sie machte ihm Vorwürfe, daß er heute abend seine Diät verhunzt habe.

»Verhunzt hast du sie, Freddy! Lernst du's denn nie? Die letzten Tage hast du dich so schön dran gehalten – und nun? Du lernst es wirklich nie.«

In seinem Magen fühlte Freddy ein brennendes Schamgefühl, aber auch der Hunger bohrte weiter – Hunger nach Erfüllung und immerwährender Befriedigung. Er hatte mal gelesen, daß ein besonderer Magennerv das Hungergebiet im Gehirn kitzelte. So erklärten es sich die Rationalisten und Optimisten.

Die Diätassistentin zu Hause in San Diego hatte ihm vor ein paar Monaten etwas anderes gesagt.

»Wie lange kommst du jetzt schon zu mir, Freddy? Drei Jahre?«

»Dreieinhalb. Beinahe vier.«

»Was, schon so lange?«

»Was wolltest du sagen, Sandy?«

»Jedes Pfündchen geht durchs Mündchen, das kennst

du ja, aber bei den meisten ist es auch etwas im Gehirn, was sie dick macht. Nur bei dir, Freddy, bei dir sitzt es *ausschließlich* im Gehirn. Bei dir ist Hunger ein mentales Problem.«

Das hatte damals wie eine Zauberformel geklungen, und er hatte einfältig dazu genickt. Dann hatte er sich hinter das Steuer seines Chrysler New Yorker gezwängt und sich auf dem Weg zu seinem Büro, von dem aus er seine zwölf Waschsalons regierte, gefragt, was eigentlich den Hunger in seinem Kopf verursachte. Die Klimaanlage hatte kühle Luft an seine verschwitzten Wangen geblasen. Er war erfolgreich und liebte Bobby; sie hatten drei wohlgeratene Kinder großgezogen, die gut verheiratet waren und ihrerseits Familien gegründet hatten; sie wohnten in einem schönen Haus mit Schwimmbad, fuhren einen Chrysler, einen Dodge und einen Jeep Cherokee; er war ein guter Amerikaner, zahlte Steuern und wählte die Republikaner, aber er hatte diesen Makel: Er wog dreihundertfünfzig amerikanische Pfund. Alles, was er aß, schlug direkt an. Und nun, in seinem Chrysler, den Blick starr auf die Straße gerichtet, die unter der glühenden kalifornischen Sonne vibrierte, die Worte seiner Diätassistentin noch im Ohr, war ihm plötzlich klargeworden, daß er unglücklich war. Dieser Gedanke machte ihn ganz wirr. Er fuhr auf den Parkplatz eines Supermarktes und starrte dort minutenlang vor sich hin. »Ich bin nicht glücklich«, murmelte er entsetzt. Er hatte alles und war nicht glücklich. Sofort meldete sich sein Schuldbewußtsein: wie konnte er nicht glücklich sein. Bobby! Es würde ihr einen Schlag versetzen, wenn er ihr beim Nachhausekommen erzählte, daß irgend etwas fehlte. Er liebte sie nicht mehr. Nein, Unsinn, natürlich liebte er sie noch, genauso wie die Kinder, die Waschsalons, die Autos, das Haus und die zwei Katzen, aber irgend etwas fehlte. Du lieber Himmel, was war das nur?

Es war ihm vorher nie aufgefallen, daß die Dinge so kompliziert waren. Er wußte nicht, was ihm fehlte. Und das war der Grund für seinen Hunger, schloß er mit deprimierender Klarheit.

Unwillkürlich tastete seine Hand nach dem Zündschlüssel, aber er fuhr nicht los. Durch die Schaufenster des Supermarktes schimmerten Regale mit Lebensmitteln. Er hatte einen beißenden Hunger. Er kämpfte sich aus dem Auto und ging in den Laden. Dort kaufte er einen ganzen Arm voller Tüten, Beutel, Riegel. Im Auto schlang er alles hinunter. Auf dem Beifahrersitz türmte sich das Verpackungsmaterial.

Freddy Mancini begriff an diesem Tag, daß von nun an alles anders sein würde. Äußerlich war ihm nichts anzumerken, aber in seinem Kopf hatte eine Umwälzung stattgefunden, eine Revolution wie in Kuba, und er würde bis an sein Lebensende in einsamer Stille das Gefühl haben, er sei eine unglückliche und tragische Figur, die alles besaß und doch zu kurz gekommen war. Er hatte im kühlen Auto angefangen zu zittern, sein Gesicht in eine offene Tüte gedrückt und Tränen auf die salzigen Chips fallen lassen.

Bobby öffnete die Zimmertür im Hotel International in Prag. Freddy folgte ihr. Die Mauern strahlten noch die Hitze des Tages aus. Vier Schwangerschaften hatten Bobbys Körper nichts anhaben können. Sie hatte die Figur einer Achtzehnjährigen. Ihre Haut war natürlich älter geworden, aber wenn sie am Strand entlangging, warfen die Knaben noch immer lüsterne Blicke auf ihren Busen und ihren Hintern. Sie schwor ihm, daß er die vier Steaks morgen zu büßen hätte.

»Und außerdem war das Zeug kaum zu fressen!« rief sie verzweifelt, »das sollen Steaks gewesen sein? Lederlappen, die wir nicht mal einem Hund vorsetzen würden! Und du stürzt dich mit einer Gier drauf, als hättest du jahrelang vor lauter Armut Fleisch nur im Schaufenster gesehen! Herrgott, Freddy, du mußt abnehmen, Sandy und Doktor Friedman haben dir doch gesagt, daß du bis zum nächsten Wochenende zwei Kilo runter haben mußt. Lächerliche zwei Kilo! Und was tust du? Du nimmst zwei Kilo zu! Wenn du morgen wagst, überhaupt etwas zu essen, dann schlag ich es dir persönlich aus dem Mund. Zu deinem eigenen Besten.«

»Ich hatte Hunger«, sagte er. »Weil ich das Mittagessen übersprungen habe.«

»Menschenskind! Jetzt gehst du schon hundert Jahre zu Sandy und hältst dich noch immer nicht an die Regeln! Wie oft muß ich es dir noch sagen? Tausendmal? Hunderttausendmal? Du *sollst* ja zu Mittag essen, aber was Leichtes. Und abends ganz normal. Ohne dich derart vollzustopfen. Willst du vielleicht mit neunundvierzig sterben?«

Ja, antwortete er still für sich.

Sie ging ins Bad, und Freddy ließ sich in einen Stuhl sacken. Das Holz ächzte, als er seinen Hintern zwischen die Armlehnen quetschte. Die Kacheln im Bad gaben Bobbys Stimme einen metallischen Klang. Er hörte nicht zu.

Sie hatte ihn auf diese Reise mitgeschleppt, vier Wochen, die ihn ein Vermögen kosteten. Sandy und Doktor Friedman hatten ihm dazu geraten, sie meinten, er würde wahrscheinlich leichter abnehmen, wenn er seine festen Gewohnheiten durchbrach, und Bobby hatte für sie beide diese Gruppenreise gebucht.

Er wußte nicht mehr, in wie vielen Hotels sie schon übernachtet hatten. Heute früh waren sie mit einem klimatisierten Bus mit Bar und WC aus Wien abgefahren, fünf Stunden hatte die Fahrt gedauert. Eine Stunde hatten sie an der Grenze gewartet, während der Bus von ein paar finsteren Männern mit Maschinengewehren gefilzt wurde. In Prag waren sie zunächst im Hotel International abgestiegen und hatten dann eine Stadtrundfahrt gemacht, über die Burg mit ihren Kirchen und Palästen, wo die Regierung ihren Sitz hat, und dann an einem Fluß mit allen möglichen Gebäuden entlang, die er schon wieder vergessen hatte.

Ihr Hotel war ein pompöser Kasten in einem Stil, den man laut Auskunft des österreichischen Reiseführers im Westen den »stalinistischen Zuckerbäckerstil« nannte. Die Eingangshalle war riesig, mit breiten Pfeilern und einer ausladenden Rezeption. Auf dem Marmorfußboden lagen abgetretene Teppiche, die Sitzecken bestanden aus klobigen Möbeln, überall hing dieser penetrante Geruch nach verkochtem Kohl, und obwohl das Gebäude mit seinen breiten Fluren einen anderen Eindruck machte, waren die Zimmer erdrückend klein. Es war eben kein Hilton, nicht einmal ein Ramada Inn oder ein Howard Johnson. Ihr Bus war bequemer.

Im Bett neben ihm atmete Bobby gleichmäßig und ruhig. Der Hunger stach wie ein Bajonett in seinen Magen und schnitt ihm in Herz und Kehle. Der Schlaf konnte ihn davon nicht erlösen. Er hörte, wie die Luft durch seine Nasenlöcher pfiff. Seine fette Brust keuchte auf und ab. Er veränderte seine Lage und richtete sich mühsam auf, zog alle Fettringe und Wülste mit sich hoch. Die Matratze ächzte, als er sich erschöpft und nach Luft ringend wieder fallen ließ. Das Laken klebte an seiner Haut.

Bobby ließ sich nachts von seinem Geschnaufe schon lange nicht mehr aus ihren Träumen reißen. Nach harten Jahren der Gewöhnung an all seine Geräusche war es allein der Wecker von Bell & Howell, der sie mit seinem Gerassel aus dem fernen Land zurückholen konnte, in das sie entschwand, sobald sie das Leselämpchen ausgeknipst hatte. Das Ding hatten sie aus San Diego mitgeschleppt, ohne daran zu denken, daß die hochnäsigen Europäer zwar schon seit Jahren ihr vereinigtes Europa hätschelten, aber noch nicht imstande gewesen waren, einen einheitlichen Stecker und eine einheitliche Voltzahl einzuführen.

Freddy versuchte sich zu erinnern, vor wieviel Jahren sie zum letzten Mal miteinander geschlafen hatten. Nach der Fehlgeburt war es eigentlich schon vorbei gewesen, und als Bobby mit ihrem letzten Kind schwanger war, hatte sie den Hahn endgültig zugedreht. Damals ging Freddy in die Breite. Er begriff, daß ein Zusammenhang bestand zwischen dem völligen Mangel an Sex und seinem

Umfang, aber man konnte natürlich nicht einfach davon ausgehen, daß er sein Normalgewicht zurückbekam, wenn er wieder wöchentlich mit Bobby schlief. Abgesehen davon, daß er physisch dazu gar nicht mehr imstande war, wie er selbst merkte.

Magensäure stieg ihm in den Hals, er schluckte. Sie hatten in einem ungarischen Restaurant zu Abend gegessen, in der Nähe vom Vaclavské Namesti, dem Platz in der Stadtmitte. Fast jeder hatte den grauen Lappen, der auf der Speisekarte als »first class sirloin steak with gypsy sauce« umschrieben wurde, liegengelassen, nur Freddy hatte gleich drei weitere von seinen Nachbarn mitgegessen. Manche hatten sich gegen die Qualitäten der kommunistischen Küche gewappnet und zauberten Hershey-Schokoriegel und Mars-Familienpackungen aus ihren Nylon-Hüfttaschen, ein Autohändler aus Wisconsin, ein gewisser Browning, schwor sogar, im Hotel bekäme man Hamburger mit Ketchup.

Mühsam stieg er aus dem Bett. Bobby atmete friedlich. Sie streifte durch Länder, die er nie betreten würde. Nach dieser Reise würde er für immer in Amerika bleiben. Natürlich fand er es interessant, all die alten Städte und die Geschichte und Tradition und so, aber er fühlte sich hier verloren. Die Tschechoslowakei war ein Entwicklungsland.

So leise wie möglich zog er sich an. In der Stille des Hotels hörte er seinen eigenen keuchenden Atem. Auf jede Bewegung folgte ein schwerer Atemstoß, als hätte er eine Dampfmaschine in der Lunge. Er verließ das Zimmer.

Am Gangende saß ein alter Mann unter einer trüben

Funzel und las. Er schaute auf, als er Freddy hörte. Freddy sah den Unglauben in seinen Augen und ging schweigend zum Lift. Irgend jemand aus der Reisegruppe hatte erklärt, daß alle Etagen rund um die Uhr bewacht würden, weniger, um die Gäste vor ungebetenem Besuch zu schützen, als um die eigenen Leute fernzuhalten. Ohne Spezialausweis kam man hier als Tscheche nicht über die Schwelle. Die Hotelhalle war leer. Freddy schleppte sich über den abgetretenen Teppich zur Rezeption. Er sah in der Nähe der Drehtüren zwei Männer in Sesseln herumlungern. Sicherheitskräfte, hatte der Reiseführer gewispert. Er fühlte, wie sich ihre Blicke in seinen Körper bohrten. Nicht ein einziges Kleidungsstück bot ihm Schutz. Er war immer nackt.

An der Rezeption war niemand zu sehen. Es gab auch keine Klingel, um sich bemerkbar zu machen. Er hielt sich am schwarzen Marmortresen fest und wartete. In amerikanischen Hotels hörte man immer Musik, er hatte sich oft gefragt, warum. Jetzt begriff er, wie schwer die Einsamkeit in einem totenstillen Gebäude auszuhalten war. Von fern drangen aus dem Inneren des Hotels ein paar matte Geräusche. Aber sonst kein Straßenlärm, kein Türquietschen, das sein verzweifeltes Schnaufen übertönt hätte.

Zu Hause in San Diego hatte er seine Bewegungen und Unternehmungen auf das Notwendigste beschränkt. Er mußte abnehmen, weil er sonst keine fünf Jahre mehr zu leben hatte, aber der Hunger war eine Qual, saß wie ein toller Hund in seinem Magen und fraß wild um sich. Er war unglücklich, und dieses Gefühl, das wußte er nun, zeichnete sich aus durch das Fehlen von Hoffnung. Sein unstillbares Verlangen nach dem Zustand vollkommener Sättigung trug einen Flor untröstlicher Trauer.

Er wurde ungeduldig. Rief etwas. Erschrak vor den schrillen Tönen, die aus seinem Mund in die Halle drangen. Er hörte, wie die Männer sich hinter ihm aufrichteten. Und in der Türöffnung hinter dem Tresen erschien ein Mann in seinem Alter, so um die fünfzig, in zerknittertem Anzug und mit ganz kleinen Augen. Er hatte ein Nickerchen gemacht.

»Sie wünschen?« fragte er ohne eine Spur von Freundlichkeit. Er musterte Freddy von oben bis unten.

»Meine Frau hat Hunger, ich wollte wissen, ob sie noch etwas zu essen bekommen kann.«

»Alles ist zu«, sagte der Mann sofort und drehte sich entschlossen wieder um.

»Gibt's hier denn keinen Sandwich oder so was? Kaltes Huhn? Oder einen Hamburger? Meine Frau ist schwanger, sie hat Hunger. Ich habe gehört, es gibt hier Hamburger.« Der Mann blieb stehen und sah ihn an.

»Das Restaurant schließt um neun.«

»Und danach?«

»Danach gibt's nichts mehr.«

»Und wenn hier nachts Reisegruppen ankommen? Die müssen doch auch etwas essen?«

»Die kommen nicht nachts an.«

»Könnte aber vorkommen.«

»Kommt nicht vor.«

»Nein?«

»Nein«, sagte der Mann. Seine Stimme klang gereizt.

»Sie muß aber was essen, sonst wird sie krank.«

Der Mann seufzte und schaute kurz zu den zwei Männern an der Tür.

»Es gäbe da vielleicht eine Lösung, aber einfach ist das nicht.«

Freddy nickte. Er zwängte eine Hand in die Hosentasche, zog einen Fünfdollarschein heraus und legte ihn auf den Tresen. Mit der Geschwindigkeit des erfahrenen Empfangschefs legte der Mann eine Hand auf den Schein.

»Restaurant Slavia«, sagte er. Er schob den Schein zu sich heran und schloß die Faust darum. »Ein Seitensträßchen von der Francouzska. Ladovagasse Nummer dreiundsechzig. Dreimal klingeln. Privatrestaurant. Ganze Nacht geöffnet.«

»Wie kommen wir da hin?« fragte Freddy flehentlich.

»Das ist Ihre Sache«, sagte der Mann.

Er verschwand hinter der Tür.

Vorsichtig drehte sich Freddy um, er hatte Angst, das Gleichgewicht zu verlieren, und das mußte er verhindern, denn sein Körper kam nicht mehr in die Senkrechte, wenn er der Schwerkraft einmal nachgegeben hatte; er schlurfte auf die Drehtüren zu. Einer der Männer erhob sich. Sie waren beide Ende Zwanzig, beide im Trainingsanzug. Der Mann hielt ihn mit einer Handbewegung zurück.

»Papiere«, sagte er.

Freddy schnappte nach Luft. »Warum?«

»Polizei.«

»So sehen Sie aber gar nicht aus.«

»Den Ausweis«, fluchte der Mann. Freddy zerrte das Ding aus der Brusttasche.

Ungeduldig nahm ihm der Mann das Dokument aus der

Hand und verglich das Foto mit dem Original. Untersuchte das eingestempelte Visum.

»Es ist zwei Uhr nachts«, sagte er. »Was haben Sie so spät noch vor?«

»Das ist doch meine Sache.«

»Was wollen Sie um diese Zeit noch tun?«

»Also hören Sie mal, niemanden auf der Welt geht das auch nur das geringste...«

»Wenn Sie nicht antworten, verhafte ich Sie wegen Informationsverweigerung.«

Freddy schluckte und warf einen Blick auf den anderen Mann, der sich um eine mögliche Verhaftung nicht zu kümmern schien und sich in aller Ruhe eine amerikanische Zigarette anzündete, eine Marlboro.

»Meine Frau hat Hunger«, erklärte Freddy.

Der Mann sah ihn scharf an. Dann warf er einen Blick über die Schulter zu seinem Kollegen und sagte etwas auf tschechisch; es klang fragend, als ob er sagte: »Weißt du, was der will, der Dicke?« Der Mann im Sessel schüttelte den Kopf, ließ das Feuerzeug aufflammen. Der erste Mann sagte noch etwas, worauf der andere anfing zu lachen, der Rauch quoll in kurzen Stößen aus seinem Mund.

»Alles ist zu«, rief der Mann aus seinem Sessel. Der Rauch quoll weiter aus seinem Mund wie indianische Rauchzeichen. »Sie müssen bis zum Frühstück warten.«

»So lange hält es meine Frau nicht aus.«

»Wir sind nicht in New York. Hier gehen die Leute früh ins Bett. Sie müssen arbeiten.«

»Wenn Sie mir meinen Paß zurückgeben, kann ich selber nachsehen, ob hier alle schon schlafen.«

Der Mann vor ihm wedelte mit seinem Paß. Der andere hatte sich wieder aus der Unterhaltung zurückgezogen.

»Ich finde Sie ziemlich respektlos.«

»Sie wird krank, wenn sie nicht schnell was zu essen bekommt.«

»Ein Grund mehr, vorsichtig zu sein.«

»Was glauben Sie, was ich nachts hier tue? Was soll man in dieser Stadt tun? Was unterstellen Sie mir?«

»Es ist unsere Aufgabe, die Sicherheit der Touristen zu überwachen. Ich muß Ihnen abraten, um diese Uhrzeit in die Stadt zu gehen.«

»Ich nehme ein Taxi.«

»Haben Sie denn eine Adresse?«

»Wir fahren herum, und dann werden wir schon was finden.«

»Es treiben sich auch Leute herum, die ein antisozialistisches Verhalten zeigen.«

»Was ist denn das?«

»Die sind scharf auf Ihr Geld.«

Freddy schaute ihn mit großen Augen an. »Aber in einem Taxi bin ich doch sicher?«

»Soviel wir wissen, ja.«

»Was ist denn das für ein Land? Überall Polizei, und dann noch unsichere Straßen!«

»Noch so eine Beleidigung, und ich nehme Sie fest.«

»Bitte, kann ich dann gehen? Was soll jemand wie ich hier schon tun?«

»Vielleicht haben Sie Kontakte mit antisozialistischen Elementen.«

»Ich?«

»Ja, Sie. Warum gehen Sie denn sonst ausgerechnet jetzt nach draußen! Glauben Sie etwa, wir schlucken das so einfach, daß Ihre Frau Hunger hat? Warum erzählen Sie uns nicht die Wahrheit? Wir können Sie festnehmen und so lange festhalten, bis Sie uns erzählen, warum Sie um zwei Uhr nachts auf die Straße wollen.«

»Weil ich Hunger habe! Okay, ich gebe es zu! Hunger! Sehen Sie denn nicht, wie schwer ich bin? Ich muß was in den Magen kriegen, wissen Sie, ich konnte vor lauter Hunger nicht schlafen, und da dachte ich, ich gehe einfach runter und frage, ob ich noch etwas bestellen kann, aber...«

Seine Augen füllten sich mit Tränen. Der Hund in seinem Magen hatte sich festgebissen. Das Vieh versuchte jetzt, ihm ein Loch ins Zwerchfell zu beißen, damit es seine Kiefer in Freddys fettes Herz schlagen konnte. Der Schmerz kroch die Speiseröhre hinauf bis in seinen Hals. Er keuchte die ganze Zeit, seine Lungen waren zu klein, um seinen Riesenleib mit Sauerstoff zu versorgen.

Der Mann im Sessel sagte etwas, ohne aufzuschauen, und konzentrierte sich auf die Rauchwölkchen, die aus seinem Mund kamen. Er sprach die tschechischen Worte tonlos, wie einen Befehl. Der Mann, der Freddy befragt hatte, sah sich unterwürfig nach ihm um.

Freddy schlug die Augen nieder und versuchte zu retten, was zu retten war.

»Ich kann schlecht erklären, was Hunger für mich bedeutet. Die meisten Leute verstehen es nicht.«

Vor seinem Bauch tauchte sein Paß auf.

»Sie können gehen.«

»Ja?«

Der Mann machte eine ungeduldige Bewegung mit dem Paß. Freddy nahm sein Dokument und nickte.

»Vielen Dank. Ich bin wirklich kein...«

Der Mann hatte sich schon umgedreht und ging wieder zu seinem Sessel.

Freddy betrachtete das Heftchen zwischen seinen dikken Fingern. Seine unbezähmbare Gier nach Nahrung hatte beinahe zu einer Festnahme und zum Aufenthalt in einem kommunistischen Gefängnis geführt. Aber er mußte eben alle Probleme, die diese Hungertour mit sich brachte, blind akzeptieren. Er war schwach: der Sklave seines Magens.

Er ging nicht durch die Drehtür, weil er bei seiner Ankunft am eigenen Leib erfahren hatte, daß die einzelnen Abteile nicht für Lebewesen seines Kalibers berechnet waren. In einer Scheibe fing er sein Spiegelbild auf. Ein Riesenbaby, das gerade laufen gelernt hatte. Durch die Seitentür verließ er das Gebäude und trat in die laue Nacht.

Es war warm. Die kräftige Luft draußen roch nach Öl, Staub und Gras. Der Platz vor dem Hotel lag verlassen unter dem Sternenhimmel, nur ein einziges Auto stand direkt vor der Tür, ein eckiges Modell, dessen Rücksitz hoffentlich breit genug für ihn war. Freddy ging zur Fahrerseite und sah hinter dem offenen Fenster einen schlafenden Mann mit grauem Haar. Er pochte an die Wagentür.

Der Mann richtete sich auf und zwinkerte mit den Augen, als wäre Freddys Anblick die Fortsetzung eines Traums. Freddy fragte ihn, ob er englisch spräche, und nannte ihm dann die Adresse vom Restaurant Slavia. Träge stieg der Taxifahrer aus. Er öffnete die hintere Tür und wartete ab, bis Freddy sich in das Auto gezwängt hatte. Erst schob Freddy seinen Hintern hinein. Dann drehte er sich langsam mit eingezogenem Kopf um, preßte sich zwischen Rücksitz und Lehne und zog seine schweren Beine hinterher. Bequem saß er nicht, aber er konnte befördert werden.

Der Taxifahrer war ein älterer Mann, der schweigend und vorsichtig seinen Wagen fuhr. Die Stadt war kaum beleuchtet. Freddy erkannte ein Gebäude wieder, das sie bei der Stadtrundfahrt fotografiert hatten, aber ansonsten war alles undeutlich und geheimnisvoll. Der Straßenbelag bestand aus glatten runden Steinen, die den Wagen förmlich zu schleifen schienen. Freddys Fettmassen zitterten bei jeder Unebenheit. Der Hunger starrte mit ihm auf die unheimliche Stadt.

Früher, als Bobby ihn noch nicht auf Diät gesetzt hatte, war Freddy nachts manchmal in den Straßen herumgefahren auf der Suche nach Erlösung. Er lenkte seinen New Yorker durch die stillen Geschäftsstraßen und Alleen von San Diego und schielte nach Junkies und Nutten; die kalte Luft aus der Klimaanlage wirbelte ihm um den Kopf. Bei diesen Fahrten fühlte er sich wie früher die Kreuzfahrer in ihren Rüstungen: Er hatte eine Mission, war bereit, sein Leben zu opfern, während er in den ärmeren Vierteln von Downtown S. D. herumkurvte, die man auch *Hell's Kitchen* nannte, und nach einem Leuchtschild suchte, das ihm verkündete: GREAT BURGERS OPEN ALL NITE.

Aber hier: nirgends ein hellerleuchteter Hamburger-Shop mit verchromter Theke, keine laute Musik aus stromlinienförmiger Musicbox (im Stil der fünfziger

Jahre, wie auch die Speisekarte und der Rest der Einrichtung), keine Mädchen und Jungs, die in Doppeldecker hineinbissen, kein Betrieb *round the clock*. Prag gewann in diesen Stunden absoluter Verlassenheit seine natürliche Gestalt. Hochmütige Giebel, schwarze Fenster, unerreichbare Denkmale. Diese Stadt war ein schwarzes Museum, das seine Besucher nur widerwillig erduldete.

Das Taxi hielt bei einer unbeleuchteten Gasse. Der Fahrer drehte sich zu ihm um und legte müde einen Arm auf die Rücklehne.

»Ist es hier?« fragte Freddy.

Der Mann nickte.

Freddy starrte in die dunkle Höhle, konnte aber kein Schild und kein helles Fenster entdecken.

»Wieviel?«

Der Mann hob die Schultern. »Was Sie geben wollen«, sagte er.

Freddy fand einen Dollarschein zwischen dem Bündel Tschechenkronen, das er in seiner Brusttasche aufhob. Sein restliches Geld steckte in seiner Hosentasche, aber im Sitzen bekam er nicht mal den Rand eines Fingernagels zwischen den Stoff, das wußte er aus Erfahrung, weil sein Bauchfett und sein Hüftfett die Hose zum Platzen gespannt hielten. Der Mann nickte, sichtlich zufrieden.

Freddy stieß die Tür auf und hielt sich am Türrahmen fest. Er zog sich aus dem Auto und fühlte, wie ihm die Knie zitterten, als er sein volles Gewicht auf seine Beine verlagerte. Dann fiel ihm plötzlich ein, daß das Taxi keinen Funk hatte, und er fragte den Fahrer, ob er in einer Stunde wieder hier sein könne.

»Wenn Sie im voraus bezahlen...«

Freddy zog das Bündel Dollarscheine aus der Hosentasche und gab dem Mann noch einen Schein. Ohne Gefühlsregung nahm er das Geld an. Freddy sah jetzt, daß der Mann älter schien als er war. Haare und Augen hatten die Farbe von Verbitterung und Resignation, aber seine Wangen waren glatt und elastisch.

Das Taxi ließ ihn in einer stinkenden Wolke zurück. Die Abgase rochen hier anders als zu Hause. So schnell ihn seine Beine trugen, entfernte er sich aus der Wolke und ging auf die schmale Gasse zu.

Im Dunkeln sah er die Umrisse von Giebeln. Er suchte nach der Hausnummer, konnte aber nirgends eine Numerierung neben den Türen entdecken. Doch stieg ihm etwas in die Nase, das ihm verriet, daß er seinem Ziel ganz nahe war. Er roch Bratfett, einen schweren, warmen Duft, der ihm den Geschmack von Pommes frites und gebackenen Tintenfischringen in den Mund zauberte und kurz darauf eine Welle heißer Spucke, er nannte sie »Hungersaft«, ein süßes Rachenwasser, das die Happen, die er hinunterschluckte, sanft in seinen Magen beförderte. Er schluckte und versuchte herauszubekommen, wo der Duft nach Gebratenem herkam. Er atmete tief durch die Nase, drehte sich um, aber die ganze Gasse schien voll davon und verriet nichts über die Quelle des betörenden Duftes. Er schluckte wieder, flehte den Hund in seinem Magen an, noch ein paar Sekunden abzuwarten und begann, sich an einer Mauer entlangzuschieben, alle fünf Sinne in höchster Alarmbereitschaft.

Auch wenn die Finsternis zu signalisieren schien, daß es

hier nichts zu essen gab, behauptete seine Nase tröstlicherweise das Gegenteil: Die Gasse stimmte. Er hoffte jetzt, daß seine Ohren der Nase zu Hilfe kämen: Wenn das Restaurant wirklich noch offen hatte, mußten irgendwo, und sei es noch so leise, Gläserklingen, Lachen und Gesang zu hören sein.

Er lehnte sich an die Mauer, während er schnüffelte und lauschend weitertappte. Sein Hemd war schweißnaß. Hörte er da etwas? Ein Messer, das auf einem Teller quietschte? Das *plopp* eines Korkens, der aus der Flasche schießt? Hinter den blinden Türen und Fenstern einer dieser Fassaden wurde schamlos gefressen und gesoffen, und Freddy war überzeugt, daß er den Morgen nicht mehr erleben würde, wenn er nicht augenblicklich mitnaschen und schlucken durfte.

Lähmende Mattheit sank ihm vom Nacken in die Glieder. Vielleicht hatte der Mann im Hotel ihm eine alte Adresse gegeben, oder der Taxifahrer hatte ihn zum Narren gehalten. Ein verrückter Einfall überfiel ihn: Er würde hier an einer akuten Magensäureattacke sterben; diese schwarzen Steine waren sein Grab.

Der Schmerz, der sich plötzlich in seinem Hinterkopf meldete, überraschte ihn nicht. Keine Magenblutung, sondern eine Gehirnblutung, schoß ihm beruhigend durch den Kopf, ein schwaches Äderchen hatte bei diesem schrecklichen Hunger versagt. Seine Knöchel gaben nach, und er verlor das Gleichgewicht. Schnell griff er haltsuchend nach der Mauer, aber das verzögerte die Sache nur: Unaufhaltsam sackte er in sich zusammen. Der Aufschlag auf den Steinen klang dumpf und tat eigentlich nicht weh.

Das also war es gewesen. Auf der Jagd nach einem Hamburger oder einem Beefsteak in einem fremden Land schlug die Tür hinter ihm zu. Und nun wollte er wissen, was es war, wie es sich anfühlte, auch wenn er Bobby nie mehr davon berichten konnte. Adieu, Bobby, sagte er zu sich selbst. Sie konnte leicht einen anderen finden, sie sah ja gut aus; in ein paar Tagen würde sie all sein Geld erben und wäre dann auch noch eine reiche Witwe. Er wartete jetzt auf eine besondere Empfindung, und plötzlich wußte er, worauf er wartete: auf den Tunnel mit dem blendenden Licht, über den er in *Reader's Digest* gelesen hatte, einen Tunnel voll paradiesischer Gesänge, der Ruhe und Frieden verbreitete, wie das gefesselte Erdenleben – in seinem Fall durfte man das wörtlich nehmen, dachte er spöttisch – sie niemals hatte erzeugen können. Gleich würde er verstorbenen Verwandten begegnen. Menschen, die er geliebt hatte und die er hatte begraben müssen; sie würden bei ihm sein und ihn umarmen. Er lächelte und freute sich zutiefst auf dieses Wiedersehen.

Der Schmerz in seinem Kopf schien abzunehmen, und weil er davon ausging, daß Schmerzen zu seiner körperlichen Hülle gehörten und nur sein Geist und seine Seele Zugang hatten zu dem langen Tunnel, betrachtete er das als ersten Beweis dafür, daß sein *Ich* davonschwebte, um in den Himmel aufgenommen zu werden. Und mit Schrecken stellte er plötzlich fest, daß er niemals etwas über die Beinahe-Todeserfahrungen von Menschen gelesen hatte, die auf dem Weg zur Hölle gewesen waren! Vielleicht war gerade dies die Hölle, schloß er, war gerade das vollkommene Nichts bei jenen Menschen, die klinisch tot gewesen waren und keinen hellen Gang gesehen hatten, die gab es natürlich auch, der Vorhof zur Hölle, und die Hölle war das Nichts. Freddy begriff, daß er noch immer über sein Denkvermögen verfügte, weil er Probleme logisch zu lösen versuchte, die sich jetzt stellten, so daß er eigentlich keinen anderen Schluß daraus ziehen konnte als diesen: er war mit Geist und Seele bereits unterwegs zum LICHT.

Und da war Licht. Er sah es, auch wenn er keine Augen mehr hatte. Es tanzte undeutlich und bewegte sich hin und her in einem Rhythmus, zu dem er die Musik hören wollte. Und dann hörte er zwei Stimmen, die eine Sprache sprachen, die er nicht verstand, aber er wußte ganz sicher, daß sich ihm der Schlüssel zu dieser Sprache gleich offenbaren würde. Dann fühlte er etwas, das einer Leibesvisitation nicht unähnlich war: Hände betasteten seinen Körper. Und schockartig wurde ihm klar, daß er sich noch immer in seinem Körper befand und offenbar nicht wirklich gestorben war.

Er schlug die Augen auf und sah zwei Männer, die sich über ihn beugten. Einer beleuchtete mit der Taschenlampe die flinken Hände des anderen. Nun wurden seine Hosentaschen geleert. Und als der Mann mit der Lampe für einen Augenblick den Kopf in Freddys Richtung drehte, erkannte Freddy das melancholische Gesicht des Taxifahrers. Unbekannte Wörter fielen aus seinem Mund, als er in Freddys offene Augen sah, und sofort holte der andere Mann aus und schlug mit einer Art Knüppel zu.

Freddys Schädel brannte von diesem Schlag. Trotz der Schmerzen empfand er nur eins: Er trauerte um das Entzücken, das er nun nicht mehr erleben würde. Er war bereit gewesen zu sterben und Abschied zu nehmen von dieser Welt, um schwerelos als Geist und Seele durch den Tunnel zu schweben. Er trauerte, daß all dies nur die Folge eines Knüppelschlags war, den ihm ein finsterer Taxifahrer und dessen Kumpan verpaßt hatten.

Der Taxifahrer sagte etwas, während er die Taschenlampe ausknipste. Die Männer rannten weg.

Es dauerte Minuten, bis er genügend Kraft gesammelt hatte, um sich aufzurichten. Als er mit dem Rücken an der Mauer saß, hielt er sich an den Stäben eines Gitters fest, das vor einem Fenster angebracht war. Er zog sich hoch, fühlte seine Armmuskeln anschwellen. Man konnte sie unter der dicken Fettschicht nicht sehen, aber sie waren durch langes Training mit seinem Eigengewicht stark geworden. Der Hunger begann seinen Magen zu zerfleischen, sein Magen wurde aufgefressen, mußte in einem Loch verschwinden, das er selber war.

Als er stand, hatte er jede Orientierung verloren. Kein Geld, keine Ortskenntnis, keine Sprache. Vorsichtig nahm er Kurs auf das Lichtpünktchen am Ende der Gasse, in der Hoffnung, dort die Straße zu finden, an der ihn der Schuft von Taxifahrer abgesetzt hatte. Ein schriller Krampf zuckte durch seinen Kopf. Er bewegte sich langsam fort, als seien seine Beine aus Schilfrohr. Wieviel Geld hatte er genau bei sich gehabt? Vielleicht zweihundert Dollar. Er würde darüber schweigen.

Freddy kam am Ende der Gasse an und stellte fest, daß er hier nicht aus dem Taxi gestiegen war. Eine enge Straße mit hohen, leblosen Häusern, mit Straßenlaternen, die schmutziges Licht verbreiteten. Kein Mensch war da, den er nach dem Weg fragen konnte, und auf gut Glück ging er nach links.

Zweihundert Dollar waren in diesem Land ein Vermögen. Der Reiseleiter hatte erzählt, daß sie auf dem Schwarzmarkt das acht- oder neunfache des offiziellen Kurses brachten. Im ungarischen Restaurant hatte sich Freddy acht- oder neunfach die Steaks der anderen verkniffen. Er hatte nur vier gegessen. Sie schwammen auf einer sahnigen »gypsy sauce« – mit Paprika –, die seine Landsleute, sofern sie bereit gewesen waren, mit der Qualität des Fleisches vorlieb zu nehmen, zur Raserei brachte, weil ihnen die Flammen nur so aus dem Gaumen schlugen. *Cuisine communiste.* Sie hatten es dann mit Saufen probiert.

Freddys gutes Glück entpuppte sich als schlechtes Glück. Wieder eine Seitenstraße. Wieder kein Mensch. Er fragte sich, ob er nicht doch tot war und schon in der Hölle angekommen – ein leeres stilles Prag konnte eigentlich nur die Hölle sein. Plötzlich verschwand auch noch das wenige Licht aus seinen Augen. Er war kurz vorm Umkippen.

Freddy blieb stehen, um die Schwindelanfälle vorbeiziehen zu lassen. Er befürchtete, daß der Knüppel eine Gehirnerschütterung verursacht hatte, und fragte sich, ob er morgen nach Wien zurückfliegen konnte, um sich in einem kapitalistischen Krankenhaus untersuchen zu lassen. Er setzte sich auf einen Abfalleimer in einem geschützten Winkel der Straße, unter einer breiten gußeisernen Treppe, und dachte über dieses Problem nach. Er konnte Bobby nicht erzählen, daß er ausgeraubt worden war und auch nicht, daß er sich untersuchen lassen wollte. Er wußte nicht einmal, ob man in einem kommunistischen Land in ein Reisebüro gehen und ein Flugticket bestellen konnte. Gab es hier überhaupt Reisebüros?

Er sah auf, als er etwas hörte. Alles geschah sehr schnell, und wenige Minuten später tat er den Vorfall als Hirngespinst ab, denn er war Zeuge der Entführung eines seiner Mitreisenden geworden, des jungen Autohändlers aus Wisconsin. Der war ein Mann in den Dreißigern, dessen Geschäft German Motor Company hieß (er hatte Freddy seine Visitenkarte überreicht) und der ausschließlich »Luxusgebrauchtwagen« verkaufte. Der Autohändler kam plötzlich um eine Ecke, verfolgt von zwei Männern, die Freddy noch nie zuvor gesehen hatte, gleichzeitig tauchte aus einer anderen Straße ein Auto auf und schnitt dem rennenden Autohändler den Weg ab, indem es auf den Bürgersteig fuhr. Der Mann mußte dem Auto ausweichen und verlor dadurch ein paar kostbare Sekunden, so daß seine beiden Verfolger die Möglichkeit hatten, ihren Rückstand aufzuholen. Sie stürzten sich auf den Autohändler, zerrten ihn in das Auto, das mit quietschenden Reifen davonfuhr und aus Freddys Blickfeld verschwand. Alles zusammen hatte vielleicht fünfzehn Sekunden gedauert.

Freddy hatte sich unter seiner Treppe nicht gerührt. Was er gesehen hatte, konnte nicht wirklich passiert sein. Und wenn es wirklich passiert war, dann war der Mann nicht der Autohändler aus Wisconsin gewesen. Und dann war noch die Frage, ob es überhaupt eine Entführung gewesen war. Nein, natürlich nicht: Es war eine Verhaftung.

Er rieb sich die Augen und spürte, wie der Hunger schon wieder von seinem Körper Besitz ergriff und diesen seltsamen Vorfall aus seinen Gedanken verscheuchte.

Orientierungslos und verzweifelt stieß er eine halbe Stunde später auf ein Taxi. Er bezahlte mit einer tschechischen Banknote und ließ sich zum Hotel International zurückbringen. Der Kopfschmerz hämmerte bis zum Morgen in ihm weiter, und krank vor Hunger begab er sich in den Frühstücksraum. Dort bekam er pappiges Brot, brennend süße Marmelade und ranzige Butter, zweitklassiges Essen, aber im Überfluß vorhanden. Es war wieder ein warmer Tag. Er aß und aß und machte sich nichts aus Bobbys Ermahnungen und immer strenger klingenden Vorwürfen. Um neun Uhr stiegen sie in den Bus zu einem weiteren Ausflug, und Bobby schluckte ihren Ärger auf einem Sitz an der anderen Gangseite herunter, während Freddy mit einer Frau aus Pasadena Verhandlungen aufnahm über den Ankauf einer Tüte M & M's.

Dann fragte der Reiseleiter, der vorne vor der getönten Windschutzscheibe stand, ob jemand Michael Browning aus Wisconsin heute früh beim Frühstück gesehen hätte, denn er war nicht im Bus und auch nicht auf seinem Zimmer.

Die Nacht des 22. Juni 1989

»Nachdem die Erfahrung mich gelehrt hat, daß alles, was im gewöhnlichen Leben sich häufig uns bietet, eitel und wertlos ist, da ich sah, daß alles, was und vor welchem ich mich fürchtete, nur insofern Gutes oder Schlimmes in sich enthielt, als die Seele davon bewegt wurde, so beschloß ich endlich nachzuforschen, ob es irgend etwas gebe, das ein wahres Gut sei, dessen man teilhaftig werden könne, und von dem allein, mit Ausschluß alles übrigen, die Seele erfüllt werde, ja ob es etwas gebe, durch das ich, wenn ich es gefunden und erlangt, eine beständige und vollkommene Freude auf immerdar genießen könne.«

Während der köstliche salzige Kaviar seinen Gaumen streichelte, versuchte Felix Hoffman, der neunundfünfzigjährige Diplomat, der am Abend zuvor einen Empfang für den Kanzleistab und das Diplomatische Corps gegeben hatte, diesen Satz zu erfassen.

Es waren die Eingangsworte eines Buches, das er vor einer Woche in einem verstaubten Schrank auf dem Dachboden seines neuen Hauses gefunden hatte. Obwohl er früher als Laie versucht hatte, seinen Weg durch das Dikkicht der Philosophie zu finden, hatte er sich an das Werk jenes Autors, von dem das Buch stammte, Baruch de Spinoza, nie herangetraut.

Hoffman hatte das Buch aufrecht hinter seinen Teller

gestellt, damit er lesen konnte, während er die reichlichen Überreste vom Empfang in sich hineinstopfte, aber es blieb nicht von selbst stehen. Er hatte die Champagnerflasche zu sich herangezogen und das Buch an die Flasche gelehnt, aber auch das half nichts, denn der Inhalt der Flasche befand sich in Hoffmans Magen. Die leere Flasche war elegant über den weißen Marmortisch gerutscht, und das Buch war hintenüber gefallen. Dann hatte er den schweren Kühler mit geschmolzenem Eis an seinen Teller gestellt. So blieb das Buch stehen.

Auf einen durchweichten Toast Melba hatte er einen Suppenlöffel mit Russischem Kaviar gehäuft, hatte schmatzend das Buch aufgeschlagen und den ersten Absatz der philosophischen Abhandlung von Baruch de Spinoza gelesen.

Das letzte Stück Philosophie, das er genossen hatte, war Hermans Übersetzung von Wittgensteins *Tractatus* gewesen, aber er gab ritterlich zu, daß die strengen Paragraphen dieses Buches seiner Natur nicht entsprachen, auch wenn der letzte Satz – wovon man nicht sprechen kann, darüber muß man schweigen – ihm gut gefallen hatte. In seiner Studentenzeit hatte er natürlich Kant, Nietzsche, Sartre und Heidegger gelesen, und außerdem hatte er mit Hilfe von Bertrand Russells *Philosophie des Abendlandes* den Versuch unternommen, breitere Kenntnis von den Ideen der großen Denker zu erlangen. Von Rilke und Morgenstern kannte er Dutzende dunkler Gedichte auswendig, er hatte Hannah Arendts Schriften gelesen, hatte bei der Frankfurter Schule und in der Phänomenologie herumgepickt, aber an seinem geistigen Habitus veränderte das nichts: Er mußte sich eingestehen, daß er als Intellektueller unterentwickelt war, ungeübt in den Regeln der Logik und Rhetorik. Er war für Leibniz und Bergson zu klein, und wenn er etwas über die französischen »neuen Philosophen« las, nahm er sich vor, die klaffenden Lücken in seinem Wissen endlich zu füllen; er wollte lesen, was Cioran und Levinas geschrieben hatten, aber er kam doch nie dazu.

Um sein Unvermögen nicht immer wieder nutzlos auf die Probe zu stellen, las er lieber einen Krimi oder einen Spionage-Thriller. Er las, um die Zeit totzuschlagen, und letzteres nahm er durchaus wörtlich.

Der Titel von Spinozas Buch *Abhandlung über die Verbesserung des Verstandes und über den Weg, auf dem er am besten zur wahren Erkenntnis der Dinge geleitet wird* hatte ihn zum Lachen gereizt; unter dem warmen Dach hatte er den Staub vom Buch gepustet und es mit nach unten genommen.

Es war ein ziemlich hohes Buch mit kartoniertem Einband und dicken, schweren Seiten. Das Papier war faserig aufgeschnitten und vergilbt, hie und da befleckt, weil offenbar früher einmal ein Glas Wein darauf verschüttet worden war. Der Druck war groß und deutlich. Es war von einem Buchbinder gebunden, daher ließ es sich leicht aufschlagen.

Er füllte den Löffel noch einmal mit dem herrlichen blauschwarzen Kaviar und schob die ganze Ladung ohne schlappen Melba-Toast in seinen Mund.

Der Eingangssatz von Spinozas *Abhandlung* war der sonderbarste, den er je gelesen hatte. Wahrscheinlich war der Ton des Satzes für jemanden aus dem siebzehnten Jahrhundert unerwartet persönlich und direkt. Hoffman war im Gegensatz zu seiner Frau Marian, einer Vondel-Spezialistin, kein Kenner der Literatur des siebzehnten Jahrhunderts; er erinnerte sich nur an ein paar Titel, die zur Pflichtlektüre gehörten. Im Lauf der Jahre hatte er immer mal wieder Marians Studienbücher und Aufzeichnungen beschnuppert und betastet, wenn sie irgendwo herumlagen, aber er hatte sich nicht berufen gefühlt, ins siebzehnte Jahrhundert hinabzusteigen, ihre Passion für diese Zeit blieb ihm fremd. In der Studentenzeit hatte er aufmerksam ihre Interpretationen von Vondels Sonetten gelesen, aber er blieb trotzdem immer nur Zaungast bei einem Spiel, dessen Regeln er nicht ergründete.

Mit Marian hatte er nie eine geistige Beziehung gehabt. Von allem Anfang an war sie seine Frau gewesen, er ihr Mann. Sie sprachen wohl über Filme und Bücher, aber auf eine primitive, sehr subjektive Art. Später sprachen sie über das Zahnen und die Kinderkrankheiten der Zwillinge, und zum Zauber dieser Jahre paßten keine Gespräche über den Gottesbeweis bei den Scholastikern.

Hinter dem »Ich« des ersten Satzes in diesem Buch sah er plötzlich das fremdartige, langgestreckt-eiförmige Haupt von Spinoza, mit großen, milden Augen, frischen Wangen, einer geraden Nase und langem, dichtem Haar. Der Kopf war vorn im Buch abgebildet, kaum mehr als eine Skizze, aber sehr eindringlich.

Dieser Spinoza strahlte eine große Ruhe aus, Hollands Philosoph spanischer Abkunft aus dem siebzehnten Jahrhundert, ein Mann, der seine Aufgabe gefunden hatte und neugierig auf einen Punkt rechts von seinem Zeichner schaute. Hoffman wußte nicht, was da zu sehen war, aber der Philosoph besaß unbestreitbar einen offenen, wachen Blick.

Hoffmans Gesicht zeigte Falten und Furchen, ein kompliziertes Grabensystem, worin die Schweißtropfen, die er in den vergangenen heißen Tagen reichlich abgesondert hatte, im Zickzack herunterliefen. Seine Augen lagen versteckt unter kleinen Säcken, die an seinen Augenbrauen befestigt schienen, aber wer sich die Mühe machte, diese Säckchen hochzuziehen, fand Augen von unverbrauchter Qualität: mit hellem Glanz, aber erschrocken und traurig, wie die Augen eines zehnjährigen Jungen, der gerade bestraft worden ist.

Hoffmans Kopf war früher ebenso gesund behaart gewesen wie der von Baruch, aber im Lauf der Jahre war der Haaransatz immer weiter von seinen Augen zurückgewichen. Dünnes graues Haar, das er auf amerikanische Art kurz geschoren hielt, erinnerte ihn Tag für Tag an sein nahendes Ende. Er hatte ein schweres Kinn und breite Schultern, schleppte an die zwanzig Kilo Übergewicht mit sich herum, besaß große Hände und Füße und eine Stimme, die einen vollen Saal ohne Mikrofon ausfüllte; er war der letzte aus einer Familie starker rothaariger Juden, die in früheren Jahrhunderten die Arbeitspferde in polnischen und russischen Schtetln gewesen waren und aussahen wie Bauern aus der Ukraine.

Er beugte sich über den Küchentisch und griff nach einer Flasche. Er trank direkt aus dem Flaschenhals und vermischte den starken Nachgeschmack des Kaviars mit einem Schluck lauwarmen Champagners von Moët & Chandon.

Von der Tischplatte reflektierte das Lampenlicht in alle Küchenecken. Im stillen Haus saß Hoffman wie in einem Kokon aus Licht. Tagsüber fiel der Blick durch ein hohes Fenster über der Anrichte in einen ausgedehnten Garten, aber jetzt wirkten die dunklen Fensterscheiben wie ein Spiegel, in dem sich die Küche selber betrachten konnte. Es war besser, die Fenster geschlossen zu halten, draußen war es noch wärmer, und die Mücken saßen in Scharen außen an der Glasscheibe.

Der Tisch war vollgeladen. Mit Salaten, Aufschnitt und Pasteten, mit Krabben und Hummer, französischem und holländischem Käse, exotischen Früchten, Nüssen, Weinflaschen und Likören. Seit der kommunistischen Machtübernahme hatte kein Tscheche solche Delikatessen auf einem Haufen gesehen.

Das große Haus stand in einem vornehmen Außenbezirk von Prag und diente seit 1973 als Sitz des Botschafters und Generalbevollmächtigten Ihrer Majestät der Königin der Niederlande. Es war ein rechteckiges Gebäude mit drei Stockwerken, eingerichtet von einer vom Auswärtigen Amt eigens für diese Zwecke geschaffenen Abteilung, die das Idealbild des Königreichs scharf im Auge behielt: solide, aufrecht, zurückhaltend. Wer hier über die Schwelle trat, fand einen Gutshof in einem calvinistischen Polder vor.

An der Straßenseite erstreckte sich ein Salon fast über die Hälfte des gesamten Erdgeschosses und enthielt gleich drei Sitzgruppen. Eine Schwingtür öffnete den Zugang zu einem separaten Eßsaal, worin ein massiver Tisch stand, der für offizielle Essen benutzt wurde. In der Mitte lag eine Empfangshalle komplett mit Bechsteinflügel und einer breiten Treppe, die sich theatralisch in den ersten Stock hinaufschwang. Zur Gartenseite hin hatte ein vorausschauender Geist ein zweites kleineres Eßzimmer für die täglichen Mahlzeiten eingerichtet; es gab eine geräumige Küche für die größeren Diners und eine Beiküche für die gröberen Arbeiten sowie eine pikante zweite Treppe hinter einer Schranktür.

Im ersten Stock lagen Schlafzimmer und ein Arbeitszimmer mit Bibliothek, im zweiten Stock weitere Schlafzimmer, und unter dem Dach standen auf dem nackten Holzboden des Speichers ausrangierte Möbel, Bücher und Kram.

Jeder neue Bewohner füllte die Möbel des AA mit seinen eigenen Sachen, um dem Haus eine persönliche Note zu geben, und jeder ließ beim Auszug irgend etwas Überflüssiges zurück. So war auch das Buch von Spinoza auf den Speicher gekommen, von einem Botschafter beim Umzug verbannt, oder von seiner an Lebensfragen interessierten Ehefrau.

Der Moët & Chandon war nicht schlecht, aber Hoffman trank lieber Taittinger, auch wenn angeblich Dom Perignon der beste sein sollte. Der Dom war eigentlich nur teuer, fand Hoffman, ein typischer Champagner für Neureiche ohne Geschmack. Dieser Moët war für den Empfang am Vorabend von jemandem aus der Botschaft eingekauft worden – der Name des Mannes war ihm entfallen, er selbst war ja erst seit kurzem hier in Prag –, der behauptete, daß der Taittinger in dem Geschäft im nahen München, wo sich das Prager Corps mit Delikatessen versorgte, ausverkauft gewesen sei.

Was hatte Spinoza nun eigentlich zu sagen?

»Nachdem die Erfahrung mich gelehrt hat, daß alles, was im gewöhnlichen Leben sich häufig uns bietet, eitel und wertlos ist...« – dies war eine Mitteilung, die ihn nicht gerade umwarf. Auch Felix Hoffman hatte dies feststellen können nach neunundfünfzig Jahren Alltagsdasein, auch er hatte erfahren, daß alles eitel und wertlos war, aber Spinoza hatte nicht ohne Grund den Ruf, ein bedeutender Philosoph zu sein und würde deshalb wahrscheinlich bald einen Trumpf aus dem Ärmel ziehen.

»...da ich sah, daß alles, was und vor welchem ich mich fürchtete, nur insofern Gutes oder Schlimmes in sich enthielt, als die Seele davon bewegt wurde...« war ein Zusatz, der auch nicht gerade Furore machte.

Damit meinte der alte Philosoph, daß man im Grunde nur Angst hatte vor der eigenen Angst. Ein Auto zum Beispiel ist ein harmloses Stück Blech, aber eine Mordwaffe, wenn es von einem Saufbold mit zwölf Flaschen Champagner im Leib gefahren wird – wenn man dies wußte, würde man a) keinen Tropfen mehr trinken und b) sich nie mehr in ein Auto setzen.

Er las weiter.

»...beschloß ich endlich nachzuforschen, ob es irgend etwas gebe, das ein wahres Gut sei, dessen man teilhaftig werden könne, und von dem allein, mit Ausschluß alles übrigen, die Seele erfüllt werde...«

Dies waren vermutlich die Worte gewesen, die ihn beim ersten Lesen getroffen hatten. Spinoza ging auf die Suche nach etwas, das die Seele erfüllen konnte, oder nach etwas, das ihn glücklich machen konnte, eine Verheißung, die im letzten Satzteil noch einmal wiederholt wurde: »...ob es etwas gebe, durch das ich, wenn ich es gefunden und erlangt, eine beständige und vollkommene Freude auf immerdar genießen könne.«

Baruch de Spinoza suchte das Glück.

Felix Hoffman nahm sich vor, die *Abhandlung über die Verbesserung des Verstandes und über den Weg, auf dem er am besten zur wahren Erkenntnis der Dinge geleitet wird* gründlich zu lesen.

Er stand auf und öffnete den Kühlschrank. Der Korken einer neuen Flasche Moët schoß wie eine Rakete aus dem Flaschenhals. Es war nicht angenehm, direkt aus der vollen Flasche zu trinken, und er füllte ein Glas mit dem schäumenden Champagner.

Am Morgen hatte er im Hradschin den Präsidenten besucht und ihm sein Beglaubigungsschreiben überreicht.

»An das Staatsoberhaupt der Tschechoslowakischen Sozialistischen Republik,

Exzellenz,

Ich habe beschlossen, Herrn Felix Aaron Hoffman, einen angesehenen Bürger des Königreiches der Niederlande, zu meinem Botschafter und Generalbevollmächtigten bei Ihrer Regierung zu ernennen.

Er ist über die gegenseitigen Interessen unserer beiden Länder informiert und teilt meinen aufrichtigen Wunsch, die schon lange bestehende Freundschaft zwischen uns zu erhalten und zu festigen.

Mein Vertrauen in seinen noblen Charakter und seine Fähigkeiten gibt mir die volle Überzeugung, daß er seine

Pflichten auf eine für Sie genehme Art und Weise erfüllen wird.

Ich bitte Sie daher, ihn mit allen Ehren zu empfangen und ihm Ihr geneigtes Ohr zu leihen, wenn er im Namen des Königreiches der Niederlande spricht und der Tschechoslowakischen Sozialistischen Republik meine besten Wünsche überbringt.

Beatrix R.«

Mit neunundfünfzig hatte er die Beförderung erhalten, auf die er schon seit fünfzehn Jahren ein Anrecht hatte. Das AA hatte ihm den Status vorenthalten, und Hoffman hatte jahrelang seine Feinde in Den Haag gezählt und seine Chancen berechnet. Er hatte sich bereits damit abgefunden, als überalterter Botschaftsrat in den Ruhestand zu gehen. Plötzlich gaben sie ihm gegen Ende seiner Laufbahn diesen Posten, und dies war ein positiverer Abschluß seiner stürmischen Verbindung mit dem AA, als er aufgrund seiner Beurteilung hatte erhoffen dürfen.

Seinen ersten Posten bekam er 1960 in Caracas als Dritter Sekretär, vier Jahre später folgte die Stelle in Madrid als »Wirtschaftsexperte«, wieder vier Jahre später die Stelle in Lima, Peru. Es war nur ein Zufall, daß alle Länder spanischsprachig waren; das Amt befleißigte sich einer völlig willkürlichen Berufungspraxis und hielt nichts davon, Experten heranzubilden, die ihren Beruf nur innerhalb einer einzigen Kultur ausübten. 1971 ging er zum erstenmal nach Afrika, nach Dar-es-Salaam in Tansania, und vier Jahre später war es wieder Südamerika, Rio de Janeiro. Damals hatte er schon Anrecht auf einen Botschafterposten, aber er kam 1979 als Generalkonsul nach Houston. 1983 reiste er, nur im Rang eines Geschäftsträgers auf Zeit, also deutlich ohne Beförderung, nach Khartum, und dort war er bis zu seiner Berufung nach Prag geblieben.

Auf den Entwicklungsposten hatte er sich mit Arbeit betäuben können, denn in diesen Ländern forderte die Arbeit den ganzen Mann und ging nie aus. Mit der Tschechoslowakei dagegen waren die diplomatischen Beziehungen so gut wie eingefroren, und auf wirtschaftlichem Gebiet spielte sich nicht viel mehr ab als ein bißchen Handel im Umfang einer Zugladung Skodas und ein paar Dutzend Vogelkäfigen. Prag galt als langweiliger Posten, und er befürchtete, daß er hier seine Energie nicht loswerden konnte. Aber seine Beförderung hatte ihn mit Genugtuung erfüllt.

Wim Scheffers war der Mann im AA, dem er seinen Posten zu verdanken hatte. Wim war ein schlanker Mann mit grauen Augen und sonnengebräuntem Teint. Hoffman hatte ihn in der »Klasse« getroffen, wie sie ihre eigene Ausbildung beim AA nannten. Wims Vater, ein Jude, der den Krieg dank seiner Mischehe heil überstanden hatte, hatte kurz nach Beginn von Wims »Klasse« den Kopf in eine Schlinge gesteckt und den Stuhl unter seinen Pantoffeln weggestoßen. Entmutigt wollte Wim daraufhin der Klasse und dem diplomatischen Dienst den Rücken kehren, aber Hoffman hatte ihn in Den Haag festgehalten, und Wim hatte im Außenministerium Karriere gemacht. Sie nannten sich die *Jewish gang*, ein Jude und ein Halbjude (was auch immer das sein mochte), die durch die Maschen des AA geschlüpft waren.

Scheffers war jetzt Ministerialdirektor beim Auswärtigen Amt, MDAA, ein Bürokrat, der immer höher kletterte, je mehr Dienstjahre er hatte. Er war ein berüchtigter *lady's man*.

Hoffman hatte ihn in das *Des Indes* eingeladen und einen Château Margaux bringen lassen. Wim beschnüffelte den Margaux stumm und ausdauernd.

»Köstlicher Wein«, sagte er, »es gibt doch nichts Köstlicheres als einen Margaux.« Der Ober schenkte weiter ein.

»Ich weiß, du bist ganz wild auf Margaux. Eine Kiste ist unterwegs zu dir.«

»Du bist verrückt, Felix. Laß das doch.«

»Ohne dich hätte ich die ganzen Jahre nicht überstanden, Wim. Nur ein Zeichen meiner Dankbarkeit.«

»Nein. Du brauchst nicht dankbar zu sein.«

Hoffman lehnte sich über den Tisch und sagte vertraulich: »Wir wollen die Dinge doch beim Namen nennen. Dein Einfluß hat mich nach Prag gebracht. All das andere Pack kann mich nicht ausstehen. Das sind doch sture Arschlöcher und Duckmäuser, die nur noch an ihr Häuschen in der Ardèche denken, das sie zusammengespart haben...«

»Also das hab ich auch, Felix...«

»Ich weiß, ich weiß, aber du bist kein Arschloch, du bist frankophil. Zwar weiß ich bei Gott nicht, warum ein gesunder Mensch frankophil sein muß, aber ich werde den lieben Gott bitten, daß er dir vergibt.«

»Die Kultur, Felix, die Kultur...«

»Ach, scheiß doch auf die Kultur, du meinst die französischen Nutten...«

Er wußte, daß er Wim Scheffers mit solchen Reden amüsierte. Im Lauf der Jahre war diese Rollenverteilung entstanden: Wim blieb der lustige Junggeselle mit seiner kleinen Passion, die er in einem umgebauten Bauernhof am Rand eines mittelalterlichen Dorfes im tiefsten Frankreich auslebte, und Hoffman spielte den vom Leben gezeichneten Elefanten, der ab und zu durch Wims Porzellanladen trampelte und Banalitäten fallen ließ. Scheffers war nie verheiratet gewesen.

»Wirklich, im Ernst, Wim, ich bin dir dankbar. Ich hab diese Hohlköpfe allzulange Hanswurst spielen sehen. Jetzt darf ich auch mal Hanswurst sein. Ich bin froh darüber. Aber ein schaler Nachgeschmack bleibt doch, denn es hat ziemlich lange gedauert, was?«

»Du hast es dir selbst nicht gerade leicht gemacht.«

»Ach, hab ich es doch mir selber zu verdanken?«

»Ein Posten bei einem Verlag oder bei einer Filmgesellschaft hätte vielleicht besser zu dir gepaßt.«

»Ach ja?«

»Du bist eigentlich zu... zu künstlerisch für unseren Job, ich meine, du bist viel zu locker und direkt. Manche Leute haben es nicht leicht gehabt mit deiner Art, Felix.«

Damit meinte Scheffers, daß Hoffman ein Großmaul war, besonders in betrunkenem Zustand, was in Scheffers Ausdrucksweise mit dem Wort »künstlerisch« umschrieben wurde.

»Und eigentlich... ich sag mal einfach, wie es ist, Felix, eigentlich ist es ein Wunder, daß du überhaupt noch im Amt bist. Du hast es manchmal ganz schön bunt getrieben.«

»Halb so schlimm«, sagte Hoffman.

»Na, zum Beispiel... mit diesem, na, diesem leichten Mädchen in Kenia. Das ging wirklich zu weit, Felix, wenn du mich fragst, zu weit.«

»Wollen wir nicht von was anderem reden, Wim? Ich hab dich eingeladen, damit wir was feiern. Ich hätte nicht davon anfangen sollen. Dumm von mir.«

Er lenkte die Unterhaltung auf Kollegen, und bald ließ ihr Klatsch den Vorfall in Kenia wieder in den Verliesen seines Gehirns verschwinden, wo er hingehörte.

In der Küche seines neuen Hauses setzte sich Hoffman wieder vor sein Buch, das geduldig am Champagnerkühler lehnte. Ohne Wims Hilfe wäre er jetzt ein verbitterter kleiner Beamter. Sein neuer Rang bewirkte, daß sich die Pension nach seinem ehrenvollen Abschied um gute zwanzig Prozent erhöhen würde, und obwohl er nicht mit einem langen Leben nach der Pensionierung rechnete und das Geld eigentlich nicht nötig hatte, beruhigte es ihn doch, über ein festes Einkommen zu verfügen, wenn sein Arbeitsleben zu Ende war.

Hoffman hatte seinem Körper viel zugemutet. Er hatte hart gearbeitet, auch in den heißen Ländern waren seine Arbeitstage lang gewesen, er hatte viel gegessen und getrunken, und bis vor einigen Jahren war er Kettenraucher gewesen. Er hatte Angst vor den langen Nachmittagen nach seiner Pensionierung. Er hatte weder Hobbys noch Leidenschaften noch sonst eine Beschäftigung. Seit seiner Stationierung in Houston strapazierte er nachts Speiseröhre und Magen mit dem, was der Kühlschrank hergab, und las dabei am liebsten Zeitungen, Zeitschriften und Prospekte.

Bis jetzt hatte er hier noch keine Prospekte gefunden, und er fragte sich, ob der Ostblock überhaupt Werbung kannte. Unermüdlich versuchte er sich an den Romanen, die gerade in Mode waren, von südamerikanischen Autoren und reisenden Engländern, aber sie befriedigten ihn kaum. Deshalb griff er zurück auf russische und französische Klassiker und die gutgemachte Action-Literatur des *Crime Book Club*, bei dem er Mitglied war.

Aus Cleveland, Ohio, wurden ihm jede Woche zwei Krimis zugeschickt. Innerhalb von zwei Nächten hatte er sie aus. Noch lieber wäre er Mitglied im *Direct Mail Club* geworden, um das Vergnügen zu haben, pro Tag mit ein paar Kilo Prospekten versorgt zu werden. Noch immer ergriff ihn ein fiebriges Heilig-Abend-Gefühl, wenn er Prospekte durchblätterte. Dabei spielte es keine Rolle, ob sie Damenunterwäsche oder Do-it-yourself-Badezimmer anpriesen. Prospekte hatten ihn vor dem Verrücktwerden bewahrt, einfach dadurch, daß sie seine Aufmerksamkeit auf so alltägliche Dinge wie Kaffeemaschinen und Ultraschall-Staubsauger richteten. Dadurch war er imstande, seine Gedanken zu sammeln und den nächtlichen Wahnsinn auf Abstand zu halten.

Seit dem 6. September 1968 war er schlaflos. Seit diesem Tag war er der Gefangene seiner selbst.

Er schenkte sich ein neues Glas ein, wischte den Schweiß von der Stirn und las den nächsten Absatz der *Abhandlung*.

»Ich sage: so beschloß ich endlich; denn auf den ersten Blick schien es nicht ratsam, etwas Gewisses aufzugeben für etwas, das damals noch ungewiß war. Ich sah nämlich die Vorteile, die man durch Ansehen und Reichtum erlangt, und ich sah, daß ich aufhören mußte, ihnen nachzujagen, wenn ich mich ernstlich um ein Anderes, Neues bemühen wollte. Und wenn dann vielleicht doch das höchste Glück in diesen Dingen lag, so sah ich wohl, daß ich seiner verlustig gehen müßte; das höchste Glück würde mir aber auch entgehen, wenn es darin nicht lag und ich mich doch nur mit großem Einsatz um diese Dinge bemühte.«

Offenbar war auch Spinoza ein Mann mit Beruf und Familie gewesen und hatte wie jeder andere nach Reichtum und Ansehen gestrebt, doch dann fing er an zu zweifeln und wurde zum Spieler: Er konnte aufgeben, was er besaß, und das höchste Glück finden, oder er konnte behalten, was er besaß, und sich damit begnügen.

Hoffman zog eine Schüssel mit frischen Entenlebern näher zu sich heran. Sie waren vakuumverpackt aus München gekommen, und der Koch, den er sich von den Franzosen ausleihen durfte, hatte sie am frühen Abend kurz angebraten, damit sie die Hitze besser überstanden. Unter der marmornen Tischplatte befand sich eine Besteckschublade. Er drückte ein Messer in ein Leberchen. Das zarte Fleisch zerging ihm auf der Zunge.

Hoffman hatte festgehalten, was er besaß. Auch wenn seine Schlaflosigkeit seine Ehe mit zerstört hatte, war er doch bei Marian geblieben. Sie hatten beschlossen zusammenzubleiben, wie Bruder und Schwester nach dem Tod der Eltern weiter zusammenleben konnten und dieselbe Küche und dasselbe Klo benutzten, ohne Intimität.

Es war jetzt halb vier, oben in ihrem Zimmer lag Marian in tiefem Schlaf. Abends zogen sie sich in verschiedene Zimmer zurück, und wo es die Möglichkeit gab, wie in diesem Haus, benutzten sie auch verschiedene Badezimmer. Er begrüßte sie beim Frühstück, und wenn er nicht irgendwo ein Abendessen hatte, sah er sie beim Abendbrot wieder. Sie begleitete ihn zu allen offiziellen Anlässen und kam ihren Pflichten nach, wie es sich für eine eingefleischte Diplomatenfrau gehörte. Sie blieben zusammen, weil ihre Vergangenheit eine endgültige Trennung verhinderte.

Hoffman war ein Feigling.

Er war nichts weiter als ein schlafloser Alkoholiker mit chronischem Hunger, der seine Daseinsberechtigung schon vor langer Zeit verspielt hatte. Er wußte, daß er sich auf niedrige Art von seinen Charakterschwächen leiten ließ, weswegen er auch jederzeit genügend Entschuldigungen fand, die erklärten, warum er Marian nicht verlassen konnte. Es war keine Leidenschaft mehr, die sie aneinander kettete. Es war Kummer, Kummer im Überfluß.

Er sah in die Schüssel und stellte fest, daß er gedankenlos drei ganze Entenlebern in sich hineingefressen hatte, ohne sie auch nur zu schmecken. Er füllte sein Glas aufs neue mit Champagner. Das Getränk tanzte ihm auf der Zunge.

Noch gute drei Stunden, bis ihn der Morgen wieder von der Dunkelheit erlösen würde. Vor Jahren, irgendwann Anfang der siebziger Jahre, hatte er versucht, das neue Leben, das seine Schlaflosigkeit ihm eröffnete, dafür zu nutzen, ein umgekehrtes Geschichtsbuch zu schreiben, wie er es damals nannte, einen Essay-Band, worin er eine neue Form des Nihilismus predigen wollte, jenseits von allem Glauben und jeder Ideologie, zum höheren Ruhm des nüchternen Konsumententums. Er wollte Popper damit übertrumpfen. Er hatte haufenweise Notizen gemacht und sie auf große Pinnwände gesteckt. Nächtelang war er begeistert auf die Suche nach einer Struktur für den Band gegangen und hatte seine Karteikarten auf den Pinnwänden hin und her geschoben, als spielte er die schwierige Eröffnung eines Schachturnierspiels nach. Aber er merkte plötzlich, daß er damit nur versuchte, sein eigenes Leben zu rechtfertigen und daß er niemandem etwas mitzuteilen hatte.

Beim Empfang hatte er ein Stück Camembert mit einem starken Holzgeschmack probiert, und davon sah er noch ein zerlaufenes Restchen liegen. Er spülte den kräftigen Käse mit einem Schluck Moët hinunter und füllte das Glas gleich wieder nach.

Es geschah erst spät in seinem Leben – um einen Bruchteil gerade nicht *zu* spät: Gestern früh hatte der Präsident der einen oder anderen Republik ihn in seiner Funktion als Botschafter empfangen. In einem kühlen, hohen Saal im Hradschin hatten sie zu zweit Tee getrunken, über Van Basten und Gullit gesprochen. Zum Abschluß hatte Hoffman etwas über die innige Freundschaft der beiden Völker gemurmelt.

Dann durfte Marian hereinkommen. Sie glänzte in ihrer Rolle als Dimplomatengattin. Sie beide hatten das Ende der Leiter erreicht. Aber die Genugtuung darüber zelebrierte jeder für sich allein. Als sie den Hradschin verließen, zurückgelehnt in die Ledersitze des Mercedes, der ihm als Botschafter Tag und Nacht zur Verfügung stand (die Klimaanlage summte, die Niederländische Standarte wedelte auf der schwarzglänzenden Motorhaube, der Chauffeur trug eine richtige Mütze, Marian erlebte einen zweiten Frühling in einem Kostüm, das sie sich in Wien hatte machen lassen), da brannte Hoffman vor Verlangen, ihr Gesicht in beide Hände zu nehmen und zu sagen: »Das ist auch dein Verdienst.« Aber er sagte nur: »Wie fandest du Husak?«

»Ein Scheusal«, sagte sie, »spielt den lieben Opa und hat noch Blut unter den Fingernägeln.«

»Und wie findest du das jetzt?«

»Was meinst du?«

Er suchte nach Worten: »Na, daß wir hier zusammen...«

»Ich finde es großartig für dich, das weißt du doch?«

»Ja, aber... wie findest du es selbst?«

»Das finde ich selbst.«

»Ich meine: Wie findest du es, daß wir so weit gekommen sind?«

»*Du* bist so weit gekommen. Ich hab dir nur ein bißchen geholfen. Ich hab meine eigenen Hobbys, wie du weißt.«

Und er antwortete ihr nicht: Marian, ohne dich wäre ich schon lange in der Gosse krepiert. Solche Wörter waren im Protokoll ihrer vertrockneten Ehe nicht zugelassen.

Er war Volkswirt, sie Literaturwissenschaftlerin. Sie

hatten sich beim Studium an der Amsterdamer Universität kennengelernt. Im Krieg hatte er die höhere Schule verpaßt, weil er bei einem Schweinezüchter in Brabant untergetaucht war. Und nach der Befreiung wirkte allein der Gedanke an die angebliche Notwendigkeit eines höheren Schulabschlussses inmitten der rauhen Wirklichkeit, die ihn zur Waise gemacht hatte, wie ein obszöner Scherz.

Hoffmans Vater war Bankdirektor gewesen, und Felix hatte nach dem Krieg monatlich eine kleine Zuwendung bekommen. Seinen Vormund, den Vater seines Freundes Hein Daamen, hatte er davon überzeugt, daß er selbständig leben konnte. Er ging nicht zur Schule, hatte keine Arbeit, lag in einem Zimmer bei einer Vermieterin an der Plantage Middenlaan, drehte sich Zigaretten, trank Tee und tat nichts. Er war noch sehr jung, aber er hatte Geld, und in den Kneipen traf er andere junge Leute. Seine Lethargie war ihnen fremd. Schreiend und fluchend versuchten sie, den Schock der Befreiung in Bilder und Bücher umzusetzen.

Felix' Beitrag zur Kunst beschränkte sich darauf, daß er die wilden Bilder seiner bettelarmen Bekannten kaufte. Aus einer merkwürdigen Sentimentalität heraus hatte er all diese Bilder aufbewahrt, Bilder von ruhelosen Malern, die ihrer Bewegung später den Namen Cobra gaben. Erst 1952 schaffte er mit zweiundzwanzig Jahren die Reifeprüfung und fing an zu studieren.

Seine Appels und Constants stellten seine Lebensversicherung dar. Er bewahrte die Gemälde in einer geheizten und einbruchsicheren Lagerhalle in Den Bosch auf, die Hein Daamen gehörte, einem eleganten, aber ungeschickten Ingenieur, mit dem zusammen er die Grundschule besucht hatte.

Die Daamens waren eine vornehme Familie in Den Bosch, die sich rühmte, in jeder Generation mindestens einen Bischof oder eine Mutter-Oberin hervorgebracht zu haben. Im Dezember 1944, drei Monate nach der Befreiung von Den Bosch, hatte Hein seinen Schulfreund Felix Hoffman in der Kälte auf der Hekellaan gesehen; er stand zähneklappernd vor dem ausgeplünderten Haus, in dem er aufgewachsen war. Felix stank nach Schweinemist, der Schmutz saß tief in seinen Poren. Hein überredete ihn, von dort wegzugehen, und nahm ihn mit nach Hause.

Sie hängten Luftschlangen über den hohen Stuhl von Vater Daamen, als ob Felix Geburtstag hätte, und während sich das Haus langsam mit seinem Gestank füllte, aß Felix oben am Tisch unter den schuldbewußten Blicken der halben Familie einen Teller mit Hirsebrei, gebratene Eier mit Speck, eine Dose Corned Beef mit fünf dicken Scheiben Kanadischem Brot, eine halbe Mettwurst und eine Tafel Schokolade. Er hatte keinen Hunger, aber er aß die Teller leer. Die Luftschlangen kitzelten ihn am Nakken. Dann bekam er den warmen Mantel von Heins ältestem Bruder (mit dem Mantel kam er durch den Winter). Hein ließ die Bemerkung fallen, daß es unchristlich sei, diesen Jungen wieder wegzuschicken, und das Dienstmädchen stellte ein rostiges Klappbett in Heins Zimmer. Sie ließen ihm ein Bad ein, und noch vor dem Schlafengehen erteilte ihm Frau Daamen in selbstloser Weise Unterricht im Neuen Testament. Felix blieb dort bis August

1945, wobei er jede Woche eine beschwerliche Reise unternahm, zwischen Militärkonvois und endlosen Reihen von Ambulanzwagen eingezwängt, zu jenem leicht verrückten Schweinezüchter in der Nähe von Boxtel, Eduard van de Pas, wo er zwei Jahre lang versteckt gewesen war in den sich langsam leerenden Ställen mit Gottes eigenen Unberührbaren, die dieser ebenso poetische wie wasserscheue Bauer illegal schlachtete – es war die einzige Widerstandstat, die Felix bemerkt hatte –, um sie zu einem kleinen Teil an den jungen Juden zu verfüttern.

Bei ihm hatte Hoffman, der zu Hause nur koscher gegessen hatte, die Herrlichkeiten des selbstgeräucherten Schinkens kennengelernt.

Auf dem Küchentisch lag, noch in Zellophan verpackt, ein ganzer Parmaschinken, und Hoffman konnte der Versuchung nicht widerstehen, eine Scheibe davon abzuschneiden. Der Champagner schien ihm dafür als Begleiter zu schwach, und er öffnete eine Flasche Brouilly, einen duftenden, feinfruchtigen Wein aus dem besten Anbaugebiet des Beaujolais. In einer Schüssel mit Salaten entdeckte er ein paar Melonenscheiben, die legte er manierlich neben den Schinken auf seinen sauberen offiziellen Teller, unter das Goldkrönchen der Oranier.

Im August 1945 hatte man ihn in ein jüdisches Kinderheim gebracht, aber er riß wieder aus, und Hein versteckte ihn ein paar Tage lang in seinem Zimmer. Die Daamens nahmen die Vormundschaft an und gönnten ihm die Freiheit, sich in einem Zimmer bei einer Vermieterin an der Plantage Middenlaan in Amsterdam zu vergraben. Damals wußte er schon, daß seine Eltern in einem Duschraum vergast worden waren und danach in einem Ofen verbrannt. Hein begann 1949 zu studieren, Felix 1952. Ein paar Jahre lang sahen er und Hein sich fast täglich. Dann heiratete Hein Trudy Overeem, die Tochter eines Direktors bei Philips, und ihre Beziehung schlief ein, ohne jemals abzureißen. Wenn sie sich einmal im Jahr trafen, unterhielten sie sich mit der Vertrautheit von früher. Und alle Jubeljahre einmal gingen sie zu viert essen.

Marian hatte mit Trudy regelmäßigeren Kontakt. Er wußte nicht, ob sie Busenfreundinnen waren, sie gehörte jedenfalls zu den wenigen Menschen, mit denen Marian Briefe wechselte.

Hoffman wandte sich wieder Spinoza zu, dem Philosophen, der begonnen hatte zu spielen. Der bereit war, die drei Hauptirrtümer, denen die verblendeten Menschen nachjagten, Reichtum, Ansehen und Genuß, einzutauschen gegen eine unsichere Suche nach dem höchsten Glück.

Hoffman las noch ein paar Absätze, in denen Spinoza ausführlicher darüber nachdachte, warum er zögerte, sein Leben zu verändern, und er stieß dabei auf folgende Passage:

»Ich sah nämlich, daß ich mich in der größten Gefahr befand und deshalb gezwungen war, mit aller Kraft ein wenn auch ungewisses Heilmittel zu suchen; wie ein Todkranker, der – weil er seinen gewissen Tod voraussieht, falls nicht ein Heilmittel angewendet wird – mit aller Kraft nach diesem wenn auch ungewissen Mittel suchen muß, denn auf ihm beruht seine ganze Hoffnung.«

Während Hoffman von der Schinkenscheibe einen Streifen abschnitt und ihn sorgfältig um das Melonenschiffchen wickelte, stellte er übereinstimmend fest, daß auch er in der größten Gefahr schwebte, der Gefahr des unaufhaltsamen Abbaus:
– Beim Wasserlassen dauerte es manchmal eine halbe Minute, bevor der Strahl eine gewisse Stärke erreichte. Wenn die Blase endlich leer war, hatte er Mühe aufzuhören, und sogar nach dem Zuknöpfen der Hose tröpfelte es weiter.
– Sein Schließmuskel schloß den Darm nicht mehr einwandfrei ab, und ohne es zu merken, kolorierte er seine Unterhosen.
– Rätselhafte Schmerzen schossen ihm durch die Glieder.
– Als er einmal in melancholischer Auflehnung eine Mahler-Interpretation von Leonard Bernstein hörte, begannen seine Ohren plötzlich zu sausen.
– Nachts bohrten sich unsichtbare Nadeln in seine Augen.
– Manchmal krampfte sich sein Magen zusammen, als ob er Arsen geschluckt hätte.
– Galle drang ihm aus der Speiseröhre in den Rachen.
– Seine Gelenke begannen, sich aneinander zu reiben.
– Seine Nägel wuchsen ihm ins Fleisch ein.
– Nicht nur auf seinem Kopf, sondern an verschiedenen anderen Stellen seines Körpers begannen dicke Haare aus der Haut zu wachsen.
– Ein scharfer Schmerz schoß ihm von der Brustmitte bis in den Nacken und zog von dort den linken Arm hin-

unter in die Finger. Er wußte, was das bedeutete, hatte öfter darüber gelesen, und auch sein Arzt hatte es ihm erzählt: die Herzkranzgefäße waren verstopft, alles war zugeschlammt und eingerostet.

Sein Arzt hatte ihm geraten, mit einer strengen Diät seinen Cholesterinspiegel zu senken.

»Wenn Sie so weitermachen, bekommen Sie unweigerlich einen Herzinfarkt. Er ist gewissermaßen schon vorprogrammiert, um es mal so auszudrücken.«

»Ist alles Cholesterin schädlich?«

»Das vermuten wir, ja.«

»Sie vermuten?«

»Ja, das ist schwierig...«

»Ich weiß nicht...«

»Um Ihren Cholesterinspiegel zu messen, ist meine Skala nach oben zu kurz, Felix.«

»Wirklich? Na, ich weiß nicht. Ich glaube nicht an diese Cholesterin-Geschichten.«

Hoffman befand sich in der größten Gefahr, genau wie Baruch de Spinoza. Sein Körper steuerte der völligen Auflösung entgegen, und jeden Tag saß sein Geist vierundzwanzig Stunden lang eingesperrt mit sich selbst in *einem* Kopf, bis sein Schädel eines Tages explodieren würde.

Er begoß das Stück Schinken-Melone mit einem Schluck Wein. Der Brouilly hatte ein Aroma, das an edles Holz erinnerte. Der Wein war nicht zu schwer, er hatte einen gleichmäßigen, unaufdringlichen Geschmack.

Er las weiter.

»Diese Übel schienen mir ferner daraus entstanden zu sein, daß alles Glück oder Unglück allein in der Beschaffenheit des Objektes liegt, dem wir in Liebe anhangen. Denn über das, was man nicht liebt, wird niemals ein Streit entstehen; keine Trauer wird sein, wenn es verschwindet, kein Neid, wenn es ein anderer besitzt, keine Furcht, kein Haß, mit einem Wort keinerlei Erregung der Seele.«

Diese schreckliche Wahrheit, banal und subtil zugleich, ließ seine Hand in der Bewegung stocken, und das Weinglas schwebte auf halbem Weg zwischen dem Tisch und seinem Mund. Meinte Spinoza nur *Dinge*, oder schloß der Philosoph in sein »Objekt, dem wir in Liebe anhangen« auch die Liebe zu *Menschen* ein?

Hoffman war es gelungen, die Freundinnen seiner Künstler ab und zu in sein Bett zu schleppen (erst später kam das Wort *groupie* auf), um auf diese Weise wie Sartre und Beauvoir freie Liebe zu praktizieren, aber Marian hatte er geliebt von jenem Tag an, da seine Ohren sie zum ersten Mal in der Mensa gehört hatten. Sie war die Tochter von J. C. Coenen, einem Professor für Niederlandistik, dessen Ruhm ihm immer schon vorauseilte, bevor er selbst auf der Bildfläche erschien, und sie war wild entschlossen, ihren autoritären Vater, einen Psoriasis-Kranken, auf seinem eigenen Arbeitsgebiet zu schlagen, was für ein Mädchen im Jahre 1954 ein heroisches Vorhaben war. Coenen betrachtete Hoffman als Parvenu, mochte der alte Hoffman auch Bankdirektor gewesen sein, und Hoffman betrachtete seinen Schwiegervater als einen engstirnigen Frustrierten.

Felix saß in der Mensa mit Hein Daamen und aß seine Portion Nasi-Goreng, ein Experiment der Mensaküche. Ohne es zu wollen, hörte er hinter seinem Rücken einen Streit zwischen einem Jungen und einem Mädchen.

»Nein, Eddie, ich geh nicht mit.«

»Ich dachte, du hättest es versprochen«, antwortete der junge Mann düster.

»Hab ich auch, aber ich hab mich eben geirrt.«

»Geirrt? Versprochen ist versprochen.«

»Es tut mir leid. Aber ich geh nicht zu diesem Fest.«

»Kommst du dann mit ins Kino? Im Kriterion läuft ein neuer italienischer Film.«

»Eddie... wann wirst du das endlich kapieren? Ich... ich bin nicht in dich verliebt.«

»Nicht? Aber ich dachte...«

Felix tauschte einen Blick mit Hein. Sie hoben beide die Schultern.

»Es tut mir wirklich leid, Eddie, aber es ist doch besser, wenn ich es dir offen sage, meinst du nicht?«

»Du willst nicht mitkommen, weil ich Jude bin«, sagte der Junge plötzlich brüsk.

Felix wechselte die Farbe, als er diesen Satz hörte. Das Mädchen antwortete mit gepreßter Stimme.

»Nein, das ist nicht wahr. Ich bin einfach nicht verliebt in dich.«

»Du bist eine Rassistin.«

»Nein, bestimmt nicht...«

Felix hörte ein Schluchzen in ihrer Stimme. Er konnte sich nicht mehr beherrschen und drehte sich um.

Am Tisch hinter ihm saß das schönste Mädchen, das er

je gesehen hatte. Dichtes dunkles Haar hing ihr über die Schultern, schlanke Finger krampften sich ineinander, Tränen standen in ihren braunen Augen. Ein breiter junger Mann saß mit dem Rücken zu ihm.

»Sag mal, bist du taub, oder was?« sagte Felix.

Der junge Mann drehte sich um. Er war untersetzt und massig, mit gigantischem Kiefer; Felix sah eine starke Hand auf der Stuhllehne liegen. Er kannte ihn, ein älteres Semester aus seiner Studentenverbindung, Eddie Kohn.

»Warum mischst du dich hier ein?« sagte Eddie.

»Ich mische mich überhaupt nicht ein. Ich höre dich, weil du nicht in der Lage bist, in gedämpftem Ton zu reden, und ich höre, daß du...« – er warf einen Blick auf die Schönheit, sie schaute ihn verdutzt an – »...daß du sie beleidigst.«

»Da hast du dich verhört.«

»Ich hab das verdammt gut gehört.«

»An deiner Stelle würde ich den Mund halten.«

»Und an deiner Stelle würde ich auch brav den Mund halten, vor allem, wenn mir was dran läge, noch einmal mit ihr tanzen zu gehen.«

Sie wurde von einem nervösen Lachen ergriffen und preßte erschrocken die Hand auf ihren schönen Mund. Eddie wurde dadurch immer gereizter.

»Du-mischst-dich-hier-nicht-ein.«

»O doch, das tu ich...«

Hein legte eine Hand auf Felix' Arm. »Komm, laß gut sein, Fee, laß uns aufessen und nach Hause gehen.« Hein, der an der TU studierte, hatte seine Unterkunft verloren, weil er mit Freunden, die Felix nicht kannte, ein anrüchiges Fest gefeiert hatte. Hein wollte von diesem Fest nichts erzählen und wohnte nun bei Felix. Aber Felix zog seinen Arm weg und sah Eddie geradewegs ins Gesicht.

»Sie ist keine Rassistin«, sagte er zu ihm.

»Ist sie wohl.«

»Nein.«

Mit eisernem Griff packte Eddie Felix beim Kragen. »Und du bist auch einer«, sagte er angriffslustig.

Felix sah das Mädchen an, das ihn besorgt betrachtete.

»Gehst du mit mir tanzen?« fragte er.

Eddie drehte sich ebenfalls zu ihr um, wobei sich sein Griff um Felix' Hals verstärkte.

Verwirrt hob sie die Schultern, schlug die Augen kurz nieder, schaute dann auf und antwortete fest: »Ja.«

»Siehst du wohl?« sagte Felix mit erstickter Stimme zu Eddie, der Mühe hatte, dieser neuen Wendung zu folgen. »Sie ist keine Rassistin; ich bin nämlich genauso beschnitten wie du, und wenn du das nicht glaubst, dann komm mit aufs Klo und wir vergleichen unsere Dinger, okay?«

Eddie starrte ihn mit offenem Mund an. Felix sah das Mädchen zwischen Bestürzung und Bewunderung schwanken.

Eddie stand auf. Er ließ den Teller mit dem experimentellen Nasi-Goreng unberührt stehen. Felix machte eine ungeschickte Geste zu dem Mädchen, um sich bei ihr für seine leidige Einmischerei zu entschuldigen. Sie reagierte nicht und starrte ihn glasig an. Felix kehrte zu seinem Essen zurück.

»Du kriegst noch mal gewaltig eins auf die Rübe«, prophezeite Hein.

Felix nahm einen Bissen von dem neuen indonesischen Knüller der Mensa-Küche. »Ach, dieser Kerl war doch ein Schwätzer«, sagte er mit vollem Mund, »und wenn du ihm genauso großmäulig antwortest, hält er gleich die Klappe. Mit diesen Typen ist es immer dasselbe. Große Hunde, die laut bellen, und bellst du zurück, dann hauen sie ab. Aber hast du das Mädchen gesehen? Meine Güte, hast du schon ein so schönes Mädchen gesehen? Weißt du, wer sie ist?«

Er sah Hein zu etwas schräg hinter ihm aufschauen. Er folgte seinem Blick und sah in das Gesicht des Mädchens.

Sie sagte: »Wann gehen wir denn tanzen?«

»Erregung der Seele« nannte Spinoza den Schmerz, der solche Erinnerungen begleitete. Hoffman verschlang den Rest seines Schinken-Melone-Happens und merkte zu spät, daß er bei dieser nervösen Art, das Essen hinunterzuschlingen, wieder überhaupt nichts schmeckte. Er griff nach der Schüssel mit Matjesheringen, einem »Evergreen« bei allen Botschaftsempfängen der Niederlande, und zog einen am Schwanz heraus.

Die Schüssel hatte zu lange in der Hitze auf dem Tisch gestanden, und die Heringe verfärbten sich schon, aber der Geschmack war vollkommen. Der Heringsverkäufer in einem Stand auf dem Scheveninger Boulevard hatte ihm erzählt, daß er die Heringe am liebsten aß, wenn sie schon langsam in Fäulnis übergingen. »Kurz vor der Verwesung«, hatte der Mann gesagt und dabei einen Hering aufgeschnitten, »wenn gerade noch keine Maden drin sind. Sie glauben mir nicht? Hier, diesen Hering kriegen Sie von mir geschenkt, unter einer Bedingung: Lassen Sie ihn ein oder zwei Tage auf Ihrer Anrichte stehen. Wenn der Gestank kaum noch auszuhalten ist, essen Sie ihn und erzählen mir nachher, wie er geschmeckt hat. Abgemacht?«

Hoffman hatte den Hering zwei Tage später gegessen, und das Heringsfleisch war zart und sämig, mit einem ausgeprägten Nachgeschmack, der an Wild erinnerte.

Er ließ sich noch einen Hering in den Mund gleiten und lutschte sogar die Reste zwischen Gräte und Schwanz ab. Dann stand er auf und nahm aus dem Tiefkühlfach eine Flasche Wodka. Das Glas beschlug sofort, als der kalte, zähflüssige Wodka hineinrann. Er stürzte das Gläschen in einem Zug hinunter. Das scharfe Zeug erfüllte seine ganze Kehle, stieg ihm in Nase und Augen, er schauderte vor Genuß. Noch ein Gläschen. Er biß die Zähne zusammen, als der Alkohol in der Speiseröhre brannte. Er setzte sich wieder hin.

»Nur die Liebe zu einer ewigen und unendlichen Sache aber nährt die Seele«, las Hoffman, »und nur sie ist zu allen Zeiten frei von Unlust, was sehr zu erwünschen und mit aller Kraft zu erstreben ist.«

Was war denn seine ewige und unendliche Sache? Seinen Ehrgeiz hatte er befriedigt, nachdem er hier der höchste Repräsentant der Nordsee-Monarchie geworden war. Marian zu dienen, das war ihm vielleicht früher einmal als seine ewige und unaufhörliche Aufgabe erschienen.

Nach dem Tod von Miriam – sie starb an einer Überdosis in einem Junkie-Hotel an der Warmoesstraat – hatte sich Marian für immer in ihre Untersuchungen der Vondelschen Sonette zurückgezogen, in »das endgültige Vondel-Buch«, wie sie es selbstironisch nannte; sie hatte damit ein paar Jahre nach Esthers Tod begonnen. Marian war jetzt vierundfünfzig und kämpfte noch immer gegen ihren unerreichbaren Vater an. Der weltberühmte Coenen hatte schweigend und voller Bitterkeit das Zugrundegehen seiner Nachkommenschaft von Anfang bis Ende miterlebt, und bei Miriams Begräbnis hatte Hoffman ihm an den Augen ablesen können, wem er die Schuld an alldem gab, eine genetische Urschuld. Drei Wochen nach Miriams Überdosis begruben sie auch ihn im Familiengrab in Zwolle, neben seiner Frau und seinen beiden Enkelinnen.

Spinoza sprach von Reichtum, Ansehen und Genuß – falschen Werten, wie er meinte.

Ansehen hatte auch Hoffman unbedingt erwerben wollen, und jetzt, da er es endlich erreicht hatte, schaute er mit Verwunderung zurück auf all die vielen Male, als er verbittert die Beförderungslisten zerrissen hatte. Man konnte es schwerlich als unangenehm bezeichnen, daß er jetzt hier in der Residenz wohnte und von einem Chauffeur namens Boris in einem Mercedes herumgefahren wurde, aber die Nächte blieben lang und sein Hunger unstillbar.

Reichtum, oder besser gesagt: daß er nicht arm war, dafür hatte sein Vater gesorgt. Mit der kleinen monatlichen Zuwendung, die er bis zu seinem dreißigsten Geburtstag erhalten hatte, konnte er dreiundvierzig Bilder kaufen, die jetzt von einem Schätzer von Christie's auf ungefähr eine Million dreihunderttausend veranschlagt worden waren. Er hatte es niemals darauf angelegt, reich zu werden, aber es war ihm klar, daß sich sein Leben im Vergleich zum Leben der meisten anderen Menschen durch einen Mangel an Mangel auszeichnete.

Genuß – damit war es schon schwieriger. Essen war Genuß, Trinken war Genuß, Beischlaf war Genuß; hatte Spinoza etwa all dies aufgegeben, hatte er mit dem »höchsten Glück« ein asketisches Dasein gemeint, aus dem alles Irdische verbannt war?

Vor sechs Jahren hatte ein sexuelles Abenteuer zu einer diplomatischen Verwicklung in Kenia geführt und eine peinliche Abmahnung durch den obersten Chef des Departements zur Folge gehabt, die ihn beinahe seinen Job gekostet hätte. In seiner aufgeregten Verrücktheit hatte er bedauerliche Fehler begangen. Man hatte den Vorfall vertuscht und totgeschwiegen und ihm die Rechnung dafür geschickt: Schmiergelder, Schmerzensgelder sowie die Baukosten für ein einfaches Häuschen, alles in allem ein Betrag von etwas mehr als viertausend Dollar. Das war noch vor Miriams Tod gewesen, ein Jahr, bevor man sie in diesem Hotel gefunden hatte. Es war seine letzte sexuelle Erfahrung gewesen. Er wollte kein Risiko mehr eingehen.

Ansehen, Reichtum, Genuß – er konnte wirklich nicht sagen, daß sie ihn nichts angingen oder daß er von sich aus die Neigung hatte, auf sie zu verzichten. Er konnte sich Huren leisten oder Geliebte, genug Geld war da, seine Erektionen zu zähmen. In Afrika konnte man kriegen, was man wollte. Sex mit einem zehnjährigen Mädchen, mit einem achtjährigen Jungen, mit drei, vier, fünf Frauen, auf dem Rücken einer Giraffe oder im Maul eines Nilpferdes, doch was er sich wünschte (Marians Gesicht, wie sie früher schweigend zum Höhepunkt gekommen war), dafür war Geld ein lächerliches Mittel.

Aber alles, was er jetzt besaß, seine Bilder, seinen Rang, seinen Status, würde er sofort eintauschen gegen eine einzige Nacht Schlaf. Früher war es ihm nicht bewußt gewesen, was der kleine Bruder des Todes für ein Segen war. Jahrelang war er einfach ins Bett gegangen und eingeschlafen, ohne zu wissen, daß das Erwachen die tägliche Quelle war, aus der er schöpfte.

Erwachen war Aufstehen vom Tod, und der Tod war dazu da, daß man den quälenden Rätseln des Lebens entwischen konnte. In den Träumen wurde das Schlimmste überstanden und das Schönste gefunden, aber auch ein Schlaf ohne Träume – das platte Nichts, die schlichte Leere – verlieh einem die Kraft, die grausame Wirklichkeit wieder zu ertragen.

Seit mehr als zwanzig Jahren konnte er nicht mehr schlafen. Am 6. September 1968 war Esther gestorben, Miriams Zwillingsschwester. Esther war die erste Tochter, die er begraben hatte. Sechzehn Jahre später hatte er den Sarg mit Miriam ins Grab sinken lassen, am 12. September 1984.

Als ihm ein paar Monate nach Esthers Tod klar wurde, daß der Schlaf auf Dauer auszubleiben drohte, hatte er professionelle Hilfe gesucht, wie man heute sagen würde. Die Ärzte probierten alles an ihm aus, vom Placebo bis zum Killermedikament, aber der Schlaf blieb weg, jedenfalls der Schlaf, den er gekannt hatte.

Er hatte vorher kaum Schwierigkeiten gehabt, sich von seinem Bewußtsein zu verabschieden, und mit Marian in seinen Armen (»komm Löffelchen liegen«, sagte sie damals) hatte er jahrelang tief und kräftig dem Morgen entgegengeschlummert. Tagsüber hatte sich seine Haut an Marians Haut erinnert, und sein Bauch hungerte schon wieder nach der nächsten Nacht voll Wärme und Geborgenheit. Sein Geschlecht lag an ihrem weichen Hinterteil, seine Hände umschlossen ihre Brüste, seine Lippen ruhten an ihrer Schulter. Sie konnten sich gegenseitig mit einem Streicheln, mit einem Augenaufschlag beruhigen. Intellektuell verband sie wenig. Sie war in einem fernen Jahrhundert zu Hause, und er las Akten über Handelsförderung. In ihren Träumen hatten sie die Unschuld neugeborener Kinder erlebt.

Es hatte ein chemisches Mittel gegeben, das ihn betäubte und in einen Zustand versetzte, der schlafähnlich war, aber die Sicherheit, die ein natürlicher Schlaf vermittelte – man war da und gleichzeitig nicht da, eine merkwürdige vorgeburtliche Erfahrung – diese Sicherheit fehlte völlig. Der Schlaf, den dieses Mittel hervorbrachte, war karg und angsterzeugend, und man fühlte sich, auch wenn man *out and gone* war, nicht beschützt. Später hörte er, daß dieses Mittel vom Markt genommen worden war. Es gab Menschen, die davon in blinde Wut geraten waren, während sie schliefen, und angefangen hatten zu morden. Der amerikanische Hersteller mußte Schmerzensgelder in Millionenhöhe bezahlen.

Er hatte sich Morphin injiziert, aber der Schlaf, so wie er ihn früher gekannt hatte, war nicht kopierbar. Mit Opium entschwebte man in einen langgezogenen Traum voller Farben und Klänge, und die einzige Wirkung auf ihn war, daß er sich der vielen Kilo Körpergewicht bewußt wurde, die er über diese Erde schleppte. Opium machte einen faul.

Der echte Schlaf erlöste einen auch von der eigenen Identität und vom eigenen Charakter. Nur Rudimente blieben übrig, während man schlief, ein vages Bewußtsein von einer kreatürlichen Existenz, ohne die unmöglichen Paradoxe des menschlichen Geistes. Zwanzig Jahre war er nun schon ununterbrochen bei sich selbst zu Gast, und er hatte angefangen, den Gastgeber zu hassen.

Wodka und Hering waren ein ideales Paar. Er konnte der Versuchung nicht widerstehen, einen dritten Hering zu verspeisen. Er biß in das zarte Fischfleisch und warf einen Blick in das Buch.

Hatte Spinoza einen gesunden Schlaf gehabt? Seine Sätze strahlten etwas aus, das vermuten ließ, Spinoza habe sich ungestörter Nachtruhe erfreut. Ein Mann, der solche Sätze schrieb, lebte im Einklang mit sich selbst.

Er las, daß sich Spinoza durch das *Nachdenken* über sein Streben nach dem höchsten Gut von den falschen Werten befreien konnte, die er bisher für richtig gehalten hatte. Spinoza kam zu der Einsicht, daß ihm sein Denkvermögen und seine analytische Fähigkeit das höchste Glück schon näher rückten; die Werte, die er bisher geschätzt hatte, zeigten ihre Falschheit, nachdem er ausführlich darüber nachgedacht hatte: »Das eine erfuhr ich, daß der Geist, solange er mit diesem Gedanken sich beschäftigte, von jenen Dingen« – den falschen Werten, begriff Hoffman – »sich abwandte und ernstlich über eine neue

Lebenseinrichtung nachdachte. Das gereichte mir zu großem Troste.«

Weil Hoffman überhaupt nicht mehr schlief, war Nachdenken das einzige, was er in den Nächten tat, aber niemals hatte er dadurch von einer neuen Lebensweise auch nur einen Schimmer bekommen. Im Gegenteil, das Nachdenken ließ Ekel und Bitterkeit in ihm aufsteigen, und er war neugierig, ob Spinoza mit seinen Behauptungen über die reinigende Kraft des Nachdenkens in den Augen eines Nihilisten aus dem zwanzigsten Jahrhundert (so sah Hoffman sich selbst) bestehen konnte.

Spinoza sagte weiter, daß »alles, was geschieht, nach ewiger Ordnung und nach bestimmten Naturgesetzen geschieht«, und es ging seiner Ansicht nach darum – darin lag offensichtlich das höchste Glück verborgen –, die Natur zu begreifen. Und zum Begreifen brauchte der Mensch nicht nur einen gesunden Geist, sondern auch einen gesunden Körper. Er blieb aber beim Thema:

»Vor allem muß ein Mittel erdacht werden, den Verstand zu heilen und ihn, soviel es im Anfange möglich ist, zu reinigen, damit er die Dinge glücklich, ohne Irrtum und möglichst vollkommen begreife.«

Hoffman schüttelte beim Lesen von soviel einfältiger Begeisterung bewundernd den Kopf. Der Philosoph konnte dies niemals in vollem Ernst gemeint haben. Er füllte sein Glas mit Wodka nach und las gleich weiter, weil Spinoza jetzt drei Lebensregeln formulierte, die dem Leser helfen konnten, einen verbesserten Verstand zu bekommen.

Als erstes, fand Spinoza, müsse man sich nach dem Fassungsvermögen des Volkes richten, damit das Ziel – Verbesserung und Reinigung – auch bestimmt erreicht werde. Dies war eine Regel, die für einen Lehrer galt, also für einen, der den verbesserten Verstand schon besaß; ein Anfänger wie Hoffman hatte wenig davon.

Die zweite Regel lautete: »Vergnügen genieße man in dem Maße, als es zur Erhaltung der Gesundheit ausreicht.« Und Lebensregel Nummer drei hieß: »Man suche endlich nur so viel Geld oder andere Dinge zu erwerben, als erforderlich ist, um Leben und Gesundheit zu erhalten und die Landessitten, sofern sie unserem Ziele nicht widerstreiten, zu beobachten.«

Bevor die Schlaflosigkeit sein Leben durcheinandergebracht hatte, konnte Hoffman seine Neigung zur Maßlosigkeit sehr gut beherrschen. Hie und da ließ er sich hinreißen und trank eine Flasche Wein zuviel oder nahm einen doppelten Nachtisch, aber er war durchaus imstande, seine angeborene Gefräßigkeit zu zügeln, weil sein Leben mit Marian und den Zwillingen jede Form von Hunger stillte.

Er hatte sich eine Tochter gewünscht, und die Geburt von gleich zwei Töchtern hatte ihn vor Glück fast verrückt gemacht. Damals, im Jahre 1960, waren sie gerade seit zwei Monaten auf seinem ersten Posten in Venezuela, und dort wurde Marian im American Hospital erst von Esther und vier Minuten später von Miriam entbunden. Es waren zweieiige Zwillinge. Mit Kindern konnte er den Krieg verlachen, hatte er gedacht, aus dem Zusammentreffen von Samen- und Eizelle entstand die Unschuld wieder neu. Er küßte die Kinder in der Wiege, bis ihnen die Bäckchen glühten. Tagelang hielt er ihre winzigen Händchen fest und betete darum, daß es einen Gott gäbe, und falls es Ihn wirklich gäbe, daß er seinen Kindern Gesundheit und Glück schenken möge. Er wechselte die Windeln und gab ihnen die Flasche, und Marian brüstete sich im konservativen Diplomatenmilieu mit ihrem modernen Mann.

Hoffman kaufte eine Super-8-Kamera und hielt fest, wie sie sabbelnd über den Fußboden krochen und sich an den Stäben des Laufstalls hochzogen und verdutzt ihre ersten Schrittchen wagten und in einem aufblasbaren Schwimmbad mit Spielzeugdelphinen aufs Wasser patschten und Rotz und Wasser heulten bei ihren ersten Zähnchen. Die Liebe zu seinen Kindern war mörderisch.

In Madrid, auf seinem zweiten Posten, wurden sie vier Jahre alt. Bis Ende 1967 hatte Esther außer den normalen Kinderkrankheiten nichts Außergewöhnliches gehabt. Eines Morgens, nach einem dicken holländischen Butterbrot mit Schokoladenstreusel, als Esther mit Miriam im Aufzug stand und von einer Nachbarin zur Internationalen Schule gebracht werden sollte (im Hochhaus wohnten noch andere Diplomatenfamilien, sie brachten ihre Kinder umschichtig zur Schule), mußte sich Esther übergeben. Die Mädchen kamen aufgeregt in die Wohnung zurückgerannt.

»Mama, Mama!« rief Miriam, »Esther hat gespuckt!«

Felix gab seiner Frau mit einer Handbewegung zu verstehen, daß es wahrscheinlich halb so schlimm war.

»Wirklich, Liebes? Wo hast du denn gespuckt?« fragte Marian.

»Im Aufzug!« schrie Miriam.
»Sei mal ruhig, Miri. Esther, bist du krank?«
Sie schüttelte den Kopf. »Nein.«
»Ist dir schlecht, fühlst du dich irgendwie komisch?« fragte ihr Vater.
»Nö«, sagte sie und fing an zu lachen.

Und Papa zog mit einem Eimer los und wischte das kleine Häufchen weg. Später wurde ihm klar, daß er es hätte untersuchen lassen müssen, aber das einzige, was sie damals taten, war, die Schokostreusel von Oma Coenen wegzuwerfen, die offenbar nicht mehr gut waren.

Eine Woche später mußte Esther wieder spucken, diesmal beim Abendessen, aber Felix und Marian hatten so oft erlebt, daß die Kinder ihr Essen nicht bei sich behielten, daß sie sich keine Sorgen machten und erst einen Arzt holten, als Esther drei Tage später Fieber bekam.

Der Arzt war ihnen von jemandem in der Botschaft empfohlen worden, ein liebenswürdiger, in seinem Fach ergrauter Madrilene, der nichts Besonderes feststellen konnte und ein ganz normales kleines Fieber diagnostizierte. Eine Woche später war das Fieber noch immer genauso hoch, und der Arzt verschrieb Penicillin. Dann verschwand das Fieber, aber Esther glitt in einen allgemeinen Schwächezustand, war lustlos, schlief schlecht und wurde anämisch. Nach drei Wochen kam das Fieber zurück, diesmal hoch und heftig. Der Arzt gab noch mehr Penicillin. Eines Morgens war etwas mit ihrer Haut. Sie hatte eine ruhige Nacht gehabt. Hoffman war ein paarmal aus seinem Bett aufgestanden, um nach Esther zu sehen, und als er ihr morgens noch einen Kuß geben wollte, bevor er zur

Arbeit ging (sie lag jetzt allein im Zimmer, seit ihrem Fieber schlief Miriam im Gästezimmer), sah er, wie trocken und faltig ihre Haut war.

»Hast du Esthers Haut gesehen?« sagte er zu Marian.

»Nein, was ist los damit?«

»Ich weiß nicht. Irgend etwas ist nicht in Ordnung.«

Marian ging nachschauen und beherrschte sich, als sie wieder in die Küche zurückkam. Er hatte dort mit der Aktentasche in der Hand auf sie gewartet.

»Was kann sie nur haben, Fee?«

»Sollen wir Alvarez anrufen?«

»Er ist gestern noch bei ihr gewesen.«

»Vielleicht müssen wir doch mal einen anderen Arzt fragen«, sagte er.

»Ich dachte, du findest es hysterisch, aber ich glaube, daß Alvarez einfach inkompetent ist, ich... ich finde schon lange, daß wir zu einem anderen Arzt gehen sollten.«

»Warum hast du das dann nicht früher gesagt?« fragte er böse. Er war vor allem böse auf sich selbst.

»Du magst ihn eben besonders gern, und da dachte ich...«

»Lieber Himmel, was für ein Unsinn, mögen oder nicht, es geht hier um die Gesundheit meiner Tochter, verdammt, Marian...«

Sie umarmte ihn.

»Es wird schon wieder werden«, sagte er. »Sie leidet wahrscheinlich unter Flüssigkeitsmangel durch das Fieber oder so.«

»Das muß endlich runter, Fee.«

»Mach dir nicht unnötig Sorgen. Ich tu es auch nicht.«

In der Botschaft rief er einen anderen Arzt an. Dieser kam zur Untersuchung, konnte nichts Besonderes finden, meinte, daß das Penicillin genügen müßte und riet an, ihr reichlich zu trinken zu geben. Das Fieber ging wieder weg, ihre Haut erholte sich, und sie fingen an zu packen für die Übersiedlung nach Lima.

In der zweiten Januarwoche 1968 bekam Esther merkwürdige Blutergüsse. Die peruanischen Ärzte konnten mit den Symptomen nichts anfangen und widersprachen einander. Sie wohnten in Callao, einem Vorort von Lima. Dort lebten sie in einem leeren Appartement in einem Hochhaus am Pazifik. Ihre Habe war in Kisten verpackt und mußte die lange Reise durch den Panamakanal machen; sie kampierten auf einem abgenutzten Parkettboden mit Terrassenmöbeln und einem Klapptisch.

Seit Esther wieder krank war, hatte sich Miriam in Schweigen zurückgezogen. Felix nahm sie mit in den Zoo und auf Spielplätze, aber wenn sie lachte, dann nur, um ihrem Vater eine Freude zu machen.

Er wechselte mit Marian an Esthers Bett ab. Die Ungewißheit über Esthers Krankheit raubte ihnen den Schlaf. Tagsüber im Amt schlief er manchmal am Schreibtisch ein und schrak auf, wenn seine Zigarette sich in ein Formular eingebrannt hatte. Ein paar Wochen hielten sie es durch, dann schickte er sie mit dem Flugzeug nach Miami.

Esther litt am Henog-Schönlein-Syndrom, glaubten die Ärzte, einer komplizierten Krankheit mit eigenwilligem Verlauf, die tödlich enden konnte. Die Ungewißheit entlud sich in Kampflust.

Marian tröstete ihn, und er tröstete Marian. Sie nahmen sich vor, zu kämpfen und munter zu bleiben und Esther mit ihrem Optimismus anzustecken.

Zwei Wochen lang unterzog man sie allen möglichen Tests. Marian und Miriam blieben bei ihr. Felix kehrte nach einer Woche nach Lima zurück. Sie riefen sich jeden Tag mindestens zweimal an.

»Wie geht es ihr heute?«

»Sie hält sich sehr tapfer.«

»Und Miriam?«

»Sie will Ärztin werden. Sie weicht nicht von ihrer Seite.«

»Hat sie noch Schmerzen?«

»Die Ärzte sagen, daß sie sehr tapfer ist, denn sie muß ziemlich starke Schmerzen haben, aber sie klagt nicht.«

Er sagte: »Wir haben zwei schöne kleine Menschen gemacht, Marian, du hast mir zwei prächtige Menschen geschenkt.«

Sie weinte durch das Rauschen der Leitung hindurch.

Dann wurde Leukämie festgestellt.

Es dauerte noch ungefähr sechs Monate, bis Esther starb. Die Chemotherapie ließ sie altern, als ob ihr kleiner, noch unausgewachsener Körper in kurzer Zeit das durchmachte, was ein anderer Mensch im Lauf von achtzig Jahren zu ertragen hatte. Die Haare fielen ihr aus, sie bekam Falten und hohle Augen.

Marian und Miriam hatten zu einem Wahnsinnspreis eine kleine Wohnung in einer einfachen Gegend gemietet, als Nachmieter von kubanischen Einwanderern, die wegen des Zustroms mittelamerikanischer Flüchtlinge die

Preise in astronomische Höhen trieben. Er hatte jede Woche nach Miami und zurück fliegen wollen, aber Den Haag überhäufte ihn mit Arbeit, und trotz seiner flehentlichen Bitten gewährten sie ihm nur selten einen Urlaubstag. Er schickte zornige Telexe und führte verbitterte Telefongespräche mit Het Plein, wo das Ministerium damals noch saß, aber die Beamten gaben keinen Millimeter nach. Dies war der Beginn seines Kampfes, den er für den Rest seiner Karriere mit seinen Vorgesetzten führte.

Wenn die Familie in Miami beieinander war, dann machten sie, was sie immer machten. Sie fuhren in einem Mietwagen durch die Gegend, und die Zwillinge stellten Fragen über Fragen. Felix und Marian sahen die Welt mit den Augen ihrer Kinder und erlebten die Kindheit, die sie selbst nie gehabt hatten. Sie gingen am Strand spazieren, er trug Esther, wenn sie müde wurde, und sie waren in unendliche Gespräche über das Wasser und die Fische und den warmen Golfstrom vertieft. Manchmal beugten sie sich eine Viertelstunde lang über ein Grasbüschel, und in ihrer Begeisterung und Wißbegier blieb die Zeit stehen; er konnte die Welt mit seiner Familie teilen.

Im Mai jenes Jahres wurde Esther mit einer Chartermaschine in die Niederlande geflogen. Sie wurde im Lutherischen Diakonissen-Krankenhaus am Vondelpark in Amsterdam gepflegt. Dort hatte sie ein kleines Zimmer mit Blick auf den Park, wo sie Platten hörte, die sie auf ihren *pick-up* legte. Sie las Annie M. G. Schmidt und tröstete ihre Mutter und ihre Schwester. Die kamen jeden Tag zu Besuch und rollten sie bei schönem Wetter durch den

Park, vorbei an Hippies, die neben ihren Rucksäcken auf dem Rasen lagen; sie las anderen Kindern kleine Geschichten vor, sie war stark und schön.

Zweimal durfte Felix sie besuchen. Er flog nach Amsterdam, der Flug dauerte fünfundzwanzig Stunden. Vier Tage lang blieb er bei Esther, flog wieder zurück. Nur zweimal.

Seit er arbeitete, hatte er das kleine Kapital seines Vaters, das ihn und seine malenden Bekannten bis nach seinem Studium ernährt hatte, nicht angetastet, jetzt tat er es doch.

»Das Beste vom Besten«, hatte er bei seinen beiden Besuchen zu den Ärzten gesagt, »die besten Untersuchungen und Apparate, es darf an nichts gespart werden.«

Und beide Male antworteten sie: »Wir tun, was wir können, Herr Hoffman.«

Esther hatte jetzt Mühe beim Gehen, aber ihre Augen blieben die eines achtjährigen Kindes, neugierig und klar. Nur entdeckte Felix einen Glanz darin, den er vor ihrer Krankheit nicht gesehen hatte: Ihre Augen waren weise geworden durch den Schmerz und voller Mitleid mit all dem Kummer, den sie tagaus tagein um sich herum sah.

Während überall in Europa langhaarige Jugendliche die Phantasie an die Macht bringen wollten, verschrumpelte Esther zu einem kleinen Hexchen mit sanften Augen. Ende August hielt man Felix' Besuch für dringend erforderlich, und er kam, ohne vorher um Erlaubnis gefragt zu haben.

Das letzte Mal sah er sie eine Stunde vor ihrem Tod. Durch ihr Zimmerfenster leuchtete ein später Sommertag. Sie lag still da, angeschlossen an Apparate mit Lämpchen und Schläuchen, sie lächelte und sah gut aus, als habe sie noch nicht aufgegeben und wolle ihnen zeigen, wie lange sie noch bei ihnen bleiben mochte. Sie verließen das Zimmer, um am Willemsparkweg ein Sandwich zu essen. Als sie hinuntergingen, merkte Felix, daß er seine Tasche bei Esther vergessen hatte. Er ging rasch zurück zu ihrem Zimmer.

Vorsichtig öffnete er die Tür und sah, daß sie sich zu ihm umdrehte. Er lächelte und ging hinein.

»Hallo, Liebes, ich hab meine Tasche liegengelassen.«

Sie nickte. Er nahm seine Tasche vom Stuhl und setzte sich kurz zu ihr auf den Bettrand, streichelte ihren kühlen Kopf und ihre kühlen Wangen. Sie litt an einer kalten Krankheit.

»Miriam und Mama und ich kommen nachher zurück, und dann lesen wir dir was vor, ja?«

Sie lächelte. Er legte seine Hand an ihre alte Wange und ließ sie die Wärme seines Körpers spüren. Er sah, wie sie ihre dünne linke Hand hob und nach seinem Handgelenk griff. Der Anblick ihrer Altfrauenfinger, jener hübschen Babyfingerchen, die er tagelang gegen seine Lippen gedrückt hatte, ließ ihn ohnmächtig aufschluchzen. Er wehrte sich gegen den zornigen Kummer, der ihm quer durch die Brust schnitt. Er wollte nicht, daß sie ihn weinen sah.

Sie schüttelte den Kopf und flüsterte etwas.

»Papa, Papa... es ist gut, wirklich, es ist gut.«

Er zog die Nase hoch.

»Esther, ich hab dich so furchtbar lieb. Und ich möchte so gern, daß du wieder gesund wirst und daß wir dann all die Sachen wieder machen können.«

»Ich werde nicht mehr gesund, Papa.«

»Aber du mußt gesund werden!«

»Papa, ich werde nicht mehr gesund, wirklich nicht...«

Ihre Augen betrachteten ihn mit einer Weisheit, die er niemals würde begreifen können.

»Es ist gut, Papa, es ist wirklich gut so.«

»Es ist erst gut, wenn du wieder gesund bist.«

»Nein. Laß mich ruhig so. Ich weiß es.«

»Was weißt du denn, Liebes?«

Sie lächelte durch den Schmerz hindurch.

»Ich weiß es, Papa...«

»Aber was denn, liebe Esther? Was weißt du?«

Sie sagte es noch einmal, kaum hörbar: »Ich weiß es, Papa...«

Er küßte ihre Stirn.

»Wir kommen in ungefähr einer Stunde zurück, ja? Dann lesen wir dir aus einem tollen Buch vor, das Miriam für dich gekauft hat. Gut?«

Sie nickte.

Als sie zurückkamen, war Esther tot.

Ihr kleines Herz hatte plötzlich aufgehört zu schlagen, die Krankenschwester fand sie mit geschlossenen Augen. Felix sah sie liegen, eine alte Frau, die in aller Ruhe Abschied genommen hatte.

Marian brach vor Kummer zusammen, sie schrie gellend im gekachelten Krankenhausflur. Er konnte sie nicht beruhigen; als sie Krämpfe bekam und ihr Körper von Muskelkontraktionen erschüttert wurde, als ob sie ein Kind gebären mußte, gab ihr der Arzt eine Spritze. Er bestand darauf, daß sie die Nacht unter Betäubung im Krankenhaus blieb. Felix nahm Miriam mit zu Opa und Oma Coenen in Zwolle.

Die Monate vorher hatte er geweint und geflucht, und jetzt auf einmal war es in seinem Herzen still. Er drückte Miriam an sich. Sie hielt sich verbissen an ihm fest, mit verkrampftem Körper, ihre Nägel verhakten sich in seinen Kleidern.

Und in dieser Stille fragte er sich nur eines: Was wußte Esther? Was hatte sie damit gemeint? Wußte sie, daß sie unheilbar krank war, oder meinte sie – ihre Augen schienen ihm das zu sagen – meinte sie etwas anderes, eine Wahrheit, die er nicht kannte, eine Sicherheit, die nur einem Menschen wie der kleinen Esther gegeben war, einen Glauben, den er niemals finden konnte?

Es war falsch gewesen, daß sie Marian in der ersten Nacht nach Esthers Tod im Krankenhaus gelassen hatten. Es schien damals das beste für sie, denn sie war völlig außer sich gewesen, und das hatte ihn geängstigt.

Aber am folgenden Tag warf sie ihm mit zitternder Stimme vor, daß ihre Tochter tot war und ihr Mann sie bewußtlos in einem Zimmer hatte einschließen lassen.

Später begriff er, wie körperlich ihre Ehe immer gewesen war. Ihre Kinder waren ihre Gesprächspartner, in den Zwillingen hatte ihre sprachlose Liebe ihre natürliche Form gefunden. Im Schlaf mit Marian und bei ihren Berührungen empfand er eine selbstverständliche Form von Leben, die ohne Sprache auskam.

Sie konnten sich gegenseitig nicht trösten, denn ihr Kummer war zu verschieden. Ihr Kummer war körperlich und heftig, seiner still und nüchtern, unter der Frage verborgen, die ihn immer stärker bedrängte: Was hatte Esther gewußt?

Die Mädchen waren nicht religiös erzogen worden. Die Coenens waren eine Familie, die nicht an Kreuz und Christus glaubten, und der einzige Glauben, der bei Esther und Miriam eine Rolle gespielt hatte, war das geheimnisvolle Judentum ihres Vaters, der keine Familie besaß, keinen Opa und keine Oma.

Esther konnte niemals ein rudimentäres christliches »Wissen« gemeint haben. In ihrer Welt hatten Himmel und Jenseits noch keine Form angenommen, auch wenn er nicht ausschließen konnte, daß ein paar Katechismusstunden in Lima und Madrid Bilder von himmlischen Wolken und gefiederten Engeln hinterlassen hatten. Nein, ihr »Wissen« war etwas, das sich auf einer anderen Ebene bewegte. Ratlos hörte er jeden Tag wieder ihre Worte, in einer endlosen Wiederholung, so wie die seltsam aufgemachten Hare-Krishna-Jünger, die durch Amsterdam zogen und ihr *Mantra* in einem ewigen Singsang wiederholten.

Esther wurde im Familiengrab der Coenens in Zwolle begraben.

Er konnte nicht mehr schlafen.

Vor ein paar Jahren hatte er in der Wissenschaftsbeilage des NRC Handelsblad gelesen, daß die Form von Leukämie, an der Esther gelitten hatte, inzwischen zu einem hohen Prozentsatz geheilt werden konnte; neue Therapien, neue Medikamente. Er hatte seinen holländischen Arzt angerufen, und dieser hatte sich erkundigt: der Bericht stimmte. Hatte Esther zu früh gelebt, hatte er sie zu früh gezeugt, war er selbst zu früh geboren? Wäre sie zwanzig Jahre später zur Welt gekommen, dann hätte diese Krankheit sie nicht umgebracht.

Marians Zorn verging in jenem Kummer, der auf Esthers Tod folgte, als sie nämlich merkten, daß Miriam das eigentliche Opfer in dieser Tragödie zu werden drohte. Mit größter Aufmerksamkeit versuchten sie, sie davor zu bewahren.

Ein Psychologe riet ihnen, Esthers Tod vor allem nicht zu leugnen; sie sollten ruhig darüber reden und verhindern, daß Miriam sich schuldig fühlte oder ängstigte. Ein übriggebliebener Zwilling schien für komplizierte Traumata anfälliger zu sein als andere Kinder.

Aber das ständige Reden über das tote Kind hielt den Schmerz wach. Was früher unbewußt und organisch war, wurde nun Gegenstand allzu langer Gespräche. Spontane Regungen zerplatzten durch Grübelei. Wenn er Miriam sah, schaute er sich nach dem Mädchen um, das nicht mehr da war. Sie hatten sich oft ganz impulsiv umarmt, beide hatten ihn an den Ohrläppchen gezogen und waren auf seine Schultern geklettert, er hatte sie getragen, jede auf einem Arm; jetzt wurde jede Berührung zur Pose. Früher war die Familie eine organische Einheit gewesen, nun zerfiel sie unter all der gekünstelten Munterkeit, die er und Marian für Miriam an den Tag legten. Die Trauer hielt an, Woche für Woche.

Wildgeworden vor Schlaflosigkeit und blind vor Kummer flog Felix nach Lima zurück, und in Abwesenheit von Frau und Tochter besoff er sich in verschiedenen Cafés, bis er am Rande der Stadt in einer Hütte mit schweigsamen Indios landete und dort ein Zeug zu saufen bekam, das ihm die Welt auf den Kopf stellte. Eine breithüftige Indiofrau war da, die ihm die ganze Zeit die Hand auf sein Geschlecht legte, bis er endlich nachgab und mit ihr nach draußen ging. Er nahm sie in der Dunkelheit hinter der Schenke an einem Holzzaun. Er stieß sie gegen die losen Bretter, und sie feuerte ihn lachend an, als wäre er ein Stierkämpfer. Als er gekommen war und sie einen Orgasmus vorgetäuscht hatte, drehte er sich um und sah in die glimmenden Gesichter einer Reihe betrunkener Indios.

Sie war seine erste Prostituierte gewesen, eine schwitzende, fleischige Frau mit ausgeprägten Wangenknochen und dem Geruch nach Moschus. Die Nächte waren endlos. Dubiose Ärzte verhalfen ihm zu Opium und Morphin. Eines Tages beschloß er, die Nacht dadurch zu bekämpfen, daß er sich mit der Schlaflosigkeit abfand und sie einfach als zweiten Tag betrachtete. Er fing an, nachts zu arbeiten, und versuchte, sich durchzuschlagen.

Vor ungefähr zehn Jahren, als Generalkonsul in Houston, dehnte er den Imbiß, den er manchmal nachts verzehrte, zu einer ganzen Mahlzeit aus. Sie bestand aus allem, was er im großen *Whirlpool*-Kühlschrank vorfand. Die Freßsucht, die in seiner unmittelbaren Umgebung herrschte, zerstörte seine schwache Selbstbeherrschung. Als er damit anfing, wußte er, daß er nicht mehr aufhören konnte. Er verschlang Vorspeisen und Desserts und ganze *tv-dinners*. Vor dem Fernseher sitzend, der in den USA rund um die Uhr sendete, verschlang er mit rasendem Hunger viele Teller voller Essen. Seine spezielle Art von Hunger wurde zusammen mit dem ersten Menschen geboren, vor vielen tausend Jahren, als Hunger und Angst noch ein einziges Wort waren. Mit vollgeschlagenem Bauch fühlte er sich wie der erste Mensch, der sich in der afrikanischen Savanne aufrichtete und droben über dem Gras gestraft wurde durch die Abwesenheit Gottes. Bang vor allem, was da kommen sollte. Nach einer Erfüllung verlangend, die er gar nicht fassen konnte.

Marian gab seinem Hunger einen Namen, so wie »Parkinson« oder »Alzheimer Krankheit« – sie nannte ihn »Hoffmans Hunger«.

Ohne zu lesen starrte er blind auf die Seiten von Spinoza. Die Erinnerungen trudelten auf den Boden seines Gedächtnisses. Die Wodkaflasche hatte er zur Hälfte leergetrunken, er betastete seinen aufgeblähten Magen.

Durch das Küchenfenster sah er, wie die Luft eine hellere Färbung annahm. Der Garten trat aus dem Dunkel, enthüllte einen ausgedehnten Rasen, stattliche Bäume, gepflegt und beschützt.

Er warf einen Blick auf den marmornen Küchentisch, auf die verdorbenen Reste dieser Nacht, und fühlte sich kaum fähig, aufzustehen und aufs Klo zu gehen. Er sammelte seine Kräfte und hörte das Gezeter der frühen Vögel, kleine Melodien, die den Sonnenaufgang ankündigten.

Er legte die Hände auf den Tisch und stemmte sich vom Stuhl hoch. Er hielt sich an der Anrichte fest und schwankte aus der Küche in die kleine Halle, die einen Ausgang zum Garten besaß. Aber erst öffnete er die Klotür und ließ sich auf die Knie nieder.

Schon der Anblick der Kloschüssel versetzte seinen Magen in Aufruhr. Er mußte nicht einmal seinen Finger in den Hals stecken, seine Speiseröhre begann von selbst zu pumpen, und die erste säuerliche Welle von Erbrochenem schoß ihm in die Kehle, überspülte seine Zunge und klatschte auf den weißen Grund der Schüssel.

Er sah hinunter auf den dampfenden grau-braunen Brei, und der merkwürdige Geruch, der daraus aufstieg, zugleich bitter und sauer, ekelhaft und aufregend, brachte eine zweite Welle nach oben. Er krümmte sich einen Augenblick lang zusammen vor der Gewalt in seiner Speiseröhre, fühlte den Brei nach oben schießen, erbrach wieder eine undefinierbare Mischung aus Brocken und Stückchen und Häppchen in die Schüssel, und ein prickelndes Gefühl der Befreiung ergriff ihn. Zwei weitere Wellen explodierten aus seinem Hals, zweimal ein Mundvoll mit saurem Brei, und er hielt sich an der Kloschüssel fest, während er erschöpft nach Atem rang und sich über die Befreiung in seinem Magen freute.

Mit Mühe stand er wieder auf. Er zog an der Klopapierrolle und wischte sich Mund und Kinn ab.

Als er in den Garten ging, war es schon wieder etwas heller, die Luft von einem schönen, tiefen, durchsichtigen Blau. Es war noch immer warm, aber frischer Tau lag auf dem Gras, und die Vögel riefen sich Neckereien zu, und er umarmte den Stamm eines Baumes und verlangte nach seinen Kindern.

Der Morgen des 23. Juni 1989

John Marks fuhr seinen Buick aus der Garage, und das Hinterteil des glänzenden Wagens drehte sich in die Straße hinein. Beim Wegfahren drückte er auf die Fernbedienung und sah im Rückspiegel, wie sich das Garagentor demütig schloß.

Das neue Auto glitt sanft Richtung Ausfallstraße, die ihn von Vienna zu seiner Arbeit in Langley bringen sollte. Er war nicht sehr groß und hatte das Gefühl, daß er in diesem Auto tiefer saß als in seinem alten, obwohl die Modelle fast identisch waren.

Der Buick war nagelneu und roch nach frischem Plastik. Sein Armaturenbrett enthielt noch mehr Knöpfe für allerlei Spielereien als der alte Buick, den er sechs Jahre lang ohne Probleme gefahren hatte und von dem er sich vor zwei Wochen getrennt hatte, kurz nach einer teuren Reparatur. Der Autoverkäufer hatte ihm einen starken Preisnachlaß angeboten, aber das war nicht der Grund gewesen, sich einen neuen zuzulegen. Die Reparatur hatte ihm das alte Auto entfremdet, gewissermaßen, auf dem Armaturenbrett sah man ölige Fingerabdrücke, die auch nach langem Putzen nicht verschwanden, und er konnte die Werkstatt noch riechen. Dieser neue Skylark, bordeauxrot, komplett mit zuverlässigem Bordcomputer, war nicht ganz so eckig wie das alte Modell, und in dem antiseptischen Plastik und Leder fühlte er sich so sicher wie in einem Kokon.

Er wohnte in einer Doppelhaushälfte in Vienna, Virginia, einem von Baulöwen vergewaltigten Dorf in der Nähe von Washington. In den ausgedehnten Neubauvierteln wohnten Heerscharen von Beamten, die aus Washington D.C. geflüchtet waren. Die Hauptstadt des mächtigsten Landes der Erde war nicht in der Lage, ihre Drogenprobleme zu lösen.

Marks wohnte schon in Vienna, bevor der große Pendlerstrom hierhergeschwappt war. Nach der Scheidung hatte er zwei Jahre lang ein kleines Appartement in Georgetown gemietet. 1979 hatte er sein jetziges Haus gekauft, es lag in einer der »älteren« Gegenden von Vienna. Seine Frau war nach Milwaukee zurückgekehrt, wo sie aufgewachsen war. Er hätte in dem alten Haus bleiben können, aber er hatte es vorgezogen, in einem neuen zu wohnen. Lynns Rechtsanwalt hatte die Hälfte des Verkaufspreises vom alten Haus gefordert, und er hatte keine Einwände dagegen erhoben, obwohl ihm sein eigener Anwalt nahegelegt hatte, auf die überzogenen Forderungen seiner Ex-Frau nicht einzugehen. Aber Rechtsanwälte haben gern untereinander etwas zum Streiten, und er hatte keine Lust gehabt, in einen langwierigen Rechtsstreit über die Aufteilung ihrer Habe verwickelt zu werden.

Sonst fuhr er niemals am Freitag nach Langley. Aber sie hatten ihn über das rote Telefon angerufen und ihm den Code durchgegeben, weshalb er rasch in die Garage geeilt war. Er war auch an diese Uhrzeit nicht gewöhnt, die Straßen waren verstopft mit Pendlern in kleinen japanischen und europäischen Autos.

Er hatte einen Fulltimejob, ging aber nur noch an zwei

Tagen in der Woche nach Langley. Montags und donnerstags brach er spät auf und kam spät zurück. In der Kantine aß er ein mitgebrachtes Sandwich, in seiner Stammkneipe trank er mit ein paar anderen alten Hasen zwei oder drei Glas Bier aus seinem eigenen Glas, und ungefähr um elf Uhr abends fuhr er zurück. An den anderen Tagen saß er zu Hause auf seinem Dachboden, einem großen Raum, den er staubfrei und schalldicht isoliert hatte. Das kleine Bullauge hatte er herausgebrochen und durch ein Riesenfenster ersetzt, das fast die ganze Dachfläche auf dieser Seite einnahm. Von dort hatte er eine herrliche Aussicht auf die Hügel und Wälder in diesem Teil von Virginia.

Vor drei Wochen hatte sich das ganze Viertel in der Stadtbücherei versammelt, als bekannt wurde, daß die Gemeinde den Wald, einen der letzten hier in der Umgebung, an den Baulöwen verkauft hatte, der zufällig auch das neue Gemeindehaus baute. John war hingegangen; es war das erste Mal in seinem Leben, daß er an einer solchen Veranstaltung teilnahm. Obwohl er einen Abscheu hatte vor Menschenmassen, vor ihren Ausdünstungen und ihrer Aufgeregtheit, hatte er sogar selbst das Wort ergriffen und Vorschläge gemacht, wie man die Gefahr abwenden könnte.

Er war erfahren genug, in Langley von seinem Besuch Meldung zu machen, damit gar nicht erst Mißverständnisse aufkommen konnten über seinen plötzlichen Aktivismus. Er war kein Aktivist und auch kein Demokrat, er wollte einfach seine schöne Aussicht behalten.

Der Verkehr stockte und staute sich auf der Chain Bridge Road. Aus den Neubaugebieten strömten täglich Tausende von Autos auf Straßen, die für diesen Andrang nicht berechnet waren. Die Viertel und Häuser waren da, aber die Infrastruktur noch nicht in ausreichendem Maß vorhanden. Ab und zu kam er ungefähr dreißig Meter voran: die Möglichkeit war ziemlich groß, daß er nicht um halb neun Uhr im Versammlungsraum im fünften Stock sein würde.

Mehr als einmal hatte er den Alarmcode während seiner Dienstzeit schon bekommen, deshalb saß er ganz entspannt hinter dem Steuer seines Buick, mit der Gemütsruhe eines Mannes, der alles, was geschah, schon einmal gesehen hatte. Er hatte sich im Wagen ein Telefon montieren lassen und daher konnte er im Moment nichts anderes tun, als zu warten, bis die Autos vor ihm die Stadtautobahn erreicht hatten. Wenn das zu lange dauerte, würde er anrufen.

Er war um sechs Uhr aufgewacht, wie immer genau zur gleichen Zeit, und er hatte ausführlich geduscht und dann gefrühstückt mit einem Glas reinem Mineralwasser und einem Becher natürlich gereiftem Joghurt. Danach war er auf seinen Dachboden gestiegen und hatte im ersten Morgenlicht die Früchte seiner Bastelleidenschaft betrachtet. Er war ein Elektronik-Freak. Er hatte ein Ingenieurstudium absolviert und war bei der Firma als Entwickler elektronischer Geräte engagiert worden. Im Augenblick arbeitete er an einem geräuschlosen Verstärker, der die Schwachpunkte der Compact Disc – und die gab es seiner Meinung nach im Überfluß – ausgleichen sollte. Er hörte lieber eine Schallplatte als eine CD, die alles in eine sterile Reinheit übersetzte. Er bastelte jetzt ausschließlich zu seinem eigenen Vergnügen an einem kleinen Apparat, der der Eins und der Null der digitalen Ablesung die Klangatmosphäre einer

Schallplatte zurückgeben sollte. Theoretisch stimmte sein Vorhaben, es war dem DAT-Tonband nicht unähnlich, und er verbrachte seine gesamte freie Zeit damit, eine praktische Lösung für seine Probleme zu finden.

Der Code wies auf einen Alarm in der SE-PC-Abteilung hin, was bedeuten konnte, daß ein Überläufer angekommen war, oder daß die Gegenseite einen Mitarbeiter der Firma geschnappt hatte.

PC wies darauf hin, daß das Problem in Polen oder in der Tschechoslowakei aufgetreten war. Polen war in der letzten Zeit ruhig gewesen, seit Solidarnosč faktisch die Macht übernommen hatte. Die Wahlen vor drei Wochen hatten die Kommunisten aus dem Feld geschlagen. Die Agenten, die in Polen arbeiteten, konnten lediglich berichten, daß ein Machtvakuum herrschte und daß das Land in diesem Augenblick keinen substantiellen Beitrag mehr zum Warschauer Pakt leistete. Der polnische Geheimdienst durchlebte eine Krise und versuchte, sich anhand der Frage neu zu orientieren, wer der größte Feind sei: die Nato oder der Sowjetblock. Über die Ermordung Tausender polnischer Offiziere bei Katyn wurde nun in aller Öffentlichkeit debattiert, und die Stimmung im Lande wurde genau observiert, weil ein eventuelles Eingreifen der Sowjetunion – in diesem Augenblick undenkbar, meinte Marks, aber andere in der Abteilung schlossen eine Provokation der *hardliners* nicht aus –, weil also ein Eingreifen nach dem Muster von Ungarn 1956 oder der Tschechoslowakei 1968 jetzt durchaus zu einem Krieg führen konnte; der hochmotivierte polnische Militärapparat hatte nach Jahrzehnten der Abhängigkeit endlich sein Selbstbewußtsein wiedergefunden.

Marks vermutete, daß die Krise in der Tschechoslowakei aufgetreten war. Dort nämlich hielten die Machthaber ungeachtet des frischen Windes, der durch Polen und Ungarn fegte, den Deckel auf dem Topf, als gäbe es überhaupt keine Perestroika. Die alten Männer, die Dubcek 1968 gestürzt und ihn zum Schlosser ernannt hatten, waren unter Breschnew großgeworden und regierten die Partei auf die bekannte autoritäre Art, die früher von Lenin als ›demokratischer Zentralismus‹ bemäntelt worden war. Mit ihren Getreuen lebten sie in hermetisch abgeschirmten Gebieten mit überquellenden Supermärkten, vor denen sich niemals Schlangen frierender Menschen bildeten, und ihre Sicherheitspolizei machte in enger Zusammenarbeit mit dem KGB kurzen Prozeß mit jedem, der die geringste oppositionelle Regung zeigte.

Die offizielle Moral war, wie in jedem Land, das sich als kommunistisch bezeichnete, korrupt und von krankhafter Spießigkeit. Das Leben, das man dort propagierte, glich dem einer Kleinstadt im Mittelwesten des Jahres 1949, reglementiert, einfach, mit undeutlicher Armut und deutlichen Klassenunterschieden.

Marks war in einer Position, die ihm mehr als jedem anderen ein klares Bild des Lebensstils verschaffte, den die Politbüro-Mitglieder in den osteuropäischen Ländern pflegten (PC war eine Unterabteilung der Hauptabteilung SE, die die Sowjetunion und Osteuropa abklopfte und abtastete; die Hauptabteilung SE war Teil des übergeordneten Direktoriums DO, das geheime Operationen plante und ausführte), und er bekam immer wieder Beweise sozialistischer Verschwendungssucht auf den Tisch. Es war ihm nicht unbekannt, wie manche Mitglieder seines eigenen Kongresses und Senats ihr Privatleben einrichteten, aber das ging nicht – oder nur selten – zu Lasten des durchschnittlichen Steuerzahlers. Kommunisten hatten da weniger Probleme mit der Finanzierung ihres Lebensstils, denn sie rechtfertigten ihn, indem sie sich auf ihre marxistische Ideologie beriefen – auf die biegsamste Religion, die bis heute erfunden worden war.

Marks lebte bescheiden. Der neue Buick stellte in seinem Kaufverhalten einen gewaltigen Ausschießer dar (es war ihm klar, daß er diese und ähnliche Begriffe in Berichten gelesen und von dort übernommen hatte). Einen Teil seines Einkommens überwies er an Lynn als Unterhaltszahlung. Was ihm übrigblieb, legte er in wertbeständigen Papieren an.

Lynn hatte zusammen mit ihrer ebenfalls geschiedenen Schwester ein neues Haus in Milwaukee bezogen. Marks zahlte die niedrige Hypothek ab. Er war der Ansicht, sie dürfe keine Geldsorgen haben. Auch Jim, ihr ältester Sohn, steckte ihr regelmäßig Geld zu, so daß sie im Wohlstand leben konnte.

Vergangene Weihnachten hatte er Lynn beim Abendessen in Jims ›Brownstone‹ in Georgetown zum letzten Mal gesehen. Jim war Arzt. Er hatte seine Frau Linda, zwei Kinder, einen Hund, neben seinem Saab hatten sie noch einen Stationwagon, und zusammen machten sie Ausflüge zu den Wundern der amerikanischen Natur. John Marks' Sohn genoß die Annehmlichkeiten des Familienlebens, John selbst hatte sie aufgegeben.

Er war mit seinem Auto kaum vorangekommen. Er saß

fest in einem Meer von brummendem Blech und Glas. Neben ihm wartete ein Mann, der die ganze Zeit über aufgeregt in sein Autotelefon sprach, auf der anderen Seite saß in einem kleinen japanischen Wagen eine junge Frau mit üppigem blondem Haar, die ungeduldig an ihren Nägeln kaute; durch die getönte Windschutzscheibe sah er einen massigen Mann, der inbrünstig in der Nase bohrte.

Es war ihm zur zweiten Natur geworden, die zufälligen Ereignisse um sich herum nach einem verborgenen Plan abzusuchen – er selbst tat den ganzen Tag nichts anderes, als solche Pläne auszuhecken – und so besah er sich seine Nachbarn in aller Ausführlichkeit, auf der Suche nach den Anzeichen möglicher Gefahr.

Wenn sich die Schlange jetzt mit einem Mal auflöste, käme er zum Anfang der Versammlung gerade noch rechtzeitig. Er rutschte auf seinem Sitz hin und her, suchte nach der bequemsten Haltung und dachte plötzlich daran, daß er seinen Sitz elektrisch verstellen konnte.

Er fand die Bedienungsknöpfe unter der Armlehne in der Fahrertür. Er drückte einen kleinen Hebel nach hinten, leises Summen ertönte, und der Sitz schob sich nach hinten. Ein anderer Knopf richtete die Lehne auf. Jetzt saß er gut. Er zog ein Papiertuch aus einer Pappschachtel auf dem Beifahrersitz und wischte sich unsichtbare Fusseln von den Fingern.

John Marks war ein kleiner Mann. Trotzdem hatten ihn die Frauen zu keiner Zeit übersehen. Lynn war einen halben Kopf größer als er, eine fruchtbare Frau aus einer kräftigen Quäkerfamilie in Minnesota. Er hatte sie in der

Firma kennengelernt. Sie war Sekretärin und arbeitete mit Dokumenten der niedrigsten Sicherheitsstufe.

Lynn hatte in der Firma eine Menge Verehrer gehabt. Später, während der Scheidung, nachdem sie ihm bereits alle Vorwürfe an den Kopf geworfen und nur noch diesen einen übrig behalten hatte, schleuderte sie ihm entgegen, daß sie damals ein wirklich hohes Tier hätte haben können, einen der Männer, die nach ihrer Pensionierung noch ein oder zwei Millionen als Geschäftsleute zusammenrafften oder aber reichen Arabern und Japanern verschwommene, wiewohl hochbezahlte Sicherheitsratschläge erteilten. Sie hätte sogar promovierte Geheimdienstler haben können (die gab es da auch) oder Abkömmlinge der alten WASP-Familien (davon wimmelte es in der Firma geradezu), aber nein, sie hatte sich von allen ausgerechnet die Hand des John Peter Marks auserwählt und fragte sich, ob sie all die Jahre plemplem gewesen sei.

»Aber du warst doch glücklich?« sagte er dann. »Ich jedenfalls war glücklich.«

»Ja«, flüsterte sie dann mit niedergeschlagenen Augen, »ich war glücklich…«

»Das ist doch nicht nichts«, murmelte er und hoffte, sie würde die Ohnmacht in seiner Stimme nicht hören.

»Aber es war zu kurz«, sagte sie rebellisch, »es hatte ja eben erst angefangen.«

»Lynn, wir waren fast fünfundzwanzig Jahre verheiratet, wir haben zwei Kinder großgezogen, das ist mehr, als die meisten Leute von sich sagen können!«

»Aber ich will eben noch mehr!« rief sie. »Für mich ist es überhaupt noch nicht vorbei. John, bitte, sieh mich an…«

Er sah sie an.

»Wir haben noch soviel zu tun, John, wir müssen noch soviel zusammen machen…«

Er nickte und senkte den Kopf.

»Was hast du dir bloß in den Kopf gesetzt«, hörte er sie sagen, »was ist nur in dich gefahren?«

Er konnte nicht mehr bei Lynn bleiben. Erklären konnte er es ihr nicht, aber bei ihr bleiben wäre so etwas wie ein Verrat an ihr gewesen. Er hatte ein Verhältnis gehabt, das sich fünf Jahre lang im Verborgenen abgespielt hatte, und die Frau, die er zum Schluß mehr liebte als Lynn, hatte nicht den Mut gehabt, ihren Mann zu verlassen.

Als Marian ihm erzählte, daß sie mit ihm Schluß machen würde, da erst konnte er bei Lynn ausziehen. Für John war es auf eine merkwürdige Art, die er niemand anderem erklären konnte, logisch – er hatte es niemandem erklärt. Marian hätte es vielleicht verstanden, aber es war nie dazu gekommen – und er empfand seinen Auszug bei Lynn als unvermeidlich und notwendig. Er konnte einfach nicht mehr neben Lynn schlafen und von einer anderen Frau träumen, die für ihn unerreichbar war.

Es hatte ihn die größte Mühe gekostet, Lynn das beizubringen. Sie verstand es einfach nicht, und das war kein Wunder, denn er hatte ein großes Kapitel in seiner Erzählung überschlagen, nämlich das Kapitel seiner Beziehung zu Marian.

Anfang der siebziger Jahre war er Gebietsinspektor in Tansania gewesen, und er hatte sie dort in einem der

Ausländerklubs kennengelernt. Marian war Holländerin, nicht viel jünger als er selbst und in der Blüte ihres Lebens. Zunächst war er nur an der Möglichkeit interessiert, sie eventuell als Informantin zu werben (ihr Mann war niederländischer Diplomat, und aus Gründen, die die Amerikaner nie verstanden hatten, unterhielten die Niederländer in den afrikanischen Staaten Beziehungen zu allerlei Befreiungsbewegungen). Er hatte es nicht darauf angelegt, sie auch nicht: Und doch wurde ihre Beziehung immer intensiver und entwickelte sich zu einer Freundschaft, die er vorher so nur mit Männern gekannt hatte. So oft wie möglich suchten sie gegenseitig ihre Gesellschaft, ohne dabei ihre Umgebung aufzuschrekken. Und er machte die beunruhigende Feststellung, daß sie sich vollkommen ähnlich waren.

Anfangs war er gar nicht verliebt. Er hatte nur eine Ergänzung zu seinem Leben mit Lynn gefunden. Ihre Ehe war geschrumpft auf Kindererziehung, Küche und Garten, was ganz hervorragend gewesen wäre, wenn er auf diese Art mit seiner Frau hätte leben wollen, aber er hatte ein tiefes und unausgesprochenes Bedürfnis nach einem Menschen, der die subtilen Schachzüge, die er bei der Firma spielte, selbst auch spielen konnte. Lynn war für seine Abstraktionen zu bodenständig.

Als die Kinder kamen und Lynn bei der Firma gekündigt hatte, suchte sie für sich und ihre Kinder Sicherheit und Geborgenheit. Jahrelang war er imstande gewesen, ihr beides zu bieten. Aber in jener Welt, in die er täglich bei der Firma eintauchte, gehörten auch Sicherheit und Geborgenheit zu Mitteln, die man einsetzte, um das angestrebte Ziel zu erreichen. In seiner Arbeit wurde beinahe alles Menschendenkbare als legitimes Mittel betrachtet, um an wichtige Informationen heranzukommen, auch wenn man vorher nicht genau sagen konnte, was wirklich wichtig war. Er spielte mit Vertrauen, Respekt, Sicherheit und Geborgenheit. Wenn er mit Lynn darüber hätte reden können, dann hätten sie vielleicht gemeinsam eigene Geheimnisse entwickelt – das sah er als das Schicksalhafte in seinem Leben an: Er konnte nur denjenigen Menschen vertrauen, mit denen er Geheimnisse teilte – aber er hatte eben nie darüber gesprochen.

Als er in Tansania zum ersten Mal mit Marian schlief, bei sich zu Hause, auf der harten Matratze im Gästezimmer, da hatten sie gemerkt, daß sie füreinander geschaffen waren, mit der schmerzhaften Intensität, die nur Menschen jenseits der Vierzig empfinden können, und sie verfluchten das böse Schicksal, das sie erst so spät zueinander geführt hatte. Sie schleppten zuviel Verantwortung, zuviel Vergangenheit mit sich. Ihre Liebe war *geheim*, und dies steigerte die Intensität, mit der er die Beziehung erlebte. Das Doppelbödige seiner Ehe mit Lynn wurde unerträglich. Aber auch Marian konnte nach fünf Jahren den Betrug nicht mehr rechtfertigen. Sie brachte es nicht fertig, ihren Mann zu verlassen. Ihr Entschluß, bei ihrem Mann zu bleiben, entsprang derselben Schicksalsergebenheit wie sein Entschluß, Lynn zu verlassen. Er verlor Marian als Geliebte und als Informantin, denn für sie war beides ein und dasselbe. Sie nahmen in Rio de Janeiro Abschied voneinander, in einer Nacht im Februar 1977, kurz vor dem Karneval. Die Luft in seinem kleinen Appartement klebte an seinen Fingern. Wörter hingen träge im Raum, ihre Augen schwitzten. Nach dieser Nacht hatte er nie mehr eine Frau berührt. Als er aus Brasilien zurückkehrte, zog er in die kleine Wohnung in Georgetown. Die lange, schmerzhafte Scheidung von Lynn hatte begonnen. Ein paar Wochen lang war er zu einem Psychiater gegangen und hatte ihm zu erklären versucht, daß sein Leben im Zeichen des Schicksals stand. Der Mann interessierte sich aber hauptsächlich für Johns Jugend in Philadelphia, auch wenn diese einfach und sorglos gewesen war und keine Erklärung dafür bot, daß John glaubte, die ihm zugemessene Liebe für den Rest seines Lebens schon erschöpft zu haben. Es blieb ihm nichts anderes übrig, als Lynn respektvoll zu behandeln, und die *andere* in der Erinnerung zu lieben.

Er schwamm in Erinnerungen, badete darin und versank manchmal tagelang in Gedanken an die Wochen und Monate, die er mit Marian verbracht hatte. Seit Februar 1977 hatte er sie nicht mehr gesprochen. Er konnte sie nicht vergessen. Ein Jahr später war die Scheidung von Lynn amtlich.

Als er neben sich Bewegung wahrnahm, kehrte er wieder in sein Auto zurück. Der Mann, der die ganze Zeit in sein Autotelefon gebrüllt hatte, fuhr auf einmal los, ohne den Hörer niederzulegen, und unwillkürlich gab auch John Gas.

Der Buick federte leicht und schoß davon, und John

merkte zu spät, daß die Schlange in seiner Spur sich gar nicht bewegte. Sofort trat er auf die Bremse, aber das Auto brauchte Raum, um wieder zum Stehen zu kommen, und dieser Raum war nicht da. Die Nase des Buick bohrte sich in das Hinterteil des alten Chevy vor ihm.

Ein heftiger Ruck – er konnte den Aufprall gut abfangen, weil er sich mit beiden Händen am Lenkrad festhielt, der Sicherheitsgurt tat das seine –, dann Klirren von Glas, und es war schon wieder vorbei.

Er konnte sich dieser neuen Realität unverzüglich anpassen. Er stieg aus, gleichzeitig mit dem Fahrer des Chevy, und sie trafen sich auf der Höhe des verbeulten Blechs. Der Mann war gut einen Kopf größer als John und besaß den breiten Körperbau eines durchtrainierten Bodybuilders.

»Das war sehr dumm von dir, Mann«, sagte das Schwergewicht.

»Das war es sicher«, antwortete John, sich seiner unterlegenen Position wohl bewußt, »ich werde dafür sorgen, daß alles ersetzt wird.« Er fragte sich einen Augenblick lang, ob dieser Unfall wohl Zufall war.

»Das will ich auch geraten haben... bist du überhaupt versichert?«

»Machen Sie sich nur keine Sorgen, ja...«

»Bin unterwegs zu 'ner Verabredung, darf die nicht versäumen. Mal sehen, was mein Anwalt dazu sagt, wenn ich die verpasse«, drohte der Mann und spielte auf einen Prozeß wegen Schadenersatzes an.

»Sie können beruhigt weiterfahren, dann kommen Sie rechtzeitig. Hier...« John holte seine Papiere heraus und registrierte, daß der Mann seine Fingerabdrücke darauf hinterlassen würde. »Schreiben Sie sich das ab, mein Anwalt setzt sich dann mit Ihrem Anwalt in Verbindung. Darf ich mal Ihre Papiere sehen?«

Widerwillig holte der Mann sein Portemonnaie heraus und überreichte ihm den Führerschein. Marks hielt das Plastikkärtchen zwischen Daumen und Mittelfinger, um es sowenig wie möglich zu berühren. Der Mann hieß Fowles. John würde Nachforschungen anstellen lassen.

Der Schaden war schlimmer als erwartet. Sein Buick brauchte neue Scheinwerfer, einen neuen Kühlergrill und eine neue Stoßstange, sie war von der Anhängerkupplung des Chevy eingedellt; die Motorhaube war offensichtlich verzogen. Seit zwanzig Jahren hatte er keinen Unfall mehr gehabt, und dieser Augenblick war überfällig. Auch Marks war nur eine Zahl in der Statistik, die pro soundsoviel tausend Kilometer einen Unfall vorhersagte. Aber die Kosten waren es nicht, die ihn so sehr entsetzten. Es war der Gedanke an das glatte Metall, vorher makellos und ohne Kratzer, jetzt von der Anhängerkupplung zerschunden und verbeult.

Inzwischen war auch seine eigene Spur in Bewegung gekommen, in der Ferne begannen Ungeduldige auf die Hupen zu drücken.

Der Mann gab ihm seine Papiere zurück. John mußte sie später saubermachen.

»Vielleicht ist es besser, die Polizei zu holen«, sagte der Mann, der Angst hatte, keinen Schadenersatz zu kriegen.

»Ich dachte, Sie haben es eilig«, sagte John.

»Ja. Aber es ist doch besser, wenn die Polizei kommt«, meinte der Mann.

John wurde ungeduldig. »Sie haben Eile, ich habe Eile, ich hab Ihnen meine Papiere gezeigt und versichere Ihnen, daß ich alle Schuld auf mich nehme und daß Ihnen der Schaden an Ihrem Auto vergütet wird.«

»Vielleicht, äh... vielleicht sind Ihre Papiere nicht in Ordnung«, gab der Mann zu bedenken.

»Was wollen Sie damit sagen?«

»Man kann nie wissen«, sagte der Mann.

»Herr Fowles, Ihr Auto ist vielleicht tausend Dollar wert. Der Schaden würde selbst bei einem nagelneuen Auto höchstens fünfhundert Dollar betragen, es entsteht Ihnen also wirklich kein Verlust.«

Er hätte lieber keine Zahlen nennen sollen, denn jetzt schüttelte der Mann entschlossen den Kopf.

»Nein, ich will, daß die Polizei kommt.«

»Tun Sie mir einen Gefallen, Herr Fowles, ich hab's wirklich eilig...«

»Nein. Ich geh nicht, bevor die Polizei da war.«

Aus den Autos hinter ihnen stiegen Leute aus.

»He, beeilt euch da vorne!« hörte man von hinten. »Hallo, könnt ihr nicht woanders rumlabern!«

Der Mann drehte John seinen gewaltigen Rücken zu und ließ sich nicht mehr davon abbringen, auf die Polizei zu warten.

John setzte sich hinter das Steuer und rieb mit einer Handvoll Papiertaschentücher seine Hände sauber. Mit unterdrücktem Widerwillen sah er im Geiste vor sich, wie gleich ein Beamter der motorisierten Polizei seine Papiere mit dreckigen Lederhandschuhen betasten würde; er konnte sie erst in seinem Büro sterilisieren. Dann rief er die Firma an und meldete, daß er nicht zur Versammlung kommen könne.

Die Nacht des 25. Juni 1989

Hoffman saß nun schon zehn Minuten ohne Ergebnis auf der Eichenholzbrille im Klo. Seine Hose lag auf seinen Knöcheln und enthüllte seine bleichen, mit grauen Haaren bewachsenen Beine. Wenn er zwischen den Schenkeln hindurch schaute, sah er sein müdes Geschlecht in der weißen Schüssel hängen, über dem leeren kleinen See, dem Landeplatz für die Felsbrocken in seinem Gedärm.

Manchmal dauerte es eine Viertelstunde, bis er ein paar Kötel produzierte, manchmal gelang es ihm überhaupt nicht, den Druck in seinen Gedärmen zu vermindern. Aber er wußte, daß er jeden Tag auf dem Klo sitzen und seinen Anus in den kleinen See schauen lassen mußte, weil der tägliche Rhythmus die Darmperistaltik trainierte; das hatte ihm sein Arzt erzählt.

Er kniff die Augen zu und drückte, aber das System war verstopft, und er beugte sich müde über seine Beine.

Gerade hatte er das Buch von Spinoza oben aus seinem Arbeitszimmer geholt und war unterwegs zur Küche, als ihm ein Krampf quer durch den Bauch schoß und ihn aufs Klo führte. Das Buch lag halb verdeckt unter seiner Hose.

Verstopfung war eine Form von Impotenz. Sein Darm hatte eine der wesentlichsten Körperfunktionen – das Entfernen von Schadstoffen – aufgegeben, und die zu Steinklumpen verhärteten Exkremente stauten sich und drückten aufeinander und flehten um Abführmittel. Er hatte Abführmittel genommen wie damals die Schlafmittel, und sie sich auch wieder abgewöhnt. Immer wenn er sie eingenommen oder getrunken hatte, lief er stundenlang mit blubberndem Bauch herum, spürte Stiche im Magen und in den Leisten und hatte das Gefühl, er stünde kurz vorm Platzen. Dann konnte er plötzlich seinen Schließmuskel nicht mehr halten und rannte zum nächstgelegenen Klo. Sein Hintern erbrach dann eine faulige Masse.

Lieber überließ er seinen Körper dem ihm eigenen Rhythmus, auch wenn er launisch war und anstrengend. Wenn es dann soweit war, schien sein Anus aufzureißen, eine Schmerzlinie zog sich das ganze Rückgrat hinauf. Und einmal in vier, fünf Wochen, nach ein paar Tagen heftiger Krämpfe, die er unterdrückt hatte, schiß er auf natürliche Art ganz locker die Schüssel voll. Die Krämpfe wurden ersichtlich ausgelöst vom Zermahlen der Exkremente, denn während dieser monatlichen Entleerung lief er regelrecht aus, als habe er Durchfall. Es war seine persönliche Form von Menstruation.

Marian hatte eben an die Tür geklopft und ihm gute Nacht gewünscht.

»Felix, ich geh schlafen...«

»Gute Nacht«, antwortete er, »ist Jana auch schon im Bett?«

»Sie ist gerade gegangen.«

»Gute Nacht«, sagte er noch einmal.

Er dachte, sie würde gleich weitergehen, aber nach ein paar Sekunden hörte er sie wieder.

»Hast du Probleme?« fragte sie.

»Nein, ich sitze hier zu meinem Vergnügen«, antwortete er.

Sie reagierte nicht gleich.

»Kopf hoch«, sagte sie. Er hörte, wie sich Schritte entfernten.

»He, Marian«, rief er, »so hab ich es doch nicht gemeint...«

Sie ließ nichts mehr von sich hören. Das war vor fünf Minuten gewesen. In den Rohren der Wasserleitung hörte man, wie sie oben in ihrem Badezimmer den Wasserhahn aufdrehte, die Wasserspülung zog – die vagen Geräusche einer Frau, die sich den Tag abschminkt.

Jana, die tschechische Wirtschafterin, sie hatte schon den letzten vier Botschaftern gedient, wohnte die Woche über in zwei Zimmern im zweiten Stock. An den Wochenenden logierte sie bei ihrem Bruder, es sei denn, in der Residenz fand etwas Offizielles statt. Sie war in Felix' Alter und pünktlich. In der Botschaft hatte man ihm zugeraunt, daß sie schon jahrelang für den Geheimdienst tätig war und Niederländisch verstand. Aber diese Frau war unsichtbar und führte den Haushalt auf holländische Art, und wenn sie sich beim Geheimdienst ein Zubrot verdiente, dann konnte ihm das nur recht sein.

Er konzentrierte sich auf seinen Darm, spannte seinen Körper an und drückte. Sein Bauch dehnte sich, er biß die Zähne zusammen, und sein Gesicht verzerrte sich zu einer Grimasse. Es kam keine Bewegung in die Masse. Er sah Sternchen, als er die Augen wieder öffnete, weiße Fünkchen, die am Rand der Netzhaut aufblitzten. Keuchend rang er nach Luft.

Jana hatte schnell begriffen, daß der Kühlschrank *immer* gefüllt sein mußte, weil Felix auch nachts – vor allem nachts – zu essen pflegte. Sie war schweigsam und schaute ihn mit leeren Augen an. Er sah in ihr etwas Boshaftes, und ohne daß sie mehr als einen Satz miteinander gewechselt hätten, bestand vom ersten Tag an eine Feindschaft zwischen ihnen, die ihm sehr gut gefiel.

Er hatte aus seiner Kanzlei die Hinterlassenschaften seines Vorgängers hinausgeworfen (kleine Gemälde mit holländischen Landschaften, ein KLM-Kalender, Delfter Porzellan, eine Uhr in Form einer Windmühle) und auch die Möbel umgestellt. Das Botschaftsgebäude stand am Maltézské Namesti, einem kleinen Platz im Mala-Strana-Viertel, jenem Teil von Prag, der buchstäblich eingeklemmt lag zwischen dem Burgberg und der Moldau. Mala Strana war ein wirres Netz von Straßen und Gäßchen rings um Plätze mit barocken und neugotischen Kirchen und Palästen. Ein Eldorado für den Illustrator Anton Pieck.

Die Büros der Botschaft, Kanzlei genannt, waren in einem Flügel des Nostiz-Palastes untergebracht, den Francesco Caratti 1670 gebaut hatte; hundert Jahre später war der Palast vollständig umgebaut worden.

Die Niederländische Botschaft lag im zweiten Stock des Palastes und bestand eigentlich nur aus einer Reihe von Zimmern an einem einzigen langen Gang. Der Gang endete vor den Türen einer echten Hauskapelle, einem kleinen katholischen Andachtsraum mit einem sehr muskulösen Christus, vergoldetem Zierat und üppigen Wandgemälden von Vaclav Ambroz aus dem Jahr 1765.

Hoffmans Büro lag neben der Kapelle und war so groß

wie ein Ballsaal. Wenn man hereinkam, stand sein Schreibtisch rechts, mitten im Zimmer, auf einem riesigen bordeauxroten Teppich ohne Muster. Die Wände waren etwa einen Meter hoch getäfelt und darüber in einem sanften Seifengrün gestrichen. Dank der dicken Mauern und der hohen Decken blieb die Hitze dieses langen heißen Sommers hier drinnen erträglich. Sein Büro hatte genug Atemluft für einen großen Menschen, und er dachte, daß er sich gut zurechtfinden würde. Aber viel Arbeit gab es nicht.

Heute war ihm seine erste diplomatische Verwicklung beschieden. Drei aufgeregte Herren vom Niederländischen Fernsehen hatten ein Häufchen Dissidenten gefilmt, die auf dem Vaclavské Namesti demonstrierten, und die Polizei hatte ihnen die Ausrüstung vernichtet und ein paar Schläge ausgeteilt.

Hoffman hatte seinen Stellvertreter geschickt.

Die drei Fernsehleute arbeiteten für ein Nachrichtenprogramm und waren zu Hause in Holland bekannte Gesichter, wie er von seiner Sekretärin wußte. Die Polizei hatte die drei übel zugerichtet, einem sogar den Arm gebrochen. Es gehörte zu Hoffmans Aufgaben, diese Art von Zwischenfällen zu melden, deshalb hatte er einen kleinen Codebericht nach Den Haag geschickt. Er erwartete für morgen vormittag den Entwurf einer offiziellen Protestnote, die er dem Tschechischen Außenminister überreichen konnte. Er war eigentlich nicht viel mehr als ein Laufbursche für unsichtbare Herren in einem fernen Land.

Er hatte schon öfter Ärger mit Journalisten gehabt. Niederländische Journalisten schienen ein Maß an Unverfrorenheit zu besitzen, das in anderen Ländern unbekannt war. Zum Beispiel gingen sie gerne in zerrissenen Jeans und schmutzigen Turnschuhen zur Vereidigung eines Präsidenten, und nur selten hatte er sie dabei ertappt, daß sie sich über irgend etwas sachkundig gemacht hatten. Es interessierte ihn wenig, ob die Polizei sie nun zu Unrecht malträtiert hatte – was ihn ärgerte, war die Selbstverständlichkeit, mit der sie sich sofort an die Botschaft wandten und einfach verlangten, daß Diplomaten ihnen wieder aus der Patsche halfen.

Bis vor sechs Monaten hatte er in Khartum gesessen (die Hitze in Europa ließ ihn also kalt), und das AA hatte ihn vor drei Jahren zum Mitglied einer Kommission ernannt, die den Tod von zwei niederländischen Journalisten in Namibia untersuchte. Die beiden waren eindeutig und ohne Zweifel von einer südafrikanischen Killerbande ermordet worden, und die Kommission hatte Den Haag einen Bericht vorgelegt, worin die Umstände, die zu ihrem Tod geführt hatten, minutiös beschrieben waren.

Im Ministerium hatte man ihren Bericht zensiert und in einer Version an die Öffentlichkeit gebracht, die der Presse in Holland weniger gegen den Strich ging. Aber die Untersuchungskommission und das AA und ein Teil der Presse wußten, daß die beiden trotz der Warnungen, sie würden dabei ihr Leben riskieren, ganz bewußt ein paar rechtsradikale Typen provoziert hatten. Einen der beiden Journalisten hatte Hoffman einmal in Kairo getroffen; er war ein geborener Abenteurer, gewaltiger Schluckspecht, eifriger Beischläfer und ruheloser Knabe, der über seine Haltlosigkeit ein linkes Mäntelchen gebreitet hatte. Der Bericht wurde in der Presse vernichtend beurteilt, weil er angeblich ungenau und schlampig war. Hoffman hatte die Nase voll von solchen Linken mit niederländischem Paß, die herumreisten und die Welt nach ihrem Gutdünken neu einteilen wollten.

Er saß vornübergebeugt und stützte seine Arme auf die Oberschenkel. Schweiß tropfte ihm vom Kinn auf die Hände. Sein Oberhemd hing ihm lose über den Hintern, und um zu verhindern, daß die Krawatte in den leeren Raum vor seinem beschnittenen Glied fiel, hatte er sie nach hinten über die Schulter geschlagen. Er starrte hinunter auf den traurigen Rüssel und die Hoden in ihren verschrumpelten Säckchen und dachte finster an jenes letzte Mal zurück, da er von einer Erektion Gebrauch gemacht hatte.

Er war damals Geschäftsträger auf Zeit in Khartum gewesen, und das AA hatte für seine Entwicklungshilfe-Sachverständigen eine einwöchige Tagung in Kenia organisiert. Sie hatten im Hilton in Nairobi ein Saufgelage abgehalten. Die Frauen waren zu Hause geblieben, und die Nutten standen Schlange, herrliche hochgewachsene Frauen mit breiten Mündern und weichen Hüften.

Die meisten seiner Kollegen waren betrunken, aber noch nüchtern genug, um alleine in den Aufzug zu steigen, der sie zu ihren Zimmern in dem zylinderförmigen Gebäude brachte. In einem für diese diplomatische Zusammenkunft reservierten Nebenraum hatten sie ausgiebig getafelt und einen Berg leerer Flaschen zurückgelassen. Hoffman und ein anderer *hardliner*, Jef Voeten, Stellvertreter in Rabat, waren die letzten Überlebenden.

»Felix, alter Freund«, hatte Jef in seinem Limburger

Tonfall gesagt, »wenn ich dich frage, was ich jetzt wohl am liebsten täte, wüßtest du dann die Antwort?«

»Ficken«, antwortete Hoffman, dessen Körper vom Alkohol betäubt, dessen Geist aber ganz klar geblieben war.

»Mein lieber Mann, Felix«, rief Voeten, »du siehst ja direkt in mich hinein! Aber ich muß dir sagen, daß du einen ganz schlimmen Wortschatz hast. Ich würde nämlich sagen... Liebe machen, ja, das würde ich sagen, die körperliche Liebe einer Frau...«

»Aber du bist ja betrunken, Jef, du kriegst ihn ja gar nicht mehr hoch.«

»Klar krieg ich ihn hoch! Ich wohl! Aber du kriegst ihn nicht mehr hoch, Felix, du kriegst ihn schon lange nicht mehr hoch, wenn du mich fragst!«

»Ach, da muß ich dich leider enttäuschen, alter Knabe, ich bin ein routinierter Ficker.«

»Scheiße, Felix, du sollst doch auf deinen Wortschatz achten... Ficken, das ist ein Scheißwort... Liebe machen, okay? Sag Liebe machen, los, sag es...«

Jef hing vornübergesackt in seinem Stuhl und versuchte, Felix anzuschauen. Er schielte vor Betrunkenheit.

»Liebe machen«, sagte Hoffman, der seine Ruhe haben wollte.

»Das ist fein, Liebe machen«, wiederholte Voeten und sank wieder zurück in seinen Stuhl.

»Felix«, sagte er, »eines möchte ich doch gern wissen, warum du ihn nämlich nicht mehr hoch kriegst. Denn das kannst du nicht mehr.«

»Natürlich kann ich das noch«, sagte Hoffman und wunderte sich, daß dieser Vorwurf ihn traf. »Ich krieg ihn wohl hoch«, sagte er, »aber du, Jef Voeten, du kannst nicht mehr.«

Voeten stieß sich von seinem Stuhl ab und machte eine ausladende Bewegung mit der Hand. »Verdammt noch mal, ich fick sie alle platt«, lallte er mit schwerer Zunge in den leeren Saal, »ich fick sie alle k. o. So mach ich das...«

Zufrieden ließ er sich wieder zurückfallen, als ob er sein Vorhaben schon ausgeführt hätte. Die beiden Männer starrten hohläugig vor sich hin.

»Beweis das erst mal«, sagte Voeten. Er versuchte, seinen Blick auf Felix scharf einzustellen.

»Beweisen?«

»Ja, schnapp dir eine...«

Sie hatten sich gegenseitig gestützt und die Hotelbar gefunden. Ein Dutzend Frauen bot sich ihnen augenblicklich an. Hoffman zeigte auf eine Frau, die ihn mit einem grausamen Lächeln ansah.

»What do you want, boss?« sagte sie mit rauher Stimme.

»You«, grinste er zurück.

Aber ein Wachmann hatte die kleine Gesellschaft bei den Aufzügen angehalten.

»This woman is a prostitute«, sagte der Wachmann schockiert und unnachgiebig, »the hotel does not allow prostitutes.«

Jef Voeten versuchte zu vermitteln.

»Listen sir, we have to investigate whether this gentleman« (er deutete mit unsicherer Hand auf Hoffman, der mit durchgedrücktem Kreuz Arm in Arm mit der Nutte stand; sie merkten nicht, daß sie dem Wachmann Geld zustecken mußten) »is able to raise his masculin organ. You unterstand?«

Der Wachmann schüttelte den Kopf. »No I don't understand this. Please, take her out, she is not allowed here...«

Sie nahm die beiden mit zu sich nach Hause. Sie kostete dreißig Dollar, für die Benutzung ihres Hauses rechnete sie zwanzig. Ein Taxi, das jeden Augenblick auseinanderfallen konnte, verließ das Zentrum auf einer Straße voller Schlaglöcher und Dellen und tauchte in einen der Vororte ein.

Sie saßen zu dritt auf dem Rücksitz des Peugeot 404. Die Frau hatte einen langen schwarzen Arm um Hoffman geschlungen. Jef Voeten erklärte ihr an Hoffman vorbei den Gegenstand der Untersuchung.

»This gentleman says he is able to... Lieber Himmel, Felix, *raise his organ*, heißt das nicht soviel wie die Orgel hochziehen?«

»Keine Ahnung.«

Er lag an ihrer Schulter, die glatt und weich war. Sie roch nach billiger Seife, ein süßer Duft, der ihm besser gefiel als Chanel.

»He wants to investigate his ability to do his masculin act, you understand?« sagte Voeten.

»Yeah«, antwortete die Frau mit Sinn für Untertreibung.

»Because, you know, at this age it becomes quite a problem to raise the organ, am I clear?«

»Completely«, sagte sie.

»Sie denkt, ich rede über 'ne Orgel«, sagte Voeten mißmutig.

Das Taxi hielt in einem fernen Außenbezirk. Hier standen keine Häuser mehr, das Umland hatte schon begonnen.

Es war spät in der Nacht, aber die Leute saßen noch draußen im Freien. Lampen auf hohen Masten warfen einen orangegelben Schein über die Hütten. Der Boden war weder asphaltiert noch gepflastert, sondern bestand nur aus gestampftem Lehm. Es roch nach Ziegen und verkohltem Holz.

»Bezahl den Fahrer«, sagte Hoffman zu Voeten. Die Frau half beiden beim Aussteigen. Sie erregten kein Aufsehen. Aus einer Hütte kam ein anderer Europäer, mit schweißnassem Gesicht und zusammengekniffenen Augen.

»Ja, wer kommt denn da«, sagte Voeten, »kennst du den?«

»Na?«

»He, Jim!« rief Jef.

Der Mann blieb stehen. Sein Schädel leuchtete im orangenen Licht.

»Everything fine, Jim?« fragte Jef.

Der Mann eilte mit hochgezogenen Schultern zum Taxi.

»Verdammt, so ein Zufall, was?« sagte Jef. »Das ist Jim Manley. Der britische Stellvertreter hier.«

»Ach was, Zufall«, sagte Hoffman, »das hier ist einfach ein Bordell.«

»Nee, das is' kein Bordell. Was sollen wir denn in einem Bordell?«

Die Hütte hatte ein Strohdach und Lehmwände. Es gab zwei kleine Zimmer. Die Frau führte Voeten zu einem Stuhl und half ihm, sich hinzusetzen.

»You too?« fragte sie.

»What do you mean?«

»Do you want to fuck me too?«

»No.«

Hoffman war auf das Bett gefallen. Frische Bettwäsche.

»He, Felix... *elevate* heißt es. Elevate the organ.«

Sie zog sich aus. Hoffman brauchte keine Hilfe. Sie entblößte einen geschmeidigen Körper, der im matten Schein der Öllampe glänzte. Sie hatte hellbraune Haut und aufrecht stehende Brustwarzen.

»Lieber Himmel...« hörte er Jef Voeten murmeln.

Sie kroch aufs Bett und öffnete die Knöpfe an der Weste seines Maßanzugs. Sie streichelte über sein Geschlecht, fühlte den Stock in seiner Hose. Sie lächelte geheimnisvoll.

»Give it to me, honey«, sagte sie.

»Lieber Himmel«, sagte Voeten wieder und schaute auf ihren Hintern.

»What's your name?« fragte sie.

»Felix...«

»Feeelixx«, probierte sie.

»And you?«

»Tawa... but you may call me Lindaaa.«

»Tawa is fine«, sagte Hoffman.

»Lieber Himmel«, stöhnte Voeten wieder. Die Frau saß vornübergebeugt über Hoffman, und er schaute direkt in ihren Anus.

»How old are you?« fragte sie.

»How old are you?« fragte er.

»I'm twenty-four«, sagte sie. »Today is my birthday.«

Sie öffnete die Knöpfe an seinem Anzug. Von Gieves & Hawkes in der Savile Row Nr. 1 in London.

Hoffman fragte: »What's the date?«

»The date?« sagte Tawa lachend. »Who cares?«

»Der wievielte ist heute, Jef?«

»Wozu willst du das jetzt wissen, Mann!«

»Der wievielte!« brüllte Hoffman.

»Der fünfte! Zufrieden?«

»The fifth of September is always my lucky day«, sagte Tawa.

Hoffman fühlte seine Erektion schrumpfen. Tawa fühlte es auch.

»Something wrong?« fragte sie.

»Nothing«, sagte er.

Er stemmte sich hoch, sie kroch zur Seite.

»Was ist los?«, fragte Voeten.

»Wir gehen wieder zurück«, sagte Hoffman.

»Zurück? Wir gehen nicht zurück.«

Hoffman konnte sich vorübergehend nicht mehr beherrschen.

»Glaubst du vielleicht, daß ich hier eine Vorstellung für dich gebe, Jef?«

Er ging zur Tür der kleinen Hütte. »Gib ihr das Geld...«

Er ging nach draußen. Tausende von Sternen starrten ihn an. Er schämte sich, daß er beinahe Esthers Todestag vergessen hatte. Mitternacht war lange vorbei, der sechste September hatte schon begonnen. Ein Grüppchen von Männern, mit großen Bierflaschen in der Hand, saß etwas weiter entfernt rund um ein Feuer und schaute ihn abwartend an. Er hob zur Begrüßung die Hand. Niemand reagierte.

»Scheißkerle«, murmelte er.

Hinter ihm hörte er Gekreische. Jef Voeten erschien in der offenen Hüttentür. Tawa schubste ihn zur Seite und wandte sich an Hoffman. Sie hatte sich ein Laken umgeschlagen.

»You must pay me«, sagte sie drohend.

»Tu's nicht, Felix. Wir haben nichts dafür bekommen.«

»You owe me«, sagte sie.

Felix gab ihr die ausgemachte Summe.

»Not enough.«

»It's enough.«

»It's enough«, echote Voeten.

»Come«, sagte sie und winkte Hoffman.

»Ich besprech das eben mit ihr«, sagte er zu Voeten.

Wieder folgte er ihr in die Hütte. Sie schloß die Tür hinter ihm und ließ das Laken fallen.

»Why don't you fuck me«, sagte sie. Sie streichelte ihren hinreißenden Körper.

»I can't«, sagte er.

»Why not? Don't you think I am beautiful?«

»You are terrific. But I can't.«

»You insult me. Don't you want to fuck black women?«

»I like black women. As much as white women.«

»You despise me. Just like your friend.«

»No I don't. But I cannot fuck you.«

Sie beugte sich rasch über ein Schränkchen und holte ein Messer heraus.

»I want you to pay me more.«

Hoffman schüttelte eigensinnig den Kopf.

»We agreed upon fifty.«

Sie kam drohend mit dem Messer näher.

»You have to pay me more.«

»Why should I?« sagte er.

»Because you insult me.«

Sie holte mit dem Messer aus, und er wehrte es ab. Auf einmal war ein Riß in seinem Jackenärmel, Blut quoll heraus. Er begriff, daß sie es ernst meinte. Aber er war nicht der Mann, der klein beigab. Er griff nach der Öllampe.

»Tawa, Linda, you'd better stay calm and you'd better get out of my way.«

»Pay me«, sagte sie. »It makes no difference for you. You are rich. But for me...«

Sie hatte recht. Natürlich. Aber Hoffman konnte sich nicht bedrohen lassen.

Sie schwang wieder das Messer. Hoffman machte einen ungeschickten Schritt zur Seite, die Flaschen Wein, die er getrunken hatte, schwappten in seinem Magen. Er stolperte, verlor das Gleichgewicht, und die Öllampe fiel ihm aus der Hand.

Ein saugendes Geräusch stieg auf, als ob Wind durch die Hütte wehte, und plötzlich schlugen die Flammen aus dem Bett und leckten an den Wänden. Hoffman lag auf dem Boden und hörte Tawa gellend schreien. Die hellen, gelben Flammen sahen prächtig aus.

Die Männer hatten ihn aus der Hütte gezogen. Am nächsten Tag, als er gerade das Hilton verlassen wollte, wurde er festgenommen. Die örtlichen Behörden machten ihm klar, daß Geld in solchen Fällen viel Gutes tut. Er zahlte dem Kommissar tausend Dollar, zwei Inspektoren je hundert, sechzehn Beamten je zehn, und er zahlte Tawa dreitausend für den Bau einer neuen Hütte, auch wenn sie kaum mehr als ein paar hundert Dollar kostete.

Kaum war er zurück in Khartum, hatte er einen ungehaltenen Außenminister am Telefon. Seinen Arm trug er im Verband, er hatte Tetanusspritzen bekommen.

»Ich habe von Ihrem, äh... Debakel dort in Nairobi gehört, Herr Hoffman.«

»Ja...« Was sollte er darauf sagen? »Wir haben uns dort einen Außenbezirk angesehen im Hinblick auf mögliche Entwicklungshilfe-Projekte.«

»Ich verstehe«, sagte der Minister.

»Es gab leider ein paar Verständigungsschwierigkeiten. Wird nicht mehr vorkommen, Herr Minister.«

»Ich hoffe, daß Sie fest dazu entschlossen sind, gegen Ende Ihrer Laufbahn«, sagte der Minister.

»Vollkommen, Herr Minister.«

Auf dem Klo sitzend, hatte der Gedanke an Tawa sein Glied gerade wieder anschwellen lassen, aber ein neuer Stich in seinem Magen ließ das Ding wieder auf seinen gewohnten tristen Umfang zusammenschrumpfen.

Wim Scheffers, der MDAA, hatte die Hand schützend über ihn gehalten. Als Hoffman diesen Vorfall überlebt hatte, war die automatische Beförderung aufgrund seiner vielen Dienstjahre nur noch eine Frage der Zeit. Er ging kein Risiko mehr ein, hielt sich in der Öffentlichkeit beim Trinken zurück und blieb Frauen gegenüber auf Abstand.

Über ihm war es ruhig geworden. Er stellte sich vor, daß Marian mit einer Sammlung obskurer Sonette von Vondel im Bett lag und sich Notizen machte, bis ihr die Augen zufielen. Es war ihm schleierhaft, wo sie die Ruhe und Kühle hernahm für ihren Schlaf. Schon während ihrer Studentenzeit hatte sie sich in Vondel förmlich verloren, viele Jahre, bevor sie die Trauergedichte auf seine toten Kinder und die Konversion zum katholischen Glauben mit anderen Augen betrachten sollte.

Vondel war Strumpfhändler gewesen, der Sohn eines mennonitischen Einwanderers aus Antwerpen, und er hatte sich durch ein Leben voller persönlicher Tragödien hindurchgekämpft. Erst später begriff Hoffman Marians Leidenschaft für Vondel; aus ihrer frühen Besessenheit schimmerte etwas Magisches, als hätte sie schon damals etwas vorausgeahnt.

Er saß auf dem privaten Klo neben der Küche. Neben der Halle war auch eines, ein schickes Klosett auf Marmorfußboden. Die Hitze wühlte den Gestank der Kanalisation auf, und das kleine Loch, in dem er jetzt saß, war von beißendem Fäulnisgeruch erfüllt. An der Wand hing der alte Kalender, den Miriam mit Geburtstagen ausgefüllt hatte, eine Anzahl abgegriffener, steifer Blätter. Sie hatte den Kalender gekauft, als er mit ihr eine Reise nach Italien gemacht hatte, das war 1976. Miriam war damals sechzehn. Sie wohnten in Rio de Janeiro, aber Miriam mied die Sonne und sah aus, als wäre sie krank.

Auf dieser Reise hatte sie ihr langes Haar zu einem Pferdeschwanz gebunden und trug billige Schuhe, lila Espadrilles. Auf diese Schuhe war sie ganz wild gewesen. Er erinnerte sich, daß sie sie bis weit in den brasilianischen Frühling hinein getragen hatte. Er sah sie vor sich: ein dünnes Mädchen in einem weißen Sommerkleid und mit einer bleichen Haut, die während der Reise langsam kupferrot wurde. Eines Abends waren sie in Verona im Zirkus gewesen, Circo Grande, eine Aneinanderreihung von Zirkus- und Commedia dell'arte-Nummern. Die Clowns tauchten an allen möglichen Stellen auf der Tribüne auf, spielten temperamentvolle italienische Familienszenen nach, alles endete im Chaos, und er sah, wie die Augen seiner Tochter vor Freude leuchteten. Nach Ende der Vorstellung hatten sie einen Kalender mit Abbildungen von Zirkusplakaten gekauft, und der hing jetzt neben ihm an der Wand.

Esthers Tod hatte Miriams Leistungen in der Schule zunächst nicht beeinflußt. Sie besuchte die internationale Schule in Lima und brachte die besten Noten nach Hause. Sie lernte, las und schwieg. Krampfhaft und künstlich versuchte er, die frühere Verbundenheit wieder herzustellen, aber diese Verbundenheit war das Geschenk eines blinden Gottes gewesen, der überdies auch noch taub zu sein schien. Ein Jugendpsychiater erklärte es ihm so: Miriam hatte die Schuld am Tod ihrer Schwester auf sich genommen, ihre Eifersüchteleien hatten einen unausgesprochenen Todeswunsch zur Folge gehabt, der sich erfüllt hatte. Esthers Tod war Miriams Schuld. Sie war schlecht.

Manchmal rief er sie zu sich in die Küche (er dachte, in der Küche wäre so etwas weniger förmlich), und wenn sie dann vor ihm auf einem Hocker saß und auf ihre Nägel starrte, vergaß er, was er eigentlich hatte sagen wollen.

Sie gingen spazieren, reisten nach Ayacucho, aber alle drei dachten sie an die vierte. Sie fuhren mit dem Postschiff nach Panama in die Ferien, aber Miriam blieb unbewegt wie ein Autist. Sie fuhren nach Surinam, aber Miriam verbrachte die ganze Zeit im runden Swimmingpool des Hotels Torarica und zog dort Tausende von Bahnen.

Sie wurde spindeldürr. Es fiel ihm schwer, mit Marian darüber zu sprechen; flüsternd warfen sie sich gegenseitig vor, ein einsames Kind heranzuziehen. Er floh vor seiner Ohnmacht und fand Schutz in seinem Büro.

Die Reise nach Italien war eine aus der Verzweiflung geborene Idee gewesen. Sie wohnten in Rio, und eines Tages kam Miriam nicht aus der Schule zurück. Marian rief ihn ungefähr um sechs Uhr an: Sie war noch immer nicht zu Hause.

Hoffman war zwei Tage lang durch die Stadt gejagt. Verfolgt von höllischen Phantasien, war er in die gefährlichen Favelas gegangen und hatte mit Dollarscheinen Informanten geworben. Die Polizei kümmerte sich nicht um weggelaufene fünfzehnjährige Kinder, deshalb landete er schließlich bei der Sittenpolizei. Dem Chef dort versprach er ein Vermögen, wenn er nur sein Kind finden würde. Sein Herz weinte, während er nachts in Einfahrten und auf Baustellen suchte, wo Kinder mit schwarzen Händen und verlorenen Augen ihm ihre Dienste anboten. Er suchte auf den Stufen der Candelaria-Kirche, an den Stränden von Leme und Ipanema, unter der Christus-Statue auf dem Corcovado. Er machte sich klar, daß sie zum Äußersten fähig war. Aber an den Stränden fand man keine Ertrunkenen, und in den Leichenhallen von Rio lag niemand, auf den ihre Beschreibung paßte.

Zwei Tage lang war er ohne Unterbrechung herumgelaufen. Ein paar Mal ging er zwischendurch nach Hause, um sich den Gestank der Straßen abzuwaschen. Achtundvierzig Stunden nach ihrem Verschwinden kam er mit nassen Haaren aus dem Bad, kämpfte gegen die Erschöpfung und knöpfte sich hastig das Hemd zu, um wieder in die Stadt hinunterzugehen, als Miriam schmutzig und schweigend die Wohnung betrat; sie ging direkt in ihr Zimmer, ohne ihren Eltern einen einzigen Blick zu gönnen.

Sie schloß die Tür ab und machte auch nicht auf, als er sich die Lungen aus dem Leib schrie; er trat die Tür mit Gewalt aus dem Rahmen, die Splitter flogen ihm um die Ohren und sein Mund explodierte gegen den Rücken des zusammengekrümmten Mädchens, das unter Plakaten von Popsängern und Filmstars auf dem Bett lag und ihren Kopf unter die Kissen drückte.

Als seine Wut vorbei war, ging er in sein Arbeitszimmer und ließ sich mit zitternden Knien auf einen Stuhl sacken, gebrochen von der Erkenntnis, daß er sie in Gedanken schon begraben hatte.

Ein paar Tage später hatte er ihr den Vorschlag gemacht.

»Miriam, hör mal… was würdest du sagen, wenn du und ich, wir beide, im Sommer, ich meine im europäischen Sommer, wenn wir zusammen nach Italien fahren würden?«

Sie rannte nicht weg, zog nur leicht die Schultern hoch. Er hatte es mit Marian besprochen, und Marian war einverstanden gewesen, auch wenn er keine bestimmten Gründe für diesen Plan anführen konnte. Am nächsten Tag lag ein Zettel von Miriam auf dem Tisch in seinem Arbeitszimmer: »Paps, ich finde es schön, mit dir zu verreisen.«

Auch in Italien sprach sie kaum ein Wort. Schweigend saß sie neben ihm im Mietwagen, wortlos stieg sie über die Spanische Treppe. Aber ihr Schweigen hatte jetzt einen anderen Hintergrund. Erlebnishungrig schaute sie nach allen Seiten. Sie hatte keine Worte für all die überwältigenden Eindrücke, die sie dort empfing; sie hatte keinen Atem übrig zum Sprechen. Und dann, nachdem sie den Kalender gekauft hatten, griff sie zum ersten Mal nach vielen Jahren wieder nach seiner Hand, um zärtlich hineinzukneifen.

Nach der Italienreise bekam sie Unterricht bei einem Privatlehrer, Roberto Da Silva. Hoffman hatte ihn über eine Agentur gefunden, die Au-Pair-Mädchen und Gouvernanten und ähnliches vermittelte, und Miriams Gemüt hellte sich auf. Sie wurde zugänglicher, machte Bemerkungen und sogar Witze. Ihre Lebendigkeit strahlte auf ihre Eltern zurück, und die Stimmung im Haus wurde fast wieder so heiter wie früher.

Eines Morgens sagte sie: »Ich liebe Herrn Da Silva. Wir haben ein Verhältnis. Ich möchte ihn heiraten.«

Hoffman und Marian wechselten einen Blick, und sie hielt ihn mit ihren Augen in Schach.

»Weißt du, wie alt Herr Da Silva ist?« fragte seine diplomatische Ehefrau dann.

»Na und?« sagte Miriam statt einer Antwort.

»Zweiundvierzig«, antwortete Hoffman.

»Bitte, halt du dich da raus, Fee«, mahnte Marian.

Er verließ die Küche und ging in sein Büro. Eine Woche lang behielt er seine Ruhe bei, bis er den Lehrer zu Hause antraf, mit Miriam am Eßtisch, vertieft in die französische Sprache und die Liebe der Madame Bovary. Hoffman kam sonst nie so früh nach Hause, aber er hatte morgens zufällig mitbekommen, daß Miriam nachmittags hier Unterricht haben würde.

Da Silva, klein und dunkel, mit romantischen Augen und ergrauenden Schläfen, sprang bei seinem Eintreten auf.

»M'sieur 'Offmann«, sagte er. »J' aime Miriam. Elle m' aime. Nous voulons nous marier.«

»Laß deine Pfoten gefälligst von meiner Tochter«, sagte Hoffman in seinem besten Portugiesisch und feuerte Da Silva.

Sie schickten sie in eine Schweizer Schule, in ein Internat für Problemkinder mit psychologischer Betreuung, das als letzte Rettung für fast aufgegebene Kinder wohlhabender Eltern galt.

Dort saß sie und flocht tagelang ihre Haare.

Für achtzigtausend Schweizer Franken kaufte er das Abschlußzeugnis der Höheren Schule. Sie konnte jetzt studieren. Psychologie hatte sie sich ausgesucht.

Die Erwartung, daß sie jetzt endlich selbständig werden konnte, ließ sie aufleben. Sie wurde wieder mitteilsamer und rief sogar regelmäßig an. Später entdeckte er, daß sie sofort nach ihrer Ankunft in Amsterdam mit Heroin angefangen hatte. Sie hatte es zunächst geraucht wie die Surinamer, man nannte das Heroin *auf chinesisch*, aber bald hatte sie es auch gespritzt. Als man sie im Kaufhaus Bijenkorf mit einer Lederjacke in der Tasche geschnappt hatte, rief sie von der Polizeiwache aus an. Wieder flog er nach Holland, aufs äußerste beunruhigt. Er war Weltmeister im Herbeifliegen nach Katastrophen.

Bei der Begegnung nannte sie ihn »Herr Hoffman«. Sie sagte nie wieder Papa zu ihm. Sie gab ihr Studium auf, bezahlte die Miete für ihr Zimmer nicht mehr und flog hinaus. Manchmal wußten sie monatelang nicht, wo sie sich herumtrieb. Sie stromerte durch Amsterdam, schlief in besetzten Häusern und Hauseingängen. Hoffman besaß ein solides Sommerhaus in den Wäldern von Vught südlich von Den Bosch, und dorthin flüchtete sie jedesmal, wenn sie sich wieder einmal vorgenommen hatte, clean zu werden. Stück für Stück verkaufte sie das antike Mobiliar des Hauses für diesen einen letzten Schuß, den sie noch brauchte, bevor sie todesmutig auf Entzug gehen würde.

Am 8. September 1984 wurde sie im Hotel *Brooklyn* an der Warmoesstraat gefunden, in lila Hosen und lila Pullover. Die Polizei stellte eine Überdosis fest, ein Unglücksfall mit einer Mixtur, die ihr strapaziertes Herz überfordert hatte. Hoffman wußte, daß es kein Unglücksfall gewesen war.

Zwei Wochen vor ihrem Tod hatte sie ein paar Nächte im Sommerhaus geschlafen. Während ihre Eltern in Khartum saßen, seinem damaligen Posten, hatte Miriam sich selbst geduldig aus allen Fotos herausgeschnitten, die Hoffman im Lauf der Jahre in Alben geklebt hatte. Sie hatte auch seine Filme verbrannt, die Filme von den Zwillingen im Laufstall und am Strand, die Filme von den Zwillingen auf den Armen von Marian und bei Oma und Opa Coenen, die Filme von den ersten Fahrrädern und den Geburtstagsfeiern mit Hütchen und Luftschlangen und den zwei Torten, auf denen Herzlichen Glückwunsch zum soundsovielten Geburtstag stand, und die Filme, wo die Kerzen ausgepustet wurden, und die Filme mit den wackelnden Aufnahmen, die Marian gemacht hatte, auf denen er selbst mit ernsten Augen zu sehen war – ernst vor Dankbarkeit, die er dem Leben schuldete.

Er hob die Kalenderblätter hoch, schaute bei September, wo Miriam Esthers Tod mit einem Kreuz eingezeichnet hatte. Falls sie ihn zu Konsultationen zurückriefen – eine freundliche Umschreibung für den Zorn in Den Haag über das, was man hier in Prag mit den braven holländischen Journalisten angestellt hatte –, dann konnte er ihr Grab besuchen.

In den beiden vergangenen Nächten hatte er den Mut nicht aufgebracht, Spinoza weiter durchzunehmen. Er hatte kaum Arbeit und wünschte, er wäre müde. Er hatte Zeitungen gelesen, die *Herald Tribune*, die *Süddeutsche Zeitung* und ein kleines deutschsprachiges Blättchen mit Berichten über Rekordernten und glänzende Ergebnisse in der Stahlproduktion, das sie hier in Prag herausgaben. Bei den nächtlichen Mahlzeiten hatte er Maß gehalten. Er fühlte sich jetzt wieder klar genug für die Verbesserung seines Verstandes. Geduldig wartete das Buch auf dem Fußboden der Toilette, bis er eine Fäkalie produziert hatte.

Der Vorteil dieses Postens war die Nähe von München und Wien. Alle anderen osteuropäischen Hauptstädte außer Budapest lagen sehr weit von einer westlichen Grenze entfernt, weshalb es dort schwierig war, der Kleinkariertheit des kommunistischen Systems für kurze Zeit zu entfliehen.

Er selber war immer ein Kommunistenfresser gewesen.

Sein Vater, der Bankier, hatte kurioserweise Sympathien für die Kommunisten gehegt. Vor dem Weltkrieg war das offenbar noch möglich und die Intelligenz fühlte sich angezogen von der Utopie im Gedankengebäude von Marx und Engels. Seine Eltern hatten die Partei insgeheim finanziell unterstützt und auch ein paar Mal ein Essen für die Parteiführer der CPN gegeben, die im Dunkeln durch die Küchentür hereingeschleust worden waren. Als er sich für die »Klasse« im AA anmeldete, befürchtete er, daß der Staatsschutzdienst BVD die kommunistischen Sympathien seiner Eltern in den dreißiger Jahren registriert hatte – in diesem Fall hätte man ihn zweifelsohne abgelehnt –, aber niemand fragte jemals danach.

Hoffman vermutete, daß vor allem seine Mutter die sozialistischen Ideale hoch gehalten hatte. Ihr Vater war ein jüdischer Rußland-Flüchtling, Jakov Kaplan, ein Gewerkschafter, den man eingesperrt hatte und der bei einem Transport geflohen war.

Jakov Kaplan war durch Europa gezogen; schließlich war er Diamantschleifer bei Asscher geworden und hatte ein armes Mädchen aus dem Amsterdamer Judenviertel geheiratet. Das einzige Kind, das nicht tot geboren wurde, war Hoffmans Mutter Esther.

Die Familie seines Vaters war von vornehmer deutscher Herkunft. Sein Großvater Aaron Hoffman hatte sich in einem jüdischen Kaufhaus in Deutschland nach oben gearbeitet und war 1901 nach Amsterdam geschickt worden, um die kommerziellen Chancen einer holländischen Filiale zu prüfen. Er heiratete Hadassah Lopez Diaz, die Tochter eines jüdisch-portugiesischen Bankiers. Sie bekamen einen Sohn, Mozes Hoffman, den Vater von Felix, der nach seinem Studium bei der Bank seines Großvaters zu arbeiten begann.

Mozes Hoffman und Esther Kaplan trafen sich seinerzeit bei Heck am Rembrandtplein, einem großen Restaurant im amerikanischen Stil, in dem Big Bands spielten und wo man hinging, um sich einen Abend lang bei einem *diner dansant* zu amüsieren. Es war die Zeit des Charleston und der ersten Kleider, die nicht mehr die ganze Wade bedeckten; die Mädchen trugen Bubiköpfe.

Mozes heiratete weit unter seinem Stand, aber den Eltern war es schließlich recht, und 1928 traten sie unter den Traubaldachin. Zwei Jahre später wurde ein Sohn geboren, ihr einziges Kind; sie nannten ihn Felix, den Glücklichen, und Aaron nach seinem Großvater.

Mozes, Esther und Felix zogen nach Den Bosch um, wo Mozes Hoffman die südniederländische Filiale der Bank leitete.

Hoffman erinnerte sich an seine Großeltern. Sie hatten dem modern eingerichteten Haus von Oma und Opa Hoffman am Sarphatipark regelmäßig Besuche abgestattet, und ebenso der einfachen Etagenwohnung von Oma und Opa Kaplan in der Tolstraat. Bei den Eltern seines Vaters spielte das Judentum keine Rolle mehr, sie waren assimiliert, mit Mengelberg und Rietveld befreundet, sammelten Kunst und unterstützten die jungen Künstler von De Stijl. Seine sozialistischen Großeltern dagegen lebten noch nach jüdischer Tradition, führten eine streng koschere Küche und bewunderten Maurits Dekker und Jef Last. An die Weltwirtschaftskrise hatte Hoffman keine

Erinnerungen. Er nahm an, daß sie glimpflich an ihnen vorübergegangen war; und natürlich hatte die Krise – so dachte er – die sozialistischen Sympathien seiner Eltern noch bestärkt. Er erinnerte sich an eine hitzige Diskussion zwischen großen Männern mit dicken Bäuchen an einem langen, weißgedeckten Tisch bei ihnen zu Hause. Das waren Kommunisten.

Das konservative katholische Milieu, das in Brabant herrschte, hätte solche Zusammenkünfte als subversiv verurteilt. Felix wußte, daß er darüber nicht sprechen durfte. Seine Eltern glaubten an die Sowjetunion und an Stalin, mit Tränen in den Augen erklärten sie sich den Hitler-Stalin-Pakt mittels jener Lügen, die die Partei ihnen aufgetischt hatte, und als Felix sie das letzte Mal sah, kurz bevor er abgeholt wurde, um in einem Versteck unterzutauchen, glaubten sie noch feurig daran, daß der Kommunismus die Barbarei in Kürze besiegen würde. Aber die Barbarei war es, die alles wegfegte, wovon sie die Erben gewesen waren.

Und nun hatten die tschechischen Kommunisten drei Jungs von der niederländischen Presse zusammengeschlagen, und Hoffman durfte im Namen der niederländischen Regierung seine Besorgnis darüber aussprechen, wie die Tschechen ihre Untertanen behandelten. Es war noch ein Glück, daß seine Eltern diesen Ostblock nicht mehr miterleben mußten.

Wie lange saß er jetzt schon auf dem Klo? Eine halbe Stunde? Er trocknete sich den schwitzenden Kopf mit einem Hemdzipfel ab.

Er beugte sich vornüber und sah auf dem Fußboden das Buch von Spinoza. In der Botschaft hatte er in der Enzyklopädie unter dem Stichwort »Spinoza« nachgesehen. Baruch hieß Der Gesegnete. Er war der Sohn eines spanischen Juden, der als Kind mit seinen Eltern nach Holland gekommen war. Baruch wurde 1634 geboren und auf die jüdische Schule geschickt. Dort lernte er Hebräisch. Später bekam er Unterricht von Franziskus van den Enden, einem Lehrer der berühmten Amsterdamer Lateinschule, einer Schule von Freidenkern.

Spinoza wurde als Philosoph rasch bekannt. 1656 wurde er von der jüdisch-portugiesischen Religionsgemeinschaft exkommuniziert, weil er sich weigerte, seine Ideen zu widerrufen – in den Augen seiner Glaubensbrüder machte er sich des Atheismus und Pantheismus schuldig –, und weil er sich weigerte, die Gebote zu halten. Er siedelte nach Rijnsburg um, im Jahr 1663 nach Voorburg und sechs Jahre später nach Den Haag. Mit Privatstunden und Linsenschleifen verdiente er seinen Lebensunterhalt. Später wurde er – ein bemerkenswertes Detail, fand Hoffman – vom »Pöbel« verdächtigt, mit den französischen Feinden zu paktieren.

Die Franzosen waren im berüchtigten Katastrophenjahr 1672 mit einhundertzwanzigtausend Mann in die Republik eingefallen, und Holland verschanzte sich hinter dem künstlich überschwemmten Land, der Wasserlinie. Spinoza machte eine geheimnisvolle Reise nach Utrecht, wo sich das französische Hauptquartier befand, und als er nach Den Haag zurückkehrte, war sein Haus von einer Menschenmenge umlagert, die ihn der Spionage bezichtigte. Ein Jahr zuvor waren die Gebrüder De Witt vom Pöbel zerrissen worden, aber Spinoza ließ man in Ruhe. Das Ziel seiner Reise wurde niemals enthüllt; man vermutete, daß er im Auftrag der »Mächtigen« in Den Haag als Unterhändler aufgetreten war und über einen Friedensvertrag verhandelt hatte. Er starb am 21. Februar 1677 an Tuberkulose und wurde in der Nieuwe Kerk am Spui begraben.

Spinoza lebte im selben Jahrhundert in Amsterdam wie Vondel. Vondel war schon ein erwachsener Mann, als Spinoza geboren wurde, und er war ein Greis, als Spinoza starb. Hoffman fragte sich, ob die beiden sich jemals begegnet waren.

Spinozas *Abhandlung* war das einzige, was er in dieser Nacht bei sich hatte, und er griff nach dem Buch, was in Anbetracht seines Bauchumfangs einige Anstrengung erforderte; er schlug es an der umgeknickten Seite auf.

Spinoza hatte ihm also drei Lebensregeln mitgeteilt und beschäftigte sich nun in seinem zweiten Kapitel mit »der besten Art des Erkennens«, worunter sich Hoffman nichts vorstellen konnte.

Er stützte seine Unterarme auf seine Knie und fing an zu lesen:

»Nach diesen Sätzen will ich zum ersten, was vor allem geschehen muß, schreiten, nämlich dazu, den Verstand zu verbessern und ihn geschickt zu machen, die Dinge so zu erkennen, wie es zur Erreichung unseres Zieles nötig ist.«

Dies war eine Sprache, die Hoffman würdigen konnte: geradewegs auf das Ziel los. Er las weiter und merkte, daß Spinoza jetzt erklären wollte, wie er Erfahrungen sammelte, wie er vom Leben lernte.

Spinoza nannte zuerst die Erfahrungen vom Hörensagen, zum Beispiel den eigenen Geburtstag oder wer die eigenen Eltern sind. Solche Dinge lernte man durch einfaches Hören und Sehen. Viel Verstand brauchte man dazu nicht, jedes Kind erwarb diese Art von Wissen.

Die zweite Art von Wissen hatte Spinoza die »ungefähre Erfahrung« genannt. Man erlebte etwas, zum Beispiel, daß ein kleiner Brand mit Hilfe von Wasser gelöscht werden konnte, und wußte nun, daß Wasser etwas ist, das Feuer löschen kann. Zur ungefähren Erfahrung zählte Spinoza »fast alles, was zum Gebrauche des Lebens gehört«, weshalb die wissenschaftliche Erklärung für das Phänomen »Wasser löscht Feuer« nicht darunterfiel.

»Drittens gibt es eine Erfahrung, bei welcher das Wesen einer Sache aus einer anderen Sache erschlossen wird, wenn auch auf inadäquate Weise.«

Hoffman verstand dies so: Man war unterwegs auf einer Schnellstraße, die einen normalerweise zügig vorankommen ließ, aber heute stand man im Stau. Das konnte folglich heißen, daß ein Unfall geschehen war oder daß es Bauarbeiten an der Fahrbahn gab. Diese dritte Form der Erkenntnis beruhte auf Schlußfolgerungen. Was man sah, war nichts weiter als eine lange Schlange von Autos beziehungsweise nichts weiter als die Wirkung eines bestimmten Vorfalls, und man versuchte, die Ursache davon zu erraten, indem man über das Wesen der Autoschlange nachdachte und über die Vorfälle, die zur Entstehung von Autoschlangen führen konnten.

Über die vierte Form der Erfahrung blieb Spinoza ziemlich kryptisch:

»Endlich gibt es ein Wissen, bei dem die Sache bloß aus ihrem Wesen oder durch die Erkenntnis ihrer nächsten Ursache begriffen wird.«

Spinoza fügte hier hinzu: »Doch war das, was ich bisher durch diese Erkenntnisart verstehen konnte, sehr wenig.« Zum Glück führte er ein Beispiel an, um diesen vierten Punkt zu verdeutlichen; Hoffman hätte sonst größte Mühe gehabt, seine Bedeutung zu erfassen.

Das Beispiel stammte aus der Mathematik: drei Zahlen waren gegeben, die vierte wurde gesucht, und die vierte verhielt sich zur dritten wie die erste zur zweiten.

Mit unverhohlener Mißbilligung meinte Spinoza, »Kaufleute« hätten die Lösung des Problems »noch vor kurzem ohne Beweis von ihren Lehrern gehört«. Er verwies hier offensichtlich auf die erste Art der Erfahrung, denn die »Kaufleute« hatten die Regel, die das Problem löste, nur vom Hörensagen bezogen.

Die Antwort auf das Problem $2:4=3:?$ bekam man, wenn man die zweite Zahl mit der dritten multiplizierte und das Ergebnis durch die erste Zahl teilte.

»Andere wiederum bilden aus der Erfahrung, die sie mit einfachen Zahlen haben, einen allgemeinen Satz«, schrieb

Spinoza und gab damit wahrscheinlich noch ein zusätzliches Beispiel für die zweite Erfahrungsart. Dann ging er über zur dritten Art und berief sich dabei noch immer auf sein Zahlenbeispiel:

»Die Mathematiker aber wissen dank der Beweisführung des Euklid, welche Zahlen untereinander proportional sind, nämlich aus dem Wesen der Proportion und ihrer Eigenschaft, daß das Produkt aus der ersten und vierten gleich ist mit dem aus der zweiten und dritten.«

Mathematiker hatten also bessere Einsicht in das mathematische Problem, weil sie Kenntnis der Verhältnisse hatten, und sich nicht wie Kaufleute damit zufriedengaben, die Regel immer wieder nachzuäffen, die die Lösung anbot. Mathematiker hatten sich in die Problematik vertieft und echtes Wissen erworben.

Hoffman begriff nun aber, daß Spinoza mit der vierten Erfahrungsart ein »intuitives« Wissen meinte, basierend auf Übung und Erfahrung. Wenn jemand die Lösung des kleinen mathematischen Problems »sehen« konnte, ohne komplizierte Operationen auszuführen, dann begriff er »eine Sache bloß aus ihrem Wesen heraus oder durch die Erkenntnis ihrer nächsten Ursache.« Das war nicht einfach, aber Hoffman hatte das Gefühl, er habe jetzt eine Ahnung davon bekommen.

Hoffman wußte, was nun folgen würde, und richtig, der Philosoph enttäuschte ihn nicht: jetzt fing er an, die vier verschiedenen Arten des Wissenserwerbs miteinander zu vergleichen, und kam zu folgendem Schluß:

1. Wissen vom Hörensagen war sehr unsicher.
2. Die zweite Art der Erkenntnis, die »ungefähre Erfahrung«, war vom Zufall abhängig und vermittelte eigentlich nur ein Bild von der Außenseite der Dinge, etwa wie die Erfahrung, daß Wasser Feuer löschen kann.
3. Über die dritte Art, Wissen zu erwerben, ließ er sich detaillierter aus. Er gab zu, daß wir durch sie »eine Idee der Sache bekommen und mit ihr auch ohne Gefahr eines Irrtums Schlüsse ziehen. Dennoch wird sie an sich nicht das Mittel sein, womit wir unsere Vollkommenheit erlangen.«
4. »Allein die *vierte* Art des Wissens erfaßt das adäquate Wesen einer Sache, und ohne die Gefahr eines Irrtums.«

Hoffman ließ dies alles auf sich wirken. Spinoza sprach im vierten Punkt über eine *intuitive* Art der Erkenntnis, über etwas, was jenseits aller Schlußfolgerungen lag, gewissermaßen über die Seele des Verstandes; eine Art Wissen, das gleichzeitig logisch und unerklärbar war.

Er fragte sich, ob er dies alles auf sich beziehen durfte, ob er aus Esthers letzten Worten diese vierte Form heraushören durfte. »Ich weiß es«, hatte sie geflüstert. Meinte Spinoza dieses Wissen? Oder war das Wissen, dem er nachgejagt war, irdischer und konkreter?

Der Atem stockte ihm in der Kehle. In den Augen seiner achtjährigen Tochter, die zwischen Leben und Tod schwebte, hatte er den überwältigenden Glanz von Güte und vollkommener Ruhe gesehen. Mit ihrem Körper war auch sein Schlaf gestorben, und nicht allein das; er hatte auch den Begriff von Güte und Weisheit verloren, als ob Esther alles mitgenommen hatte in den kleinen Sarg, den er in der Erde hatte verschwinden sehen.

Er krampfte sich zusammen. Er ließ das Buch fallen und beugte sich schmerzgepeinigt über seine Beine. Er fühlte etwas Schweres und Massives nach unten rutschen, sein Anus wurde gewaltsam geöffnet. Er litt Schmerzen, wollte aber seinen Därmen helfen und begann zu pressen und fühlte, wie das Wunder geschah.

Ein Kötel von olympischen Ausmaßen zerriß seinen Hintern und glitt auf einmal geschmeidig in die WC-Schüssel. Hoffman erschauerte vor Schmerz und Genuß. Er ballte die Fäuste und biß die Zähne zusammen, um dieses Gefühl auszuhalten. Er hielt sich an der Wand fest, schnappte nach Luft. Er öffnete seine Augen, starrte in die kahle Glühbirne an der Decke, bis die Flecken auf seiner Netzhaut tanzten und ein Gefühl der Erlösung durch seinen Körper strömte, eine physische Befriedigung, die sein Bewußtsein ein paar Sekunden lang lähmte.

Er warf einen Blick in die Schüssel: eine lange, dicke Wurst, massiv und bedrohlich aussehend, mit Blut besprenkelt von den gesprungenen Äderchen in seinem Hintern. Eine Leistung erster Klasse.

Er zog an der Rolle und griff sich eine Handvoll Papier. Er nahm sich vor, dieses Ereignis zu feiern. Der Kühlschrank quoll über.

Der Nachmittag des 27. Juni 1989

In einem gepanzerten Minibus, einem Chrysler Voyager, wurde Freddy Mancini zu einem Ort in der Nähe von Washington gebracht. Ein Militärflugzeug hatte ihn und einen Botschaftsangestellten zum Dulles Airport geflogen, und jetzt stieg er aus dem Chrysler im Garten einer freistehenden Villa, die zwischen hohen Buchen und Tannen versteckt lag. Bobby war in Rom geblieben.

Der Mann aus Rom – er hatte seinen Namen vergessen, er hatte die ganze Zeit über kaum ein Wort mit ihm gewechselt – half ihm beim Überbrücken des Höhenunterschiedes zwischen Fahrzeug und Erdboden. Freddy stellte seine Füße auf den Kies und ging vorsichtig zum Eingang der Villa. Amerika hatte ihn wieder. Europa konnte ihm gestohlen bleiben.

Die Steinchen knirschten unter seinen dreihundertundfünfzig Pfund. Seine Ohren wurden von der stillen Natur liebkost, von Blättern, die im Wind seufzten, und von singenden Vögeln.

Im Portal des Hauses, einem klassischen südlichen Holzhaus mit Veranda, stand ein älterer Mann und erwartete ihn. Er legte sein Gesicht in lächelnde Falten. »Herr Mancini? Herzlich willkommen, ich bin John Marks.«

Freddy gab ihm ächzend die Hand. Der Mann erwiderte den Händedruck flüchtig und legte dann seine Hände auf den Rücken.

»Wie war die Reise?« fragte Marks.

»Ganz gut«, antwortete Freddy.

Marks machte eine einladende Handbewegung.

»Lassen Sie mich vorangehen.«

Der Salon war möbliert mit einem großen Eßtisch aus dunklem, glänzendem Holz, um den Stühle mit zartgrünen Sitzpolstern standen; zwei Sofas und vier Sessel bildeten eine geräumige Sitzecke. Überall Vasenlampen und an jeder Wand ein farbiges abstraktes Bild. Was Freddy hauptsächlich auffiel, war ein elektronischer Apparat mit einer Anzahl Kabel und ein Tonbandgerät mit großen Spulen.

»Bitte, setzen Sie sich doch«, sagte Marks.

Er schob ihm einen Stuhl heran, und als Freddy sich hinsetzte, merkte er, daß dieser Stuhl breiter war als die anderen Stühle am Tisch. Freddy war dem Mann dankbar, daß er an solche Details gedacht hatte.

»Ich nehme an, Sie haben Hunger«, sagte Marks, während er sich mit ein paar Papiertaschentüchern die Hände abwischte.

Dann erschien eine Frau, die ungefähr so alt war wie Marks, eine gepflegte Erscheinung mit blondiertem Haar und Vergebung schenkendem Blick. Sie hatte eine Schürze umgebunden und trug ein Tablett. Sie lachte Freddy an, als wäre er ihr verlorener Sohn.

»So, Herr Mancini, ich hab hier was Gutes für Sie gekocht, das werden Sie doch hoffentlich mögen?«

Sie schob ihm das Tablett vor den Bauch. Auf einem Set stand ein Teller, darauf lag ein großes Stück Truthahn mit Sauce, Kartoffelbrei und Kürbis. Auf dieses Essen war er ganz wild. Er fragte sich, wie es kam, daß sie seine spezielle Vorliebe für das traditionelle Thanksgiving-Essen kannten. Vielleicht hatten sie Bobby in Rom gefragt, was er gerne aß.

»Das sieht ja wunderbar aus, Frau...«

»Carolyn«, sagte sie.

»Das wird mir aber schmecken, Carolyn. Freddy...«

»Es ist noch mehr da, Freddy«, sagte sie, während sie sich umdrehte und hinausging. »Sie brauchen nur zu rufen!«

Marks hatte sich ihm gegenüber hingesetzt und klopfte eine Zigarette aus der Packung. Wie er da auf dem Stuhl saß, wirkte er klein, fast wie ein Junge. Freddy dachte, Marks hätte für sich selbst auch gleich einen Spezialstuhl anfordern können. Einen mit erhöhter Sitzfläche.

»Bitte, essen Sie doch«, sagte Marks. »Haben Sie was dagegen, wenn ich mir eine Zigarette anzünde?«

»Aber nein.«

Freddy entrollte die Serviette und nahm das Besteck heraus. Er entspannte sich.

»Es tut mir leid, daß wir so gewaltsam in Ihr Privatleben einbrechen müssen, Herr Mancini. Aber die Staatssicherheit hat nun mal leider Vorrang vor der Intimsphäre. Ich wiederhole, es tut mir sehr leid, aber ohne jene diesbezüglichen Maßnahmen hätten wir alle schon längst unsere Freiheit verloren, so paradox das auch klingen mag.«

Freddy nickte.

»Lassen Sie sich bloß nicht vom Essen abhalten«, sagte Marks. »Ich rede einfach weiter.«

Freddy nickte wieder, diesmal voller Dankbarkeit. Er

stach mit der Gabel in den Truthahn und wußte sofort, daß hier eine Expertin am Werk gewesen war. In jeder amerikanischen Familie wurde mindestens einmal im Jahr ein Truthahn in den Ofen geschoben, und in neunundneunzig Prozent der Fälle kam er zu trocken auf den Tisch. *Timing* hieß das Zauberwort bei der Zubereitung von Truthahn, eine Minute zu lange konnte bereits katastrophale Folgen haben. Aber das Fleisch, das Freddy hier aß, war saftig und fest und konnte dem Vergleich mit jedem Thanksgiving-Truthahn glänzend standhalten.

»Carolyn ist unsere beste Köchin«, sagte Marks, dem Freddys Anerkennung nicht entgangen war, »wir dachten, wir machen Ihnen damit eine Freude.«

»Das ist sehr nett von Ihnen.«

»Sie sind ja noch auf die italienische Zeit eingestellt – sechs Stunden Unterschied, nicht wahr? –, deshalb wollen wir die erste Sitzung hier nicht allzu lange ausdehnen. Oben ist ein Zimmer für Sie hergerichtet, alles ist auf Sie abgestimmt, Kleidung, Schlafanzug, Rasierzeug. Personal ist für Sie da, Carolyn steht den ganzen Tag rund um die Uhr nur für Sie in der Küche. Sie geben einen Wink, und wir eilen.«

Freddy nickte, während er einen Bissen Truthahn schluckte. Man wickelte ihn in Watte, sehr schön, aber trotzdem wurde er den Eindruck nicht los, daß dieses Haus eine Art Gefängnis war.

»Wie lange wird es insgesamt dauern?« fragte er, während er wieder eine Gabelvoll in den Mund steckte. Er konnte auch mit vollem Mund sprechen.

»Na ja, Sie müssen schon mit ein oder zwei Tagen rechnen.«

»Zwei Tage…« wiederholte Freddy. Eigentlich machte es ihm nicht so viel aus. Rom fand er genaugenommen ziemlich überflüssig. Dieser Lärm, der Gestank. »Darf ich denn telefonieren und so?« fragte er.

»Aber natürlich«, antwortete Marks, als wäre er über Freddys Naivität verblüfft. »Sie müssen natürlich erst Robert Maclaughlin fragen. Das ist ein Mitarbeiter von mir, Sie werden ihn gleich kennenlernen.«

Freddy aß weiter, Marks schaute zu. Freddy dachte, er sähe eine Spur von Abscheu in Marks Augen, einen Schimmer von unterdrücktem Ekel.

»Unsere Kollegen in Rom werden es schon getan haben, aber ich möchte es trotzdem noch einmal wiederholen und mich im Namen der Regierung der Vereinigten Staaten bei Ihnen bedanken. Daß Sie Ihrer staatsbürgerlichen Pflicht nachgekommen sind, wissen wir sehr zu schätzen. Wir werden das nicht vergessen.«

Freddy versuchte, möglichst lässig mit den Schultern zu zucken, so, als verstünde es sich von selbst, daß er sich in Rom gemeldet hatte. Aber es war ein Streit mit Bobby gewesen, der ihn veranlaßt hatte, seine staatsbürgerliche Pflicht zu erfüllen. Sonst müßte er jetzt irgendwo auf dem Forum Romanum schwitzend vor irgendeiner Ruine stehen.

»Ich werde Sie gleich bitten müssen, ein Papier zu unterschreiben. Es ist reine Formsache, aber sonst können wir nicht weitermachen. In diesem Papier steht, daß Sie nichts von dem, was wir hier besprechen, an Dritte weitergeben dürfen. Auch nicht an Ihre Frau, Ihre besten Freunde oder Ihre Kinder. Ihr Besuch bei der Botschaft in

Rom gehört auch dazu. Und natürlich der Vorfall in Prag.«

»Aber Bobby, das heißt meine Frau, die weiß doch von dem Botschaftsbesuch und daß ich jetzt hier bin?«

»Ihre Frau hat dieses Papier auch unterschrieben.«

Er nickte. Nahm wieder einen Bissen.

»Sie befinden sich hier in einem Safe House, Herr Mancini. Wir benützen so etwas immer, wenn wir mit jemandem in aller Ruhe reden wollen, ohne durch den üblichen Betrieb eines Büros gestört zu werden und ohne die Nachteile eines Hotels in Kauf nehmen zu müssen. Natürlich gilt das nur für besonders wertvolle Kontakte. Wir glauben, daß Sie für uns wertvoll sind.«

Freddy grinste und schüttelte den Kopf. Er sprach mit vollem Mund.

»Ich hab euren Leuten in Rom die Sache schon zweimal erzählt, und ich verstehe immer noch nicht, warum das, was ich gesehen habe, für euch so wichtig ist.«

»Haben Sie die Leute nicht gefragt?«

»Sie wollten mir nichts dazu sagen.«

»Aber Sie sind bereit gewesen, hierher zu kommen.«

»Ihr habt mir das Flugticket bezahlt.«

Marks lächelte.

»Sie waren Zeuge einer Entführung.«

»Sah ganz danach aus, ja.«

»Alles, was ich Ihnen jetzt sage, Herr Mancini, fällt unter das Gesetz der Geheimhaltungspflicht. Sie werden das gleich unterschreiben. Das heißt, genauer gesagt: Sie *müssen* das unterschreiben. Seit Sie hier hereingekommen sind, haben Sie gar keine Wahl mehr.«

»Ist schon klar. Ich unterschreibe.«

»Der Mann, den Sie in der Nacht vom 21. Juni gesehen haben, war Michael Browning?«

»So hat er sich vorgestellt, ja.«

»Michael Browning arbeitete für uns. Er war wegen eines Auftrags dort. Seit dieser Nacht haben wir nichts mehr von ihm gehört. Wir machen uns Sorgen um sein Schicksal.«

»Das hatte ich mir selbst schon gedacht«, sagte Freddy.

Marks strahlte etwas Trauriges aus, sah Freddy jetzt, als ob er jeden Morgen in Unschuld erwachte und dann von der unverbesserlich schlechten Welt überfallen wurde.

»Das ist ganz schön schlau von Ihnen«, sagte Marks.

Freddy dachte: Jeder hätte darauf kommen können, er will mich damit nur freundlich stimmen. Aber warum?

»Sie wissen, was ich denen in Rom erzählt habe?« fragte er.

»Natürlich.«

»Und Sie wollen es noch einmal mit eigenen Ohren hören?«

»Genau.«

Freddy schob die nächste Gabel in den Mund und versuchte sich vorzustellen, was diese Situation für ihn bedeutete. Er warf einen Blick auf den Apparat. War das etwa ein Hypnotisier-Gerät? Teilte der Mann deshalb Komplimente aus? Er ließ einen großen Bissen Truthahn mit Kartoffelbrei im Mund zergehen. Plötzlich wußte er, was es war: ein Lügendetektor.

»Wir wollen genau wissen, was Sie gesehen haben.

Und wenn ich sage ›genau‹, dann meine ich auch genau. Aber woher sollen wir wissen, ob jemand alles nacherzählen kann, was er in einem bestimmten Augenblick zufällig wahrgenommen hat, ohne daß er besonders darauf eingestellt war?«

Marks machte eine Pause und schaute ihn durch den Zigarettenrauch an.

»Wir wollen Sie besser kennenlernen. Und zwar deshalb, weil wir gerne einen Eindruck davon bekommen möchten, wie Sie im allgemeinen Ihre Umwelt wahrnehmen. Dann können wir noch gezielter fragen und Ihnen Einzelheiten ins Gedächtnis rufen, die Sie selbst – ja, so weit geht das – die Sie selbst übersehen haben.«

»Ich glaube nicht, daß ich irgend etwas übersehen habe«, sagte Freddy.

»Vermutlich nicht. Aber wir wollen da ganz sicher gehen. Sobald wir das wissen, können Sie wieder zurück nach Rom. Die ausgefallenen Urlaubstage werden Ihnen vergütet.«

»Ich muß nicht zurück nach Rom.«

»Nein?«

»Die ganze Reise hätte meinetwegen nicht sein müssen.«

»Nein? Warum nicht?«

»Es war eine Idee von meiner Frau und meinem Arzt. Sie sollte meine Diät unterstützen.«

»Die meisten Menschen finden eine Europareise etwas ganz Besonderes.«

»Das ist es auch, aber... nicht unbedingt für mich.«

Marks lächelte verständnisvoll. Freddy befürchtete, daß er schon zu viel gesagt hatte.

»Möchten Sie noch etwas vom Truthahn?« fragte Marks. »Oh, ich sage das ohne Hintergedanken!« rief er mit breitem Lachen. Freddy lachte mit.

»Na ja, ich hätte nichts dagegen...«

»Carolyn!«

Sie kam sofort herbeigeeilt. Mit einer Schüssel in der Hand.

»Ich wußte, daß Sie mich nicht im Stich lassen, Freddy. Ich hab ihn warmgehalten und sage gerade noch zu Robert, der sitzt nämlich bei mir in der Küche, Robert, sage ich, wenn Freddy den probiert hat, dann will er sicher noch eine Portion.«

»Carolyn, er ist einfach himmlisch.«

Nach dem Essen hatten sie sich in die Sessel hinübergesetzt. Sie hatten Kaffee getrunken, und Robert Maclaughlin hatte sich vorgestellt, ein tadellos gekleideter junger Mann mit hellen blauen Augen und einem strahlenden Lächeln, ein Bilderbuchtyp, wie Freddy ihn bisher nur in Seifenopern gesehen hatte. Es fiel ihm auf, daß Marks seinen Kaffee aus einem Plastikbecher trank, Carolyn hatte ihn extra noch holen müssen, weil sie vergessen hatte, ihn auf das Tablett mit den Tassen und der Kaffeekanne zu stellen. Er war mit Zellophan versiegelt – ein Einwegbecher, wie er in billigen Hotels über dem Waschbecken stand. Nachdem Freddy mehrere Formulare unterschrieben hatte, in denen er sich verpflichtete, nichts von alldem an Dritte weiterzugeben, hatte Robert das Tischchen mit dem Tonbandgerät näher herangerollt und ihm ein kleines Mikrofon umgehängt.

Freddy erzählte über die Nacht in Prag. Er hatte das Hotel verlassen, um noch irgendwo etwas zu essen. Er war von einem Taxifahrer und dessen Kumpan ausgeraubt worden und durch die dunkle Stadt geirrt. In einem bestimmten Moment hatte er sich irgendwo hingesetzt, und da hatte er es gesehen.

»Wir würden gerne rekonstruieren, wo Sie in diesem Augenblick genau waren«, sagte Marks. »Glauben Sie, daß das möglich ist?«

»In der Ladova-Gasse.«

»Und der Taxifahrer hat Sie tatsächlich dort abgesetzt?«

»Das weiß ich nicht. Ich denke schon.«

»Sie haben Essensduft gerochen?«

»Ja. Ein Restaurant war dort in der Nähe, das weiß ich hundertprozentig sicher. Und es hatte noch offen. Mitten in der Nacht! Ihr könnt doch sicher herauskriegen, wo das war? Restaurant Slavia, Ladova-Gasse 63. Wenn ihr mir ein Foto von der echten Ladova-Gasse zeigt, dann kann ich auch sagen, ob mich der Taxifahrer wirklich dort abgesetzt hat.«

»Ein Stadtplan ist unterwegs, Herr Marks, und Fotos auch«, sagte Maclaughlin.

Marks nickte. »Sehr schön. Erzählen Sie bitte weiter.«

»Ich setzte mich also hin. Mir war wirklich schwindelig, wegen der Schläge auf den Kopf, und ich setzte mich auf eine Mülltonne. Es war dunkel, ich wußte nicht, wo ich war, es ging mir wirklich beschissen... Na, und dann tauchte plötzlich Browning auf...«

»Haben Sie ihn gleich erkannt?«

»Ich weiß nicht... Ich glaube nicht.«

»Sie saßen also auf einer Mülltonne, mitten auf der Straße...«

»Nein, nicht auf der Straße. Da war so eine Treppe, eine Eisentreppe, und darunter war ein Hohlraum. Dort hab ich mich hingesetzt.«

»Konnten Sie zwischen den Treppenstufen durchschauen?«

»Ja. Es war eine offene Treppe.«

»Und dann?«

»Ich saß da, und dann kam Browning um die Ecke. Ich glaube... Ich glaube, daß ich ihn doch gleich erkannt habe. Wir hatten uns ja am Abend miteinander unterhalten, er sagte noch, im Hotel kann man Hamburger bekommen und so, deshalb wußte ich gleich, wer es war. Er kommt also um die Ecke herum, auf der anderen Straßenseite.«

»War es da dunkel?«

»Und wie.«

»Aber Sie konnten alles gut sehen?«

»Ich hab verdammt gute Augen.«

»Was hatte er an?«

»Ich weiß nicht... Jeans, und eine Windjacke.«

»Hatte er etwas bei sich, trug er etwas?«

»Nein. Glaube ich nicht.«

»Und dann?«

»Zwei Männer waren hinter ihm her.«

»Wo kamen die her?«

»Aus derselben Straße wie Browning.«

»Rannte Browning?«

»Na, und wie. Wie der Blitz.«

»Sah er aus, als ob er Angst hätte?«

»Weiß ich nicht. Aber jemand, der so wahnsinnig rennt, der will weg.«

»Wie sahen die beiden Männer aus?«

»Ähnlich. Beide mit Windjacken. Jung. In den Zwanzigern waren die. Die rannten auch wie verrückt. Und dann kam ihnen das Auto zu Hilfe.«

»Und aus welcher Richtung kam das?«

»Das fuhr auf einmal durch die Straße, bog aus einer Seitenstraße ein. Es raste an ihm vorbei und fuhr auf den Bürgersteig. Browning mußte um das Auto herum, und dadurch holten sie auf.«

»Wissen Sie die Automarke noch?«

»Nein. Es war europäisch oder russisch, ich weiß es nicht.«

»Wie fingen sie Browning dann ein?«

»Einer von den beiden hechtete über die Motorhaube, er hechtete einfach so drüber. Der tat das nicht zum ersten Mal, er war sportlich durchtrainiert. Der andere half ihm, und dann zerrten sie ihn ins Auto.«

»Hat sich Browning nicht gewehrt?«

»Doch, er versuchte sich loszureißen. Aber die beiden waren stärker.«

»Könnten Sie uns vormachen, wie sie ihn packten?«

»Ja, also... sie hielten ihn an den Armen fest, und einer der beiden hatte ihn am Hals gepackt, und ich glaube... ich glaube, daß da noch jemand aus dem Auto kam... oder so...«

»Da kam noch ein dritter Mann dazu?«

»Ich glaube schon. Ganz sicher bin ich nicht.«

»Und wehrte sich Browning auch noch, als sie ihn schon ins Auto zogen?«

»Ja, klar.«

»Lassen Sie sich ruhig Zeit mit dieser Frage, Herr Mancini, das ist sehr wichtig.«

»Er strampelte.«

»Wissen Sie das ganz sicher?«

»Er wollte sich losreißen.«

»Ganz bestimmt, ohne Zweifel?«

»Ganz bestimmt.«

»Das ist für uns von allerhöchster Bedeutung, Herr Mancini.«

»Ich verstehe.«

»Wenn Michael Browning nämlich noch am Leben ist und dort drüben im Gefängnis sitzt, dann müssen wir für ihn beten, Herr Mancini. Es wäre besser für ihn, er wäre tot.«

»Ja?«

»Browning hatte eine Pille dabei. Bei uns heißt das: eine L-Pille. Hört sich zwar nach Abenteuerroman an, aber die Pille heißt wirklich so, ich weiß nicht einmal, warum. Vielleicht konnte Browning diese Pille im letzten Augenblick in den Mund stecken, vielleicht auch nicht. Sie waren dabei, Sie müssen irgend etwas gesehen haben.«

»Ich habe nichts derartiges gesehen.«

»Browning ruderte so mit den Armen?«

»Ja.«

»Er wehrte sich?«

»Ja.«

»Diese Pillen verursachen Muskelkrämpfe. Die Leute verfallen direkt ins Koma. War es so etwas ähnliches?«

Freddy wußte nicht mehr, was er gesehen hatte. Er versuchte, sich diese paar Sekunden wieder ins Gedächtnis zu rufen, aber alles in seinem Kopf schien von dichtem Nebel verschleiert.

»Ich weiß es nicht mehr.«

»Gerade sagten Sie, daß Browning sich wehrte.«

»Das schien so, ja.«

»Aber Sie wissen es jetzt nicht mehr sicher?«

»Nein.«

»Kommen wir noch mal auf das Auto zurück, Herr Mancini... Können Sie sich an die Farbe erinnern?«

»Nein. Grau vielleicht. Ich weiß es nicht.«

»Brannten die Scheinwerfer?«

Freddy schaute Marks verblüfft an. Er erinnerte sich plötzlich, daß das Auto wie ein dunkler Schatten aufgetaucht war.

»Nein!« sagte er überrascht. »Die Scheinwerfer waren tatsächlich nicht eingeschaltet! Verdammt.«

»War das Auto sehr laut? Hörten Sie den Motor?«

»Nein, es war nicht besonders laut. Also wahrscheinlich kein osteuropäischer Wagen?«

»Vielleicht nicht. Es fuhr auf den Bürgersteig?«

»Ja.«

»Wie reagierte Browning darauf?«

»Er wich dem Auto aus, drückte sich kurz an die Wand, ging dann weiter, und dann kam der andere Kerl, der rutschte so über die Motorhaube hinüber und hielt Browning an seinem Mantel fest, hier unten, an seinem Mantelsaum.«

»Vorhin sagten Sie, daß Browning eine Jacke anhatte.«

»Hab ich das gesagt?«

»Ja, das haben Sie gesagt.«

»Also, das war dann ein Mantel. Ein langer Mantel, ein langer dunkler Mantel...«

»In Europa ist es heiß, Herr Mancini, eine Jacke oder ein Mantel?«

»Ein Mantel...«

Er zweifelte jetzt an allem, was er gesehen hatte. Vielleicht hatte Browning doch eine Jacke angehabt.

»Ja, es war ein Mantel, ich bin ganz sicher...«

»Wenn es eine Jacke war, dann ist das auch okay, Herr Mancini.«

»Ein Mantel.«

»Schön. Ein Mantel.«

Marks gab Maclaughlin ein Zeichen. Der nahm einen großen Umschlag und legte fünf Fotos nebeneinander auf den Couchtisch.

Es waren fünf Männergesichter, die einander sehr ähnlich sahen.

»Können Sie uns Michael Browning hier zeigen?« fragte Marks.

Freddy schaute vom einen zum andern. Fünf breite Gesichter auf dicken Hälsen, mit schmalen Lippen, kurzem blonden Haar, hellen Augen.

Er zeigte auf den mittleren und schaute Marks fragend an.

»Ist er das?« fragte Marks.

»Ja... ich glaube schon«, sagte Freddy.

»Erkennen Sie ihn oder erkennen Sie ihn nicht, Herr Mancini?«

»Ich denke schon«, murmelte Freddy.

»Herr Mancini... Sie haben einen Abend lang mit Browning am selben Tisch gesessen, vor sechs Tagen, und Sie erkennen ihn nicht mehr?«

»Er ist es«, sagte Freddy unsicher und wies beharrlich auf das dritte Foto, »er ist es, glaube ich...«

»Drehen Sie das Foto mal um.«

Freddy schaute ihn verständnislos an.

»Auf die Rückseite...« sagte Marks.

Freddy drehte das Foto um. Er las »Joe Kayevski«. Er schluckte und schaute Marks schuldbewußt an.

»Ich hätte schwören können, daß er es ist«, flüsterte er.

»Ist nicht so schlimm, Herr Mancini, es geht ja darum, ein klares Bild darüber zu bekommen, was Sie gesehen haben.«

»Ich hab es wirklich gesehen«, sagte Freddy und hob die Stimme, »zufällig... zufällig war ich da, und...«

»Wir sind davon überzeugt, Herr Mancini.«

»Diese Fotos... alle sehen sich so verflucht ähnlich...«

»Das haben wir extra so ausgewählt.«

»Ja, natürlich«, sagte Freddy. Er drehte die anderen Fotos um. Auf keinem einzigen stand Brownings Name. Er schaute Marks mit trockenem Mund an.

»Ist er gar nicht dabei?«

»Nein.«

»Warum habt ihr sie mir dann gezeigt?«

»Um Ihr Gedächtnis zu testen.«

»Das ist nicht fair, Herr, äh...«

»Marks. John.«

»John«, sagte Freddy, »ich finde das gar nicht komisch...«

»Darf ich Freddy sagen?«

Freddy nickte.

»Freddy, das hier ist kein Quiz, das ist kein Spiel. Es geht uns um Genauigkeit, es geht uns um die Frage: Lebte Michael Browning noch, als man ihn schnappte? Du bist unser einziger Zeuge, der einzige Schlüssel zu diesem Problem, Freddy, und von deiner Antwort hängen Menschenleben ab.«

»Wie meinst du das?«

»Genauso, wie ich es sage, Freddy. Leben und Tod. Verstehst du das nicht?«

Freddy brach der Schweiß aus.

»Ich weiß nicht, ob ich euch dabei helfen kann«, sagte er.

»Du hast uns schon sehr geholfen, Freddy.«

»Ja? Das würde mich freuen...«

»Du hast vorhin gesagt, daß da möglicherweise noch ein dritter Mann auftauchte.«

»Ja, das dachte ich.«

»Zu welchem Zeitpunkt war das?«

»Na ja... als sie ihn schon gepackt hatten... da ging eine Autotür auf.«

»Von innen?«

»Ja.«

»Und dann?«

»Na, und dann... dann wurde er... dann wurde er reingezerrt.«

»Du hast nicht etwa ein Gesicht gesehen?«

»Nein.«

»Nur Arme?«

»Ja, Arme. Ohne Ärmel... ich meine, es waren Arme ohne Kleidung, nackte Arme...«

»Frauenarme?«

»Kann sein, möglich, ja – ich weiß es nicht.«

»Als die Autotür aufging, wurde es dann im Inneren hell?«

Freddy schaute sein Gegenüber wieder verblüfft an. Die wollten aber auch alles wissen. Viel zu viel wollten die wissen.

»Ich weiß es nicht.«

»In so einer dunklen Straße hätte das doch auffallen müssen?«

»Ja, natürlich hätte das auffallen müssen... deshalb wird es wahrscheinlich auch nicht passiert sein...«

»Ich frage, weil du vielleicht doch noch einen Blick von Browning aufgefangen hast, als er schon im Auto saß.«

»Nein.«

»Und als er diesen Augenblick lang an der Mauer stillstand... er stand doch still?«

»Ja. Das Auto war auf dem Bürgersteig...«

»Als Browning da stand, hast du gesehen, ob er eine Hand zum Mund führte?«

»Ja... nein... ich weiß es nicht.«

Freddy sah, wie Browning eine Handbewegung zum Mund machte, als ob er ihn abwischte, als ob er über seinen Mund fuhr wie jemand, der fieberhaft über etwas nachdachte – oder steckte er doch etwas in den Mund?

»Er machte ungefähr so...«

Er führte es vor, strich mit der Handfläche über seine Lippen und sein Kinn.

Marks und Maclaughlin warfen sich einen Blick zu.

»Das Auto stand vor ihm, und die Männer liefen auf ihn zu?« fragte Marks.

»Ja. Er rannte und rannte und stoppte, als das Auto vor ihm auf den Bürgersteig fuhr. Er blieb stehen und sah sich nach den Männern um. Dann schaute er wieder auf das Auto, und dann machte er so...« Er wiederholte die Handbewegung noch einmal. »Mir kam natürlich nicht in den Sinn, daß das etwas bedeuten konnte...«

»Stand er da mit dem Rücken zur Mauer?«

»Ja.«

»Die Männer liefen auf ihn zu?«

»Ja.«

»Das Auto stand auf dem Bürgersteig?«

»Ja.«

»Hielt er etwas in den Händen?«

»Nein.«

»Mit welcher Hand machte er die Bewegung?«

»Von mir aus... rechts, glaube ich.«

»Also mit seiner Linken.«

»Ja, so war es wohl.«

»Links oder rechts?«

»Links! Du hast es ja selbst gesagt!«

Freddy sah Marks wütend an. Er merkte, daß er bereits schwer atmete und keuchte.

»Freddy...« sagte Marks in freundschaftlich-sanftem Tonfall.

»Wir wollen doch nur etwas von dir wissen. Das ist alles. Dein Gedächtnis ist verglichen mit dem anderer Leute verblüffend gut. Wir sind schon sehr froh über das, was du uns bis jetzt erzählt hast. Aber wir wollen weiter bis auf den Grund. Du hast etwas gesehen, was für uns ungeheuer wertvoll ist. Dieses Wertvolle müssen wir aus dir herausholen. Und das kann für dich ziemlich frustrierend sein.«

Freddy nickte und beruhigte sich langsam.

»Es tut mir leid, John. Mein Mund ist so trocken. Kann ich was zu trinken haben?«

»Kaffee, Tee, Cola, Sie müssen es uns nur sagen, Herr Mancini«, sagte Maclaughlin.

»Bitte eine Cola.«

Maclaughlin ging aus dem Zimmer.

Marks nahm sich eine Zigarette.

»Rauchst du, Freddy?«

»Nein.«

»Nie geraucht?«

»Nein.«

Marks ließ ein teures Feuerzeug anspringen und gab sich selbst mit einer hohen Flamme Feuer.

Freddy fragte: »Was hatte Browning dort zu tun?«

Marks schaute ihn kurz an. Er lehnte sich nach der einen Seite, um das Feuerzeug wieder einzustecken. Er inhalierte tief, bevor er antwortete.

»Freddy... darauf würde ich dir gerne antworten, aber das darf ich nicht. Ich muß erst wissen, woran ich mit dir bin.«

»Woran du mit mir bist?«

»Ja, ich muß erst wissen, ob ich dir vertrauen kann.«

Freddy schaute ihn mit offenem Mund an.

»Vertrauen? Aber... ich habe doch nicht...«

Sein Verstand kam einen Augenblick lang nicht mehr mit. Er begriff nicht, was Marks damit meinte.

»Arbeitest du für sie, Freddy?« fragte Marks.

»Wie bitte?!« rief Freddy. »Arbeite ich für wen?«

»Für sie... für die Tschechen«, sagte Marks ruhig.

Der Rauch quoll ihm beim Sprechen aus dem Mund.

Die Nacht des 3. Juli 1989

Weil der Strom der Diplomaten nicht abriß, die ihr ganzes Berufsleben in fernen Ländern zubrachten und im eigenen Land keine Wohnung mehr besaßen, unterhielt das Außenministerium eine Reihe von Appartements in Den Haag. Hatten die an tropische Wärme gewöhnten Diplomaten irgendwo ein eigenes Haus, dann stand dies in Südfrankreich oder in der Toskana.

Felix Hoffman war zu »Konsultationen« zurückgerufen worden. Die niederländische Regierung gab auf diese Weise ihrer Empörung Ausdruck über die Mißachtung der Menschenrechte in der Tschechoslowakei, wo man drei unschuldige niederländische Journalisten einfach zusammengeschlagen hatte. Die Demonstration, die die drei Herren fürs Fernsehen aufgenommen hatten, war ein provozierender kleiner Krawall von Rumäniendeutschen gewesen, sogenannten Volksdeutschen, die ›heim ins Reich‹ wollten.

In Hoffmans Augen waren die fünfzehn Deutschen und die drei Journalisten noch erstaunlich glimpflich davongekommen, denn er selbst hätte eine standrechtliche Erschießung als elegante und angemessene Antwort auf diese Demonstration urdeutscher Triebe empfunden. Aber Den Haag teilte ihm mit, daß er kommen müsse, und so hatte er keine andere Wahl: er packte seinen Koffer und stieg in eine KLM-Maschine nach Schiphol.

Marian blieb in Prag und träumte weiter über Vondel. Ohne große Diskussion hatten sie beschlossen, daß Hoffman allein fliegen sollte, auch wenn er nicht wußte, wie lange er wegbleiben würde. Es war auch ruhiger so.

In Schiphol wurde er abgeholt von einem Jüngling des Protokolls, einem ewigen Studenten im modisch übergroßen Anzug mit blondiertem Haar, der ihn direkt an der Brücke ansprach und gleich eine Ebene tiefer brachte, wo neben dem Flugzeug ein Chauffeur mit Mütze an seinem Mercedes lehnte. In der Ankunftshalle warteten Journalisten, und das Außenministerium wollte verhindern, daß Hoffman Äußerungen von sich gab, die dem Minister ungelegen kamen.

Auch in Holland war der Sommer warm.

Im Affenfelsen – den aufgestapelten Betonklötzen, die jetzt anstelle des stilvollen alten Gebäudes am Plein das Außenministerium beherbergten – legte Hoffman dem Generaldirektor der Politischen Abteilung, Ruud de Haan, seinen Bericht vor. Im großen Versammlungsraum im vierten Stock saß De Haan, genannt der Kahle, umrahmt von zwei Sekretären an einem Mahagonitisch, dessen Platte wie ein Spiegel glänzte, und lauschte der detaillierten Schilderung des Vorfalls. Hoffman saß ganz allein an der anderen Seite des langen Tisches; vor ihm lagen seine Akten auf dem nach Bohnerwachs duftenden Holz. De Haan war tatsächlich ganz kahl, und Hoffman sah, wie er ab und zu einen Blick auf seinen zwar gelichteten, aber immer noch behaarten Schädel warf. Nüchtern äußerte De Haan eine gewisse Empörung und stand auf. Er erwartete umgehend den endgültigen Bericht.

»Haben die mir eine anständige Adresse gegeben?« fragte er den Fahrer, als sie vom Affenfelsen wegfuhren.

»Ich soll Sie zu einem Hotel bringen«, antwortete der Mann über die Schulter.

»Hotel? Das ist auch nicht schlecht«, sagte Hoffman und sah das luxuriöse Des Indes vor sich.

Er landete in der Pension Zeezicht in Scheveningen.

»Hier?!« rief er, als der Chauffeur ihn absetzte.

Die Pension stand an der Nordseite des Boulevards, hinter Dünen und Einfamilien-Reihenhäuschen, neben einem Autofriedhof, der offensichtlich alle Umweltschutzgesetze überdauert hatte. Rostende Autowracks verschandelten den Horizont.

»Steht wirklich hier drauf«, sagte der Chauffeur.

Hoffman riß ihm das Papier aus der Hand. Pension Zeezicht, Zandstraat, Scheveningen. Er gab es dem Mann zurück.

»Dann haben die sich geirrt«, sagte er voller Überzeugung.

»Das wäre das erste Mal, mein Herr. Die sind dort immer besonders genau.«

»Die haben sich geirrt«, wiederholte Hoffman drohend.

»Das sagen Sie«, sagte der Chauffeur, drehte sich wieder um und warf einen Blick auf den Autofriedhof. »Sagen Sie es nur.«

»Was meinen Sie mit ›Sagen Sie es nur‹?«

»Ja, was sollen wir jetzt tun?«

»Na, zum Beispiel Ihren Chef anrufen.«

»Schon gut, schon gut...«

Der Mann stieg aus und holte sich Verstärkung in der Pension.

Hoffman saß rechts auf der Rückbank und rutschte irritiert auf dem beigen Leder hin und her. Nervös machte er den Spalt zwischen dem Kragen und seinem schwitzenden Hals weiter. Falls dies kein Irrtum war – und tief in seinem Innern wußte er, daß es eine unmißverständliche Geste war –, dann mußte er wohl auf eigene Kosten ins Kurhaus oder ins *Des Indes* gehen. Er würde es ihnen schon zeigen.

Dann überlegte er, daß er es ihnen am besten zeigte, wenn er dieses eklatante Zeichen von Geringschätzung einfach ignorierte. Hierher kamen im Sommer deutsche Familien, Arbeitertypen mit gewaltigen Bierbäuchen, die ihren Urlaub mit Hektolitern von Bier, Schiffsladungen von Leberwurst und dem Ausdenken von Blitzkriegen verbrachten. Ihre Kinder bauten kleine KZ-Modelle aus Lego und ihre Frauen strickten Winterpullover für die Ostfront.

Der Chauffeur kam wieder heraus, begleitet von einer molligen farbigen Frau aus einem der niederländischen Reichsteile. Er öffnete die Tür an Hoffmans Seite. Die Wärme drang ins Auto.

»Es scheint also doch zu stimmen«, sagte der Chauffeur mit spitzem Mund, »Frau Paardekoper ist über alles informiert.«

Die Frau lachte breit und nickte ihm zu.

»Willkommen, Herr Hoffman!« sang sie mit rollendem Surinamer Akzent.

Hoffman nickte ihr auch zu. Irgend jemand in der Abteilung schien einen gewaltigen Haß auf ihn zu haben.

»Wir sind so froh, daß Sie hier sind, Herr Hoffman!«

rief Frau Paardekoper, »wir werden Sie verwöhnen wie ein Schoßkind!«

Sie lachte laut. Auch der Chauffeur fand es irgendwie komisch.

Hoffman stieg aus und schüttelte die ausgestreckte Hand der Pensionswirtin.

»Herr Hoffman, Sie sind unser erster Gast mit einem so hohen Dienstgrad. Wir freuen uns so darüber.«

»Und ich bin froh, daß ich hier bin«, sagte er voller Überzeugung.

»Wir haben Ihnen die Blumen-Suite gegeben«, sagte die Wirtin stolz.

Er bekam zwei Zimmer im ersten Stock, die von oben bis unten mit Blümchentapete tapeziert waren, auch die Zimmerdecken, und eine schöne Aussicht auf den Autofriedhof boten. Er roch den typischen Geruch nach neuem Fußbodenbelag.

Es gab ein Telefon im Zimmer, und er rief die Abteilung im Außenministerium an.

»Ich wollte mich für die entzückende Pension bedanken, in der ich jetzt sitze. Wem hab ich das zu verdanken?« fragte er Mia Jansen. Er kannte ihre Stimme seit vielen Jahren, hatte sie aber noch nie gesehen, was nicht verhinderte, daß sie am Telefon ein leidenschaftliches Verhältnis miteinander hatten. Ihre Stimme war immer heiser, als ob sie in der Nacht zuvor geschrien hätte.

»Das war Jean van Galen.«

»Van Galen? Ist der jetzt bei euch?«

»Er ist vor einem Monat Sekretär des Generaldirektors geworden.«

»Und ist er gerade da?«

»Er ist gestern in Urlaub gegangen.«

Der Dreckskerl war also auch noch rechtzeitig verschwunden, und Hoffman konnte ihn nicht in der Luft zerreißen.

»Bleibt er lange weg, Mia?«

»Drei Wochen.«

»Wie machst du das bloß mit deiner Stimme?«

»Ich übe nachts.«

»Wann wird dein Mund mal mit mir üben?«

»Du bist ja immer so weit weg, Felix.«

»Wenn ich deine Stimme höre, dann sehe ich im Geist prächtige Lippen...«

»Das ist mir selbst noch gar nicht aufgefallen, aber wenn du es sagst...«

Er war oft drauf und dran gewesen, sie zum Essen einzuladen, aber womöglich hätte es unabsehbare Verwicklungen gegeben, und außerdem konnte er nicht ausschließen, daß sie jeden frustrierten Diplomaten am Telefon aufgeilte.

»Eine letzte Frage«, sagte er, »bringt ihr öfters Leute in der Pension Zeezicht in Scheveningen unter?«

»Na ja... nicht so oft, ehrlich gesagt.«

»Warum nicht?«

»Ja... vielleicht sollte ich das lieber nicht sagen, aber...«

»Sag es trotzdem«, sagte er.

»Tja, also normalerweise können wir unsere Leute in so einer Bude nicht unterbringen, aber Van Galen meinte, daß man dich von der Presse fernhalten müsse.«

»Ich finde es hier ganz ausgezeichnet. Sag Van Galen das ruhig.«

Er hatte Van Galen vor ein paar Jahren in Khartum kennengelernt. Khartum war ein Entwicklungsposten, gerade richtig für Leute, die keine Angst hatten vor einem Salamander im Bett oder Schlamm aus dem Wasserhahn. Die Stadt lag mitten in der Wüste und war heiß und trocken. Wenn man jung hierher versetzt wurde, dann verhießen die Jahre, die man hier verbrachte, anschließend eine Beförderung auf einen guten europäischen oder amerikanischen Posten. Wenn man schon älter war, und Hoffman war dreiundfünfzig, als er dort hinkam, hieß es, daß sie nicht mehr wußten, was sie mit einem anfangen sollten.

Er war schon einmal in Afrika gewesen, in Tansania, auf einem schrecklichen Posten, aber eigenartigerweise hatte er sich in Khartum sehr wohl gefühlt. Die Nächte waren so lebendig, er hatte hart gearbeitet, überall Gelder zusammengeschnorrt für allerlei Bewässerungsprojekte, die er sorgfältig überwachte, sie hatten einen libanesischen Koch gehabt, der regelrecht zaubern konnte, und im Süden des Landes tobte der Bürgerkrieg, der für die nötige Spannung und Abwechslung sorgte. Marian hatte halbtags im Krankenhaus gearbeitet und auch sie, so schien ihm, blickte trotz all des Ärgers mit Wasser und Elektrizität und dem sudanesischen Unvermögen, sich an irgendwelche Absprachen oder Regeln zu halten, mit Befriedigung auf die schweren Jahre zurück.

Für Van Galen, einen Juristen, war dies der erste Posten. Er kam frisch aus der »Klasse«. Vom ersten Tag an war klar, daß Van Galen für diese Arbeit völlig untauglich war: Er erschien im dreiteiligen grauen Anzug. Damit ging er in die Wüste und besah sich die vom Niederländischen

Königreich finanzierten Bewässerungsanlagen. Ausgedorrt und dem Tod durch Ersticken nahe, kam Van Galen am Abend wieder zurück. Er weigerte sich, seinen dreiteiligen Bekleidungsstil gegen den in der Wüste üblichen Khakianzug einzutauschen.

Hoffman war dort Geschäftsträger auf Zeit, im Jargon des AA ein GZ. Bürokratisch gesehen war das sehr viel tiefer in der Rangordnung als seine jetzige Stellung, aber faktisch regierte er damals in Khartum wie in seiner eigenen Botschaft (im Grund war es nicht viel mehr als eine Verrechnungsstelle, Khartum war für Holland ein rein ökonomischer Posten, der Entwicklungshilfegelder verwaltete).

Nachdem er sich das Gewurstel des jungen Juristen eine Woche lang angesehen hatte, fand er es angebracht, mit Van Galen den einen oder anderen Gedanken auszutauschen, denn der Neuling benahm sich wie ein kleiner Prinz. Er verweigerte einen lockeren Umgangston und war herablassend zu den »Eingeborenen« im Büro.

»Van Galen«, sagte er und betrachtete den jungen Mann über seinen Schreibtisch hinweg, »warum ziehen Sie sich so an?«

Van Galen schob die Brille auf seine glänzende Nase. Trotz Klimaanlage betrug die Temperatur in diesem Gebäude rund 37 Grad Celsius.

»Ich verstehe Ihre Frage nicht, *Herr* Hoffman«, antwortete Van Galen.

»Drücke ich mich nicht klar genug aus? Ich meine: Du bist für dieses Land nicht passend angezogen. Wir sind hier nämlich mitten in der Wüste, mein Junge, es ist über fünfzig Grad heiß, und du rennst hier am hellichten Tag in einem Anzug aus Nylon und Polyester herum, als ob es draußen schneite. Und diese Weste mit all den Knöpfen! Du mußt weite Kleidung anziehen, Van Galen. Reine Baumwolle oder reine Wolle. Ich gebe dir diesen Rat, weil ich mit diesen Ländern Erfahrung habe, und die will ich gerne mit dir teilen. Außerdem darfst du mich ruhig duzen, jeder tut das hier, wie du weißt.«

Durch die dicken Brillengläser sah Van Galen ihn kühl an.

»Ich brauche Ihre Ratschläge nicht, Herr Hoffman«, sagte er.

»Du kriegst sie aber gratis«, sagte Hoffman zufrieden.

»Hören Sie mal zu«, sagte Van Galen, während er aufstand und seine Jacke über der Weste zuknöpfte, »Sie haben bei weitem den schlechtesten Ruf aller Zeiten im ganzen Corps, und jeder weiß, daß die Herren ganz oben aus irgendwelchen finsteren Gründen die Hand über Sie halten, und da denken Sie, daß *ich* von so jemandem wie Ihnen einen Rat annehme? Ich fürchte, Sie irren sich, Herr Hoffman.«

Der junge Mann hatte eine übertrieben sorgfältige Aussprache. Er ließ erst gar keine Mißverständnisse aufkommen, das war etwas, was Hoffman eigentlich schätzte. Als Van Galen ausgeredet hatte, spazierte er zur Tür und drehte sich noch einmal um.

»Ich nehme an, das war's dann?« fragte der junge Diplomat und schaute an Hoffman vorbei auf einen blinden Fleck an der Wand.

»Junge«, sagte Hoffman freundlich, »du bist der größte

Lackaffe, der mir in all den Jahren in diesem Irrenhaus begegnet ist, aber zufällig weiß ich, daß dein Großvater Minister war, deshalb brauche ich nicht erst dreimal zu raten, warum so ein Schnösel wie du bei unserem Verein gelandet ist, aber um Mißverständnisse auszuschließen: Innerhalb von einem Monat bist du hier wieder weg; und falls du nicht aus eigenem Antrieb gehst oder man dich zurückholt, sorge ich dafür, daß du von hier verschwindest. Aber das kann ich dir versichern, nicht in *einer*, sondern in mehreren Sendungen, weil man deine Knochen einzeln zusammenkehren muß; ich werde dich solange triezen, bist du nicht mehr weißt, ob du lebendig bist oder tot. Eine Chance hast du allerdings noch, Van Galen. Benimm dich von jetzt an wie ein normaler holländischer Junge, dann werden wir schon miteinander auskommen.«

Ein bleicher Jüngling verließ sein Büro. Zwei Wochen später befiel ihn ein dermaßen hohes Fieber, verursacht von einem Virus, daß er sich zu Hause in den Niederlanden behandeln lassen mußte. Hoffman fühlte sich schuldig.

In einem Vorkriegs-Krankenwagen war Hoffman mit ihm aufs Flugfeld gefahren. Er war vollgepumpt mit Penicillin. Als sie ihn ins Flugzeug trugen, legte Hoffman ihm eine Hand auf die Schulter.

»Alles Gute, Van Galen.«

Der junge Mann reagierte nicht.

»Es tut mir leid für dich«, fuhr Hoffman fort, »wirklich, ich wünschte, du wärest davon verschont geblieben. Wenn es dir wieder besser geht, kommst du zurück, und dann gehen wir mal zusammen essen. Wir kommen schon miteinander zurecht. Und dieser Anzug … wenn du so drauf versessen bist, dann mußt du ihn eben tragen.«

Der junge Mann schaute ihn mit fiebrigen Augen an. Er flüsterte etwas, das Hoffman im Dröhnen der Flugzeugmotoren nicht verstehen konnte.

»Was sagst du?« Hoffman beugte sich vor.

Der junge Mann schluckte und holte tief Luft, sammelte all seine Kräfte, um lauter zu sprechen.

»Jüdisches Miststück«, ächzte er.

Hoffman konnte nichts erwidern. Völlig überrumpelt schaute er dem startenden Flugzeug hinterher, einer alten 707 von der Egypt Air, und suchte vergebens nach der richtigen Antwort.

In der Tropenabteilung des Rotterdamer Hafenkrankenhauses, der zuständigen Klinik für das Diplomatische Corps, stellten sie verschiedene Allergien fest, die eine Stationierung in den Tropen zu einem riskanten Roulettespiel machten. Van Galen blieb in Den Haag und wurde, komplett mit Anzug und Brille, der neue Stern am Beamtenhimmel. Hoffman hätte ihm jetzt gerne zugewinkt, aber er war ja im Urlaub.

Mit ihrem Mann Stanley, einem großen grauhaarigen Neger mit gefurchtem Gesicht, der ruhig in einem Schaukelstuhl in der Diele saß, betrieb Frau Paardekoper die Pension wie eine aufgeklärte Monarchin. Nach seinem Telefonat bekam Hoffman unten im Eßzimmer ein Surinamer Essen serviert, lauter scharfe, fette Häppchen und Speisen, die ihm gut schmeckten. Er war der einzige Gast. Frau Paardekoper hatte selbst gekocht, und als er gestand, wie lange er kein Surinamer Essen mehr gegessen hatte, erklärte sie ihm mit breitem Lachen, was er da alles in sich hineinstopfte.

Dann ließ er sich von Hertz ein Mietauto kommen und fuhr im glutheißen Wagen zurück zum Affenfelsen, wo er mit ein paar Schwachköpfen noch einmal seinen Bericht über die Ereignisse in Prag durchsprach. Er versuchte auch noch, mit seinem Freund Wim Scheffers zu reden, aber der saß in einer Besprechung mit Russen und durfte nicht gestört werden. Hoffman hinterließ einen Bericht für ihn und kehrte in seine Blumen-Suite zurück.

Dort setzte er sich in einen Sessel ans Fenster und schlug Spinoza auf. Die Aussicht ging auf den Autofriedhof. Die Sonne stand senkrecht darüber. Das Areal umfaßte mindestens einen Hektar, und ein paar tausend Autowracks rosteten gemächlich in der salzigen Seeluft vor sich hin. Er vertiefte sich in Kapitel drei. Es hieß: »Erster Weg: Zur Form der gegebenen wahren Idee«, ein Titel, worunter sich Hoffman nichts vorstellen konnte. Aber der erste Abschnitt klang vielversprechend.

Nachdem man gesehen hatte, welche Erkenntnisart die beste war, entstand laut Spinoza die Notwendigkeit, Weg und Methode aufzuzeigen, wie man mit ihr die Wahrheit finden konnte.

Sofort warf der Philosoph die Frage auf, ob zum Finden der besten Methode zwecks Erforschung der Wahrheit wieder eine andere Methode notwendig war, und für die Methode der Methode wieder eine neue, und so weiter. Hierfür gab Spinoza ein hübsches Beispiel:

»Damit verhält es sich gerade wie mit den konkreten Werkzeugen, bei denen man in gleicher Weise argumentieren könnte. Denn um Eisen zu schmieden, ist ein Hammer vonnöten, und um einen Hammer zu erhalten, muß man ihn vorher verfertigen. Dazu braucht man einen anderen Hammer und andere Werkzeuge, und auch um diese zu bekommen, sind wieder andere Werkzeuge nötig, und so fort ins Unendliche.«

Spinoza fuhr fort, es genüge, auf die »angeborene Kraft« des Verstandes zu vertrauen, und er verglich die technischen Werkzeuge mit den Werkzeugen des Verstandes, die sich ebenfalls durch die Evolution weiterentwickelt hatten. Die Methode konnte gefunden werden, wenn man seine Werkzeuge voll einsetzte.

Hoffman sah auf, als er einen lauten Knall hörte. Auf dem Friedhof donnerte ein roter Ford Granada in einen großen Trog, losgelassen von einer gewaltigen Kralle, die am Ausleger eines Krans hing. Hoffman sah das Ding aufspringen und wieder zurückfallen.

Sobald das Auto ruhig im Trog lag, fingen die Seitenwände an, sich aufeinander zuzubewegen, der Trog war also eine riesige Presse. Die Wände drückten das Auto zusammen, es polterte und quietschte. Metall schrammte auf Metall und kreischte in schrillen Tönen. Es war das Geräusch von Nägeln auf einer Schultafel, und Hoffman hielt sich die Ohren zu und krümmte sich. Das Geräusch verursachte eine tierische Angst, blinde Panik in einem gellenden Universum. Als ein handliches Paket aus der Presse fiel – der ganze Ford Granada auf Koffergröße zusammengepreßt – da hatte der Kran schon wieder ein neues Opfer am Kragen: Über dem Trog hing jetzt ein gelber Käfer, eine leichte Beute. Die Kralle öffnete sich, der Käfer krachte hinunter und blieb wehrlos liegen.

Der Trog nahm ihn in die Mangel, und der Käfer schrie. Wieder hielt sich Hoffman schmerzgepeinigt die Ohren zu.

Er ging nach unten und fragte Herrn Paardekoper, wie lange das wohl noch dauerte.

Der dunkle Mann schaute ihn prüfend an. Er saß reglos in seinem Schaukelstuhl und kaute. Seine Haut war fast blau, auf seinem Kinn wuchsen graue Haare, das Weiße in seinen Augen war gelblich-trübe. In einer Ecke der Diele, einem kleinen Raum mit kahler Holzverkleidung, stand ein Fernseher mit abgedrehtem Ton. Man hörte die Presse auch hier.

»Der Wind steht schlecht«, sagte der Mann.

»Ach«, sagte Hoffman, »und wenn er gut steht?«

»Wenn der Wind gut steht...« Der Mann schien nachzudenken. »Dann hören wir es nicht.«

»Können Sie nichts dagegen tun?« fragte Hoffman wider besseres Wissen.

»Schwierig«, murmelte der Mann. »Einen Regenmacher hab ich früher mal gekannt, aber einen Windmacher... sicher nicht hier in Holland.«

Hoffman steckte Spinoza ein und floh aus der Pension. Er spazierte zur Uferstraße. Ärgerlich kletterte er die Dünen hinauf und stieß Verwünschungen gegen Van Galen aus. Er war zu warm angezogen, der Schweiß rann ihm bereits den Rücken hinunter, aber er beruhigte sich, als er das Meer sah.

Wie ein ausgelassenes Kind lief er hinunter, immer schneller und schneller, bis er zu rennen anfing und fast hinfiel und sich bremsen mußte.

Auf dem breiten, langgezogenen Strand lagen die sonnenverbrannten Badegäste wie ein lebender Teppich und dunsteten Sonnenöl aus. Entblößte Brüste starrten ihn hochmütig an. Hunde rannten herum und schüttelten das Meerwasser aus ihrem Fell. Jogger, denen der Schweiß vom Gesicht triefte, trabten mit selbstmörderischem Blick an ihm vorbei. Der warme Wind zauste seine Kleider, die Krawatte flatterte um seinen Hals, seine Schuhe drückten ein feuchtes Muster in den Sand. Er lehnte sich einen Augenblick gegen den Wind, schloß die Augen und horchte auf das Brausen der Wellen. Ein paar Sekunden lang dachte er an nichts.

Bei den Strandbaracken schaute er nach einem leeren Liegestuhl, und in einem hölzernen Aufbau, der auf Pfählen über dem Sand schwebte, bestellte er einen Apfelpfannkuchen. Spinoza legte er daneben. Er roch die See.

Er las eine komplizierte Erörterung über den Unterschied zwischen der Welt der Gegenstände und der Welt der Ideen. Er aß einen zarten Pfannkuchen dabei, nicht zu mehlig und nicht zu fett, mit eingebackenen saftigen Apfelscheiben. Er las das ganze Kapitel und begann langsam zu begreifen, was Spinoza, diesmal in schwierigen, fast mathematischen Sätzen, zu beweisen versuchte.

Hoffman verstand folgendes: Es gab eine Welt der Gegenstände und eine Welt der Ideen von diesen Gegenständen. Oder, um es mit Spinozas Worten zu sagen: man hatte einen wirklichen Kreis, mit Mittelpunkt und Kreisumfang, und man hatte die Idee von diesem Kreis. Die Idee des Kreises war genauso abstrakt, wie der wirkliche Kreis konkret war, aber beide beruhten sie auf der menschlichen Erfahrung.

Über die *Idee* konnte man weiter nachdenken, sie konnte ihrerseits Gegenstand einer Überlegung sein, und das nannte man dann *die Idee der Idee*, und so fort bis ins Unendliche. Spinoza hatte nicht vor, diese verrückte Denkreise wirklich anzutreten, aber er wies auf die prinzipiell unbegrenzten Möglichkeiten des Denkens über Ideen hin, oder des Denkens über das Denken:

»Je mehr der Geist weiß, desto besser erkennt er auch seine Kräfte und die Ordnung der Natur. Je besser er aber seine Kräfte erkennt, desto leichter kann er sich selber leiten und sich Regeln setzen. Und je besser er die Ordnung der Natur erkennt, desto leichter kann er sich unnützer Dinge enthalten. Darin besteht, wie gesagt, die ganze Methode.«

Es war die Frage, ob Hoffman sich unnützer Dinge enthalten konnte, oder ob es nicht gerade seine Art und Persönlichkeit war, sich unnützen Dingen mit Haut und Haaren zu verschreiben, und er bezweifelte, ob er durch das Erkennen der Ordnung der Natur schon in der Lage war, sich selbst zu mäßigen (er wußte, daß die maßlose Völlerei, der er sich ergeben hatte, seinen frühen Tod begünstigte – und doch machte er einfach damit weiter: entweder a) er fürchtete den Tod nicht, oder b) er liebte sein Leben nicht).

Hoffman war beeindruckt von dem Gedankensprung,

den Spinoza in den folgenden Abschnitten machte: Spinoza meinte, daß im echten Verständnis der Ordnung der Natur – einem Verständnis, das sich aus Ideen zusammensetzte – Gott selber durchschimmerte! Spinoza fand, daß »unser Geist, um völlig ein Abbild der Natur zu sein, all seine Ideen aus der Idee herleiten muß, die den Ursprung und die Quelle der gesamten Natur darstellt.«

Hoffman, der nach dem Pfannkuchen jetzt mit einer warmen Waffel mit Puderzucker beschäftigt war, die in einem Bad von geschmolzener Butter lag, sah in diesem Gedanken eine eigenartige Schönheit, als wäre diese Art des Philosophierens eine Kunst. Echte Erkenntnis und wirkliches Wissen, begriff Hoffman, hatten immer eine direkte und unmittelbare Beziehung zur Wirklichkeit, denn in ihr lag die sichtbare und greifbare Form dieser Erkenntnis oder dieses Wissens beschlossen. Er gab zu, daß ein wesentlicher Unterschied bestand zwischen der Idee der Waffel und der Waffel, die er gerade aß (ein lockeres, knuspriges Teigwerk, das ihm butterweich im Mund zerging), aber er begriff auch, daß Spinoza nicht in erster Linie über Waffeln und Pfannkuchen geschrieben hatte.

Dieses dritte Kapitel enthielt viele Sätze, die Hoffman mehrmals lesen mußte. Spinoza jonglierte hier mit Begriffen und Abstraktionen, die in Hoffmans Leben keinen Widerhall fanden, und während er seine Waffel aß und eine Tasse duftenden Tee dazu trank, versuchte er, zusammen mit dem Philosophen, der am Ende des Kapitels dasselbe tat, die ganze Erörterung zusammenzufassen.

Zunächst einmal war dieser Spinoza unverkennbar auf der Suche nach Wahrheit. In seiner eigenen Umgebung kannte Hoffman niemanden, der sich aktiv damit beschäftigte. Marian hatte sich eine Zeitlang mit Wahrheit befaßt, aber das war eine schon offenbarte Wahrheit gewesen, die der katholischen Kirche.

Esthers Tod hatte Marian in die Arme von Monsignore Emilio Schuster getrieben, dem Priester einer Armenkirche in Lima. Genau wie Vondel war sie zum katholischen Glauben konvertiert. Früher hatte sie nie einen Hang zur Religiosität gehabt, aber Esthers Grab lag weit weg in den Niederlanden, und aus Trostbedürfnis betete sie zwei Jahre lang täglich für das Seelenheil ihres toten Kindes. Hoffman bezweifelte, daß sie wirklich gläubig geworden war, sie schien ihm viel zu nüchtern für den Glauben an Wiederauferstehung und unbefleckte Empfängnis, aber er begriff ihr Bedürfnis, ihrem Kummer Ausdruck zu verleihen, und dafür gab es seit der Säkularisierung keine andere Möglichkeit. Sie hatte Messen lesen lassen und war zur Geldgeberin der Gemeinde geworden. Er hatte Schuster oft bei sich zu Hause angetroffen, in hitzige Diskussionen mit Marian verwickelt, mit glühenden Augen und beschwörenden Gesten. Hoffmans Ankunft hatte das Gespräch jedesmal beendet.

Schusters Eltern waren deutsche Einwanderer, Kommunisten, die in den dreißiger Jahren nach Südamerika geflohen waren, und ihr Sohn hatte sich zu einem Anhänger der Befreiungskirche entwickelt. Schuster hatte seine Liturgie, und *diese* tröstete Marian, nachdem Hoffman es nicht gekonnt hatte.

Spinoza war davon überzeugt, daß menschliche Vollkommenheit (das stand wirklich da, offenbar war er tatsächlich der Ansicht, diese könne erreicht werden) beschlossen lag in einer umfassenden und vollständigen Erkenntnis der Natur. Dazu mußte der Verstand verbessert werden. Aber wie konnte das geschehen?

Man mußte Vorurteile und unvollständige Ideen ablegen, so begann er – aber das war nur der Anfang: Es war sehr wichtig, daß man jener Intuition vertraute, die von der Natur in einem entwickelten Menschen zur Entfaltung gebracht werden konnte; dank dieser Intuition konnte sich der Geist mit Ideen nähren, aber nicht mit einer Handvoll beliebiger Ideen, sondern mit Ideen, die Quelle und Ursprung der Natur enthüllten.

Spinoza ging davon aus, daß alle diese Ideen zusammen, sofern man sie überhaupt zusammenbringen konnte, das Wesen der Natur darstellten. Die Natur war durch bestimmte Ideen strukturiert, meinte er, also waren die Ideen selbst auch Teil der Natur, und wenn es einem gelang, die Ideen zu ergründen, dann konnte man die Höchste Erkenntnis erreichen. Und die Höchste Erkenntnis, dachte Hoffman, konnte nichts Geringeres sein als der gute alte Liebe Gott persönlich.

Es schwindelte ihm. Hoffman wußte nicht, ob er genügend entwickelt war, um solchen Argumenten zu folgen, aber er dachte: Ach, solange es mich amüsiert, was soll's?

Mit dem Zeigefinger wischte er die geschmolzene Butter samt Puderzucker vom Teller und leckte die Finger ab.

Er zahlte und kehrte in die Pension zurück. Der Wind hatte nachgelassen, das Meer war ruhig, als ob die Natur den Atem anhielte und Kraft sammelte für den Abend. Durch die Sommerzeit war es noch heller Tag, und unter dem glühenden Himmel pflügte Hoffman durch den rieselnden Sand über die Dünen.

Es wunderte ihn, daß er die Natur hier schön fand, denn der Sinn dafür war ihm zusammen mit Esther abhanden gekommen. Er lebte in Großstädten, war an Abgase und Parkuhren gewöhnt. Natur war etwas, das man im Park und im Zoo besuchen konnte. Leben hinter Gittern, mühsam gezüchtet, ein bevorzugtes Ausflugsziel der Zwillinge. Jahrelang hatte er beim Anblick kranker Seehunde und ölverklebter Enten die Liebe zu seinen Kindern gespürt. Aber sie waren genauso verschwunden wie der Regenwald am Amazonas, der von Siedlern abgebrannt wurde, wie er heute früh im Flugzeug in der Zeitung gelesen hatte, und er konnte nichts anderes denken als: »Alles verschwindet.« Was sich nicht verteidigen konnte, wurde zerstampft, was schwach war, wurde weggefegt, das waren die gleichgültigen Regeln des Universums. Eine Kuh, ein Schaf, ein Delphin, fast jedes Tier rührte ihn, aber als er in Japan einmal die Möglichkeit hatte, Walfischfleisch zu probieren, bestellte er dreimal nach, und seine von Sake berauschten japanischen Tischgenossen rollten sich auf dem Fußboden vor Lachen über ihren unbeherrschten Kollegen aus Holland. Wenn es nicht gerade um Essen ging, hatte Hoffman zur Natur keine Meinung mehr. Aber diese Dünen und die Sonne, die in ein öliges Meer versank, verschafften ihm eine ganz eigenartige Zufriedenheit – eine Art prickelnde Ruhe.

Als er in der Pension ankam, war er völlig naßgeschwitzt. Er zog sich aus, machte die Gardinen zu (großes buntes Blumenmuster), um die Arbeiter auf dem Schrottplatz nicht zu schockieren, und stellte eine Nachttischlampe (gläserner Schirm in Blumenform) neben seinen Sessel. Er freute sich auf die nächsten Stunden mit Spinoza, und splitterfasernackt begann er das nächste Kapitel: »Über die Einbildung«.

»Beginnen wir also mit dem ersten Teil der Methode, der wie gesagt darin besteht, die wahre Idee von den übrigen Vorstellungen zu unterscheiden und zu trennen, und den Geist davor zu bewahren, unwahre, fingierte und zweifelhafte Ideen mit wahren zu vermengen.«

Spinoza behandelte in diesem Kapitel die Frage, wie man mit Hypothesen und Unterstellungen umzugehen hatte, und wie man sinnvolle Ideen von unsinnigen unterscheiden konnte. Er gab Definitionen von Begriffen wie:

a *unmöglich* – wenn die Natur einer Sache im Widerspruch steht zu ihrer Existenz

b *notwendig* – wenn die Natur einer Sache im Widerspruch steht zu ihrer Nicht-Existenz

c *möglich* – wenn weder die Existenz noch die Nicht-Existenz einer Sache in irgendeinem Widerspruch zu deren eigener Natur stehen.

Hoffman verstand a im Sinn von: Onkel Hans ist unsterblich. Diese Aussage stand im Widerspruch zu der Erfahrung, daß Menschen geboren werden und wieder sterben. Unsterblichkeit und die menschliche Natur von Onkel Hans standen im Widerspruch zueinander, also behauptete diese Aussage etwas Unmögliches (auch wenn die Sprache solche Aussagen zuließ).

b bezog sich auf etwas wie: Die Erde dreht sich um die Sonne. Dies war notwendig, weil ein Leugnen dieser Aussage im Widerspruch mit der Erfahrung stehen würde.

Mit c war es schon schwieriger. Hoffman suchte nach einem Beispiel und fand folgendes: Außer dem Menschen gibt es im Weltall noch andere intelligente Wesen. Eine solche Aussage konnte man weder leugnen noch beweisen, denn sie hing von unbekannten Faktoren ab, die ihre Wirksamkeit erst entfalten konnten, wenn sie bekannt wurden.

Hoffman merkte, daß er die *Abhandlung* in ihrem historischen Kontext lesen mußte: Spinoza hatte im siebzehnten Jahrhundert gelebt, einer Zeit, die vor neuen Entdeckungen förmlich vibrierte. Descartes hatte seinen Gedanken gedacht. Newton hatte den Apfel fallen sehen, und Spinoza hatte versucht, ein System zu entwickeln, mit dem man eine offensichtlich immer komplexere Wirklichkeit (komplex in ihren Erscheinungsformen, aber, wie man damals hoffte, klar und faßlich in ihren Grundlagen) beschreiben und damit: ihrem Wesen nach verstehen konnte.

Das ganze schöne Kapitel ging über die Haltung, mit der man Hypothesen untersuchen konnte. Wenn sich »der Geist einer fingierten und ihrer Natur nach unwahren Sache zuwendet, um über sie nachzudenken, sie zu erkennen und in richtiger Ordnung aus ihr die nötigen Schlüsse zu ziehen, dann wird er leicht das Unwahre an ihr entdecken.

Wenn aber die fingierte Sache ihrer Natur nach wahr ist, dann wird der Geist, wenn er sich ihr zuwendet, um sie zu erkennen, und anfängt, in richtiger Ordnung aus ihr abzuleiten, was aus ihr folgt, dann wird er glücklich und ohne Unterbrechung fortfahren…« Und er beruhigte die Ängstlichen mit der Bemerkung: »Wir brauchen aber keineswegs zu befürchten, daß wir etwas nur fingieren, sobald wie eine Sache klar und deutlich begreifen.« Er bot drei Schlußfolgerungen an:

1. Eine Idee kann erst dann richtig eingeschätzt werden, wenn es »die Idee einer vollkommen einfachen Sache ist«;
2. eine komplizierte Sache muß in ihre einfachen Unterteile zerlegt werden, damit jeder einzelne Teil für sich auf sein Wesen hin untersucht werden kann.
3. Fiktion (und damit schien Spinoza nicht nur eine Hypothese, sondern auch Begriffe wie Unwahrheit, Luft, Unsinn zu meinen) wucherte auf komplizierten Ideen, denn »wäre die Fiktion einfacher Art, dann wäre sie auch klar und deutlich und infolgedessen wahr.«

Das Telefon brachte ihn zurück ins Blumenzimmer.

»Wo haben die dich denn hingesteckt?« hörte er Wim Scheffers' Stimme fragen.

»Ach, halb so schlimm.«

»Du, ich schwöre dir, morgen hab ich ein anständiges Hotel für dich.«

»Ach, laß mal, Wim, es geht mir hier eigentlich gut.«

»Dieser Van Galen ist ein Ekel.«

»Aber ich will hier gar nicht weg, wirklich nicht.«

»Wie du meinst... Gehst du was essen?«

»Ich wollte eigentlich hier 'ne Kleinigkeit essen. Wie spät ist es denn?«

»Es ist acht.«

Jemand klopfte an die Tür.

»Moment mal, Wim.«

Er stand auf, wickelte sich ein Handtuch um und öffnete die Tür einen Spalt weit. Frau Paardekoper wartete da draußen. Besorgt schaute sie in das eine Auge, das er sehen ließ.

»Herr Hoffman, ist alles in Ordnung bei Ihnen?«

»Bestens in Ordnung, Frau Paardekoper. Ich hatte mich gerade ausgezogen, um ein Bad zu nehmen.«

»Wir dachten schon, Sie wären krank. Wir warten unten schon eine halbe Stunde auf Sie.«

»Wieso denn?«

»Um halb acht Uhr wird das Abendessen serviert.«

»Ach, das wußte ich nicht.«

»Da.« Sie pochte auf die Tür. Er sah auf der Innenseite der Tür einen in Klarsichtfolie verpackten Zettel. »Da steht es.«

»Tut mir leid, das hab ich nicht gelesen... und ich muß weg.«

Die Frau schaute ihn betrübt an.

»Ich hab doch extra für Sie gekocht, Herr Hoffman. Alles Surinamer Spezialitäten. Nur für Sie. Es ist sonst niemand da.«

»Dann komm ich gleich«, versprach er, um kein schlechtes Gewissen haben zu müssen.

»Ich stell es solange warm«, rief sie munter und verschwand.

»Wim?« fragte er.

»Ja.«

»Viertel nach neun?«

»Okay.«

»Und wo?«

»Kennst du noch das italienische Restaurant um die Ecke beim alten Ministerium?« fragte Scheffers.

»La Pergola, am Plein?«

»Genau. Also Viertel nach neun.«

Unten nahm er Platz zwischen den beiden Paardekopers. Sie hatte sich völlig verausgabt. Sie nannte die Namen aller Speisen, und Hoffman aß mit großer Geschwindigkeit die Schüsseln leer, schwere, scharfe Gerichte mit Teigmantel und Fleisch und Huhn und Fisch und dicken Saucen. Roti's, Pitjel, Reis mit Kuhbohnen und Pökelfleisch, Risol, Batjauw, Pastete, Heri Heri, Moksi Metti, Huhn Tjim Tjim, gefüllte Kopropo.

Die Köchin sah ihm glücklich zu und füllte seinen Teller dreimal nach. Ihr Mann aß vornübergebeugt und schweigend; einen Arm hatte er um seinen Teller gelegt, als müßte er ihn gegen eventuellen Diebstahl durch Hoffman schützen.

Um fünf nach halb neun gelang es ihm, ihr zu entfliehen. In seinem Klo steckte er einen Finger in den Hals und erbrach die ganze Mahlzeit in die Kloschüssel. Die Höhepunkte der schweren Surinamer Küche stiegen in einer tiefen, gewaltsamen Welle aus seinem Magen. Er zog die Spülung und wischte sich den Mund ab.

Eine halbe Stunde später saß er Wim Scheffers im vollbesetzten La Pergola gegenüber, einem italienischen Restaurant, das bei den Angehörigen des Diplomatischen Corps und den Beamten des Außenministeriums beliebt war; sie gingen auch nach dem Umzug weiter dorthin. Hoffman hatte in der brütenden Hitze seine Jacke ausgezogen.

»Wie geht's in Prag?«

»Bestens«, sagte Hoffman. »Keine Graffiti an den Wänden, saubere Straßen, keine Bettler, ein Traumland für den schlichten, konservativen Bürger wie dich und mich.«

Wim lächelte. Er hatte sich gut gehalten. Altersmäßig waren sie nur drei Wochen auseinander, aber Wim sah zehn Jahre jünger aus als Hoffman. Er spielte Golf und Squash, trug italienische Anzüge und unterstrich jedes Lächeln mit einem strahlend weißen Gebiß. Er ging regelmäßig zu einem teuren Friseur und achtete darauf, daß seine Haut immer sonnengebräunt war. Seine Jacke behielt er an, denn er hatte viel zu viel Stil, um zu schwitzen. Er zupfte sich die Manschetten aus den Jackenärmeln und ließ seine teuren Manschettenknöpfe sehen, goldene Knöpfe mit seinen Initialen.

»Und wie geht's hier?«

»Ach, genauso«, antwortete Wim, »Gerangel um die besten Plätze, viel Papierkram, aber wir schaffen es schon.«

Hoffman nahm einen Schluck Wein, einen 83er Barolo – kein Spitzenwein, doch für einen Italiener recht rassig.

»Und Marian?«

Hoffman zuckte mit den Achseln.

»Sehr beschäftigt mit ihrem Buch.«

»Immer noch?«

»Ja.«

Wim wußte, daß Felix' Ehe schon seit vielen Jahren vertrocknet war, auch wenn Felix darüber nie mit einer Silbe gesprochen hatte (vielleicht wußte es Wim darum so genau). Ein Ober erschien an ihrem Tisch, und sie bestellten beide Schinken mit Melone und Pasta alle vongole.

»Wie macht sich dieser Jüngling, der junge Sonnema?« fragte Wim.

»Schlaues Kerlchen«, sagte Hoffman, »er ist gerissen und weiß, wie er sich verkaufen muß. Der macht sicher eine steile Karriere.«

»Er ist einer der neuen Stars. Konkurrenz für Van Galen.«

»Van Galen ist ein Wichser. Versuch, ihn loszuwerden.«

»Werde ich weiterleiten«, sagte Wim und lächelte. »Und wie geht es dir, Felix? Kommst du über die Runden?«

»Ich vertreibe mir die Zeit. Ich hab da ein... ein philosophisches Buch gefunden... und dieses Buch bringt mich durch die Nächte.«

»Philosophie? Felix«, fragte er mit Besorgnis und Nachdruck, »fehlt dir was?«

»Wer weiß... das Komische ist, daß es mich wirklich interessiert... Naja, ich halte es in Prag ganz gut aus.«

»Schön«, sagte Wim, ohne etwas damit zu meinen. Er holte merkbar tief Luft. Dann begann er mit Tratsch, und sie aßen und lachten, und nach weiteren zwei Flaschen standen sie draußen in der schwülen Nacht.

Hoffman hatte seinen alten Burberry dabei, seinen

treuen Begleiter, der schon alle Erdteile gesehen hatte, aber der Regenmantel war völlig überflüssig. Es hatte schon wochenlang nicht mehr geregnet. Wim wollte wissen, ob Hoffman mit dem Auto da war, und wollte mitgenommen werden.

»Ich muß dir was erzählen«, sagte Wim, als sie zu Hoffmans Mietwagen gingen, einem schwarzen Nissan. Hoffman hatte wenig Sympathie für die Art und Weise, wie die Japaner ihre Produkte über die ganze Welt ausschütteten, aber bei Hertz war es der billigste Wagen. Wenn er schon nicht im Mercedes befördert werden konnte, dann wählte er das Schlichteste.

»Was denn?«

Hoffman fragte sich, ob Wim vielleicht noch andere Gemeinheiten von Van Galen wußte.

Wim ging in Gedanken verloren neben ihm her, als wiederholte er im Geist seine Geschichte, aber er sagte noch nichts. Sie stiegen ein. Das Auto sprang sofort an, und Hoffman fuhr los.

»Wo mußt du hin?«

»Ich sag dir den Weg«, antwortete Wim.

Er wies Hoffman die Straßen an, die er fahren mußte.

»Es handelt sich um Miriam«, sagte er.

Hoffman war plötzlich heiser. »Meine Miriam?«

Er setzte sich anders hin und umklammerte das Steuer.

Wim nickte. »Ja.«

»Miriam ist schon fünf Jahre tot, Wim.«

»Das weiß ich, Felix. Sie ist tot, aber zufällig hab ich etwas gesehen, das mit ihr... das mit ihr zu tun hat, auch wenn sie tot ist.«

Hoffman starrte durch die Windschutzscheibe auf die Straße, aber er sah nichts.

»Was ist es, Wim? Du kannst mir alles sagen.«

»Verdammt, Felix, ich hab wirklich drüber nachgedacht, ob du es wissen mußt, aber ich dachte...«

»Quatsch nicht rum. Erzähl es mir.«

Er warf einen Blick zur Seite und sah, daß Wim nickte. Er fuhr sich rauh über sein Gesicht. Plötzlich sagte er: »Also gut. Hör zu. Vor zwei Wochen hatte ich eine Verabredung mit... mit einer Frau, die ich getroffen hatte, und...«

»Wo?« blaffte Hoffman.

»Wo? Bei einer Ausstellungseröffnung. Es hat nichts damit zu tun«, erklärte Wim. »Ich bin mit ihr essen gegangen, und dann... dann sind wir zusammen irgendwohin gegangen...«

Er verstummte wieder. Er sagte Hoffman, welche Straße er nehmen sollte.

»Und dann? Wo bist du dann hingegangen? Spann mich nicht auf die Folter.«

»Hier! Halt hier mal an.« Hoffman hielt den Wagen in einer Straße an, die von Neonreklamen für Cafés, Nachtklubs, Restaurants und Sexshops hell erleuchtet war.

»Die Frau, mit der ich hier war...«

»Wie heißt sie?« wollte Hoffman wissen.

»Felix, das hat damit nichts zu tun.«

»Ich will es aber wissen.«

Wim schüttelte den Kopf und seufzte.

»Glaub mir doch, sie hat überhaupt nichts damit zu tun.«

»Ich will wissen, von wem du sprichst.«

»Ria Voeten.«

»Jefs Frau?«

»Ja, Jefs Frau…«

»Also gut, Wim, das ist dein Problem, sie sieht aus wie eine heiße Melone, aber bitte sehr…«

»Hör mal!« rief Wim. »Ich will dir was erzählen!«

»Dann erzähl's mir doch, verdammt noch mal!«

»Halt den Mund und hör zu…«

Hoffman drehte sich zu ihm um und legte seinen Arm auf die Rücklehne. »Ich höre…«

»Ich hatte eine Verabredung mit Ria Voeten. Wir gingen essen. Aus irgendeinem Grund kamen wir im Gespräch auf das Thema und sie sagte, sie hätte noch nie einen Pornofilm gesehen…«

»Einen Pornofilm?«

»Ja.…«

Wim holte Luft und fuhrt fort.

»Also… wir gingen in ein… Sexkino, und in diesem Kino spielte…«

Im Bruchteil einer Sekunde wurde Hoffman klar, was der Besuch dieses Pornofilms bedeutete.

Er wurde kreideweiß. Schmerz fuhr ihm aus dem Bauch in die Brust, als ob er auf dem Klo säße und etwas Unmögliches von sich verlangte, und als hätten sie in allen Cafés dieser Straße zur gleichen Zeit die Knöpfe an den Verstärkern voll aufgedreht, hörte Hoffman auf einmal die ganze unsinnige Kakophonie, das Lieblingslied des Wahnsinns.

Er wollte nicht mehr wissen, was Wim weiter zu erzählen hatte, er wollte die Schweinerei nicht aus dessen Mund hören. Ihn ergriff Panik.

»Wo?« schrie er.

Er drehte sich nach Wim um und sah, daß dieser ihn nicht gehört hatte. »Wo?« brüllte er noch einmal.

Mit bebendem Finger zeigte Wim auf die Straßenseite gegenüber. Ein kleines Gebäude zwischen zwei Kneipen. Neon über dem Eingang: ADULT MOVIES, PRIVATE CABINS.

»Du bleibst hier sitzen!« schrie Hoffman.

Er stieg aus und überquerte die Straße.

Es war merkwürdig, daß er solche Mühe beim Gehen hatte, als hätten sich seine Knie gelockert und gäben ihm keinen Halt mehr. Aber er erreichte den Eingang, stieß die Tür auf und kam in einen dunklen Vorraum.

In einer Ecke brannte ein rotes Licht. Ein Tisch stand da, an dem ein pickeliger Junge saß und in einer Illustrierten blätterte. Es war so warm wie in einem Türkischen Bad.

»Wieviel!« schrie Hoffman dem Mädchen hinter dem dicken Glas des Schalters zu.

»'n Zehner!«

Er legte das Geld hin, und das Mädchen zog den Schein durch den Schlitz der Geldmulde.

»Wann fängt es an?«

»Durchgehende Vorstellung.«

»Wie heißt er?«

Träge zeigte sie auf ein Plakat weiter hinten im dunklen Vorraum. Hoffman hatte es nicht gesehen und las: ARDENNER SCHINKEN. Er hörte es sich selber sagen.

»Ein komischer Porno«, erklärte der Junge hinter dem Tisch. Er hatte sich aufrecht hingesetzt und guckte mißtrauisch zum lärmenden Hoffman herüber. »Made in Holland.«

»Wie komm ich rein!«

Der Junge stand auf und ging zu einer breiten Tür. Er hatte die Figur eines Ringers. Unter den Armen waren große Schweißflecken.

»Bitte nehmen Sie Rücksicht auf die anderen Besucher«, sagte er.

Hoffman sah nichts, als er den nachtschwarzen Saal betrat. Er hielt sich an der Tür fest und erkannte beim Aufflackern des Films einen großen, leeren Saal mit Sesselreihen. Hie und da ein einsamer Zuschauer. Er stapfte zum nächstbesten Sessel und setzte sich hin wie ein Blinder.

Als er nach drei Minuten wieder herauskam, stand Scheffers neben dem Auto. Langsam ging Hoffman zu ihm hinüber und schaute auf seine Füße, als müsse er laufen lernen.

Wim sagte: »Es tut mir leid, Felix. Als ich es gemerkt habe, da... da dachte ich, daß ich es dir nicht sagen darf, es ist zu schlimm, aber... verdammt noch mal, ich hab mich damit rumgequält, aber ich dachte... du *mußt* es wissen. Andere können es merken, darum sollst du es auch wissen.«

Hoffman stieß ihm mit voller Kraft die Faust unters Kinn. Scheffers taumelte, schweigend und gelassen. Hoffman packte ihn bei der Jacke und rammte ihm seine große Faust in den vollen Magen. Scheffers krümmte sich zusammen, und Hoffman ließ ihn los. Sein Freund beugte sich über die Motorhaube des Autos und fand dort Halt. Er stöhnte, und Hoffman sah, wie er mit offenem Mund nach Atem rang.

Als Passanten näher kamen, ließ Hoffman ihn dort zurück und ging in einer Seitenstraße in ein Café, das ihm geeignet schien. Auf einem Brett hoch oben an der Wand stand ein Fernsehgerät. Neonlicht über der Theke, nackte Resopaltische, ein schmutziger Fußboden, die verwitterten Gesichter von Gastarbeitern. Durch das Fernsehgeräusch hindurch klang monoton klagende arabische Musik. Gierig und durstig trank er algerischen Wein. Aber er blieb nüchtern, denkend und grübelnd, ein Gefangener seines eigenen Alptraums im Kopf; er konnte sich selbst nicht verzeihen.

Als das Lokal schloß, fuhr er zurück in die Pension. Er spürte den Alkohol im Blut und wußte, daß er den Wagen nicht unter Kontrolle hatte. Er mußte irgend etwas tun, das Kino in Brand stecken oder den Film aus dem Projektor klauen. Das Auto fuhr Schlangenlinien, geriet ein paarmal auf den Haager Straßenbahnschienen ins Stocken. Er erreichte die verlassene Pension hinter den Dünen ohne Schaden.

Mit dem Schlüssel, den sie ihm nach dem Essen mitgegeben hatten, schloß er die Haustür auf. Als er sie hinter sich wieder zumachte, suchte er erschöpft Halt an einer Wand. Er fürchtete, seine Kräfte könnten ihn auf dem Weg zu seinem Zimmer verlassen.

»Gute Nacht«, hörte er.

Er sah sich um. In der dunklen Diele saß Paardekoper in seinem Schaukelstuhl.

»Gute Nacht«, murmelte er.

»Kühl draußen?«

»Ziemlich.«

»Mit dem Wetter weiß man nie«, sagte der Mann.

»Nein«, flüsterte Hoffman.

»Wind?«

»Wind?«

»Ja. Draußen Wind?«

»Weiß ich nicht. Bißchen, glaub ich.«

»Oft Wind hier an der Küste«, sagte der Mann.

Hoffman nickte überschwenglich, als ob er ganz wild auf die Wahrheit wäre.

»Schlafen Sie gut«, sagte der Mann.

In seinem Zimmer ließ sich Hoffman auf die geblümte Überdecke seines Betts fallen. Keine Stimme, um den Sturm in seinen Ohren zu dämpfen, keine Hand, ihm den Kummer aus dem Gesicht zu streicheln.

Ein ekelerregender Hunger überfiel ihn. Er stand auf und wankte wieder nach unten.

»Gehen Sie noch mal weg?« fragte der Mann.

»Ja. Sie können mir helfen. Wissen Sie einen Schnellimbiß oder ein Restaurant, irgend etwas, das noch offen hat?«

»Um diese Zeit? Meine Frau macht Ihnen bestimmt gern etwas…«

»Nein, nein, bitte keine Umstände…«

»Der Schnellimbiß beim Kurhaus, auf dem Platz. Der hat offen, all night…«

Hoffman fuhr mit seinem Nissan zur Imbißbude. Durch das offene Fenster wehte warmer Wind. Schwere

Jungs in engen T-Shirts standen neben ihren Maschinen, die steifen Lederjacken übers Steuer gehängt. Er überlegte, ob er Streit mit ihnen anfangen sollte, um ein paar Kinnhaken einzufangen. Er bestellte Pommes frites, Kroketten, Saté, Frühlingsrollen, Frikadellen, Bier- und Coladosen. Mit zwei vollen Plastiktaschen kam er wieder in die Pension.

»Geklappt?«

»Bestens.«

»Noch Wind draußen?«

»Nichts gespürt.«

»Glaub doch, daß Wind ist.«

»Kann sein, vielleicht.«

»Appetit.«

In seinem Wohnzimmer stellte er alle Schalen auf den Tisch. Er hielt den Kopf unter den Wasserhahn und spülte die Hitze des Abends ab.

Er hatte kein Besteck und aß mit dem Fingern. Mit den kleinen Fingern schlug er seinen Spinoza auf. Während er zunächst einmal die Doppelportion Pommes frites mit »Kriegssauce« aufaß (eine dicke Mischung aus Mayonnaise, Saté-Sauce, Ketchup und Zwiebeln) – die Pommes frites wurden immer als erste kalt –, fuhr er mit dem fünften Kapitel fort, über »Die unwahre Idee«. Hoffman mußte all seine Geisteskräfte zusammennehmen, um dem Philosophen zu folgen, und instinktiv wußte er, daß er sich damit selbst rettete: Spinoza schützte ihn gegen die panischen Bilder dieses Abends wie ein Medikament, das die gefährlichen Erreger isoliert.

Sofern Hoffman es richtig verstand – er zwang sich, es zu verstehen –, unterschied Spinoza zwischen der »fingierten Idee« (eine Art Hypothese) und einer »unwahren Idee«. Die erste war lediglich eine Behauptung, deren »Wahrheit« noch bewiesen werden mußte; die zweite dagegen wurde als »wahr« angenommen. Die »Unwahrheit« konnte leicht nachgewiesen werden, wenn man klar und unterscheidend weiterdachte.

Weiter meinte Spinoza, daß die »Wahrheit« einer Sache das »innere Kennzeichen« dieser Sache war.

»Denn wenn ein Baumeister sich ein Gebäude richtig ausdenkt, so ist doch sein Gedanke, auch wenn ein solches Gebäude nie existiert hat und nie existieren wird, nichtsdestoweniger richtig, und der Gedanke bleibt derselbe, ob nun das Gebäude existiert oder nicht.«

Mit zitternden Fingern führte Hoffman eine Frikadelle zum Mund. Er wollte wissen, ob ein eventueller Fehler des Architekten entdeckt werden konnte, wenn das Gebäude niemals ausgeführt wurde. Wenn der Architekt glaubte, daß das Bauwerk in Ordnung war, und niemand sich die Mühe machte, es am fertigen Gebäude nachzuprüfen, dann konnte sein Gedanke niemals »wahr« sein.

Wer beurteilte das? fragte er sich, während Bilder aus dem Film um seinen Kopf tanzten. Denn außer dem Architekten hatte niemand davon Notiz genommen. Ist es nicht erst dann »wahr«, wenn es auch für jemand anderen wahr geworden ist? Angenommen, er hätte den Plan zu seiner Essaysammlung irgendwann ausgeführt, hätte die Sammlung den Pulitzerpreis bereits als *Plan* verdient?

Nein, dachte er, den Preis konnte nur eine wirklich existierende Essaysammlung bekommen. Und trotzdem konnten Gedankenkonstruktionen »wahr« sein, auch wenn sie nicht in Wirklichkeit existierten. Spinoza hatte recht. Aber was kaufte Hoffman sich dafür?

»Daraus folgt, daß es etwas Reales in den Ideen gibt, wodurch sich die wahren von den unwahren unterscheiden.«

Hoffman dachte: Ja, aber was ist dieses »etwas Reales«? Spinoza setzte eine Form von Wahrheit voraus, die sofort als solche erkannt werden konnte. Ideen konnte man untersuchen und ihre Wahrheit konnte durch die Probe aufs Exempel festgestellt werden. Aber was war bei Ideen, die man nicht verifizieren konnte, wie »Gott kann betrogen werden«? Sieht man hier sofort ein, daß es sich um eine »unwahre Idee« handelt? Spinoza offenbar ja.

Im weiteren Verlauf des Kapitels kam Spinoza wieder zurück auf den Kern seiner Erörterung: Erkennen der Natur, Erforschung ihrer erhabenen Grundlagen. Hoffman, dessen Tochter die Hauptrolle in einem Pornofilm gespielt hatte, brannte vor Ungeduld, die Grundlagen der Natur bloßzulegen. Er begriff, daß Spinoza damit beschäftigt war, eine Methode für wissenschaftliches Vorgehen zu entwerfen. Diese sollte eine vollkommene Erkenntnis erbringen und den Weg weisen zum Gipfel der Weisheit. Aber seine Kinder, dachte Hoffman, was konnte die Wissenschaft der Rolle von Miriam im *Ardenner Schinken* noch hinzufügen? Und Esther, was hatte Esther gemeint mit ihren Worten?

Konnten sie wenigstens im Sinn von Spinoza »wahr« gewesen sein? Esther hatte mit ihrem »Wissen« vielleicht doch »die Wahrheit« erfaßt! Und obwohl sie gestorben war, ein kleines, zartes Mädchen, das schon fast einundzwanzig Jahre in der feuchten Erde bei Zwolle lag, das vom Angesicht der Erde verschwunden war, weil es zwanzig Jahre zu früh geboren wurde, dieses Mädchen hatte vielleicht »die Wahrheit« gekannt.

War das möglich, bei einem Kind?

Ging Spinoza nicht von einem gereiften, geübten Menschen aus, den sein analytisches und deduktives Denkvermögen – Hoffman hatte gelesen, daß Spinoza vom Allgemeinen zum Besonderen hin denken wollte – zum Höchsten führen konnte? War es möglich, daß jemand »die Wahrheit« erkennen konnte, ohne diese Abhandlung zu verstehen, denn das hätte Esther natürlich nicht gekonnt?

In solchen Gedanken versunken und abgekehrt von dem, was Scheffers ihm gezeigt hatte, verbrachte Hoffman die Nacht.

Der Morgen des 4. Juli 1989

Gegen Morgen begann Hoffman zu rülpsen, aus seinem Hintern knatterten laute Fürze. Fast food wirkte öfter bei ihm so, als protestierte sein Verdauungssystem lautstark gegen die billigen Öle und Grundstoffe der Snacks. Lachs, Kaviar und gute Pâté verursachten niemals solche chemischen Reaktionen. Er fühlte sich aufgebläht und erleichterte seinen Magen auf die bewährte Art und Weise. Das Erbrochene war schärfer als sonst, bitterer und säuerlicher. Sein Körper war durcheinander, aber in seinem Kopf herrschte Ruhe.

Nach einer Dusche verließ er seine Suite, und nachdem er Frau Paardekoper davon überzeugt hatte, daß er jetzt keine Zeit für das Frühstück habe, stieg er in sein Auto und fuhr wieder in die Stadt. Das Sexkino war noch geschlossen. Er blieb im Auto sitzen, um zu warten, bis jemand kam. Er hatte Zeit, die Sekunden tickten schmerzlos aus seiner Uhr. Die Sonne war noch nicht in die schmale Gasse gedrungen. Lastwagen belieferten die Cafés. Flaschengeklirr hallte zwischen den Häusern wider. Aus dem Imbißladen, vor dem er geparkt hatte, wehte frischer Kaffeeduft zu ihm herüber. Männer mit Gartenschläuchen riefen sich etwas zu, die Bürgersteige glänzten vom Wasser. Ein Mädchen in einem lila Minirock ging über die Straße, und sein Herz setzte einen Schlag aus. Sofort redete er sich selbst zu: Dieses Mädchen sah ihr nicht einmal ähnlich.

Bei ihrem letzten Treffen trug sie einen lila Minirock, der kaum ihren Hintern bedeckte. Mit schwarzen Netzstrümpfen, einem engen lila Oberteil aus billigem Nylon und stark geschminkten Augen sah sie aus wie eine Nutte. Sie hatte ihm damals zum x-ten Mal geschworen, daß sie aufhören würde. Sie wollte Geld haben, tausend Gulden, damit sie ihre Schulden bezahlen und ein neues Leben anfangen konnte. Sie hatte öfter R-Gespräche bei ihm angemeldet, und dann hörte er ihre beschädigte Stimme. Als Kind verschanzte sie sich hinter einer Mauer des Schweigens, als junges Mädchen hinter einem Wall von Wörtern.

Zwei Frauen in unwahrscheinlich dicken Jacken mit Tüchern um den Kopf öffneten die Tür zum Sexkino, und er stieg aus dem Auto. Als er den Vorraum betrat, zogen die Frauen ihre Jacken aus. Eine Neonröhre flackerte an der Decke, das rote Licht war offenbar nur für den Abend gedacht.

»Ist der Chef da?« fragte er.

Unter ihren Jacken trugen die Frauen Kittelschürzen.

»Chef nicht da«, machte eine der beiden ihm klar. Sie waren Gastarbeiterinnen, kleine dunkle Frauen mit schweren Händen und dicken Augenbrauen.

»Um wieviel Uhr kommt er, wissen Sie das?«

»Nicht kommen hier. Dort Geschäft«, sagte die Frau. Sie zeigte auf die Straße.

»Wissen Sie den Namen vom Geschäft?«

Die Frau beriet sich mit ihrer Kollegin, die Eimer und lange Schrubber aus einem Schrank holte.

»Geschäft schlimm«, erklärte sie.

»Schlimm? Sie meinen... so wie dies hier?«

Sie nickte. Die andere Frau sagte, während sie mit ihren Putzgeräten wegging: »Venus.«

Der Laden lag fünfzig Meter weiter in derselben Straße. Das Schaufenster lag voller Kunstpenisse, Reizwäsche und anderer Hilfsmittel, von denen Hoffman nicht wußte, wozu sie dienten. Als er über die Schwelle trat, hörte er einen Summton.

Hinter der Theke links neben der Kasse saß eine Frau und trank Kaffee. Unter dem Thekenglas waren die Kunstpenisse in Reih und Glied aufgestellt, ein Regiment Plastikschwänze. Der kleine Laden stand voll mit Zeitschriftenständern, auf den Titelbildern Riesenbrüste und feuchte Lippen mit wollüstiger Zungenspitze.

Bei Hoffmans Eintritt stand die Frau rasch auf.

»Gehört Ihnen das Kino dort weiter oben?« fragte Hoffman.

Die Frau schüttelte den Kopf. Sie war ungefähr vierzig Jahre alt, um ihren Hals hing eine Brille an einer Kette. Auf der Theke über den Schwänzen lag ein Roman von García Márquez. Der Wind aus dem Ventilator schlug ein paar Seiten um. Die Frau legte eine Hand auf das Buch.

»Nein. Es gehört Herrn Van der Wiel. Er ist nicht hier.«

Sie sprach ein klares, gepflegtes Niederländisch. Er sah es vor sich: eine Haager Dame, die dringend Geld brauchte und diesen Job angenommen hatte.

Hoffman zog einen Fünfundzwanziggulden-Schein aus seinem Portemonnaie.

»Vielleicht können Sie mir helfen. Ich habe gestern abend dort in dem Kino einen Film gesehen. ›Ardenner

Schinken‹. Merkwürdiger Film. Ich würde gern wissen … wo Sie ihn herhaben.«

Die Frau schaute mit Bedauern auf den Schein in seiner Hand. »Ich weiß nicht, ob ich das …«

Er zog noch einen Schein heraus und legte beide auf die Theke.

Die Frau nahm die Banknoten an sich, bevor der Ventilator sie wegwehen konnte.

»Ich glaube, sie heißen Triple X.«

»Und wo ist das?«

»Amsterdam.«

»Haben Sie die Telefonnummer?«

»Nein, leider nicht. Aber die Auskunft hat sie sicher.«

In einer Telefonzelle rief er die Auskunft an. Er bekam eine Nummer und wählte Triple X.

Er fragte nach dem Chef. Herr Polak war im Augenblick nicht da, wurde aber im Lauf des Vormittags erwartet.

Hoffman fuhr über den glühenden Asphalt nach Amsterdam.

Die Firma hatte ihren Sitz am Geldersekade, dicht hinter dem Zeedijk, und Hoffman parkte seinen Wagen am Nieuwmarkt, der ohne Schatten in der Sonne lag. Hoffman war schon viele Jahre nicht mehr hier gewesen und stellte fest, daß der Platz zu einer chaotischen Parkfläche verbaut worden war.

Das Haus, in dem Triple X seine Büroräume hatte, wurde mit Balken abgestützt.

Durch einen verwahrlosten Flur gelangte er zum Firmeneingang, die Tür war übersät mit Aufklebern von

Filmtiteln wie: »Tante Röschen hat ein Döschen« oder »Die große Gurke von Hermann Schurke«.

Hinter dieser Tür traf er ein fleischiges Mädchen an. Sie saß in einem Büro, das mit mannshohen Papierbergen und Dutzenden viereckiger Schachteln für Filmdosen vollgestopft war. Ihr runder Kopf war von einem Strahlenkranz aus dichtem lockigem Haar umrahmt. Auf einer Ecke ihres Schreibtisches drehte sich ein altmodischer Ventilator.

»Ist das hier Triple X?«

»Ja. Was kann ich für Sie tun?«

»Herr Polak? Ist er da?«

»Haben Sie einen Termin bei ihm?«

»Nein, ich versuche es auf gut Glück.«

»Da haben Sie aber Massel, denn meistens ist er weg.«

Sie drückte den Knopf einer Sprechanlage.

»Paps, ein Herr für dich.«

»Wer?« hörte Hoffman ihn fragen.

»Wie ist Ihr Name?«

»De Vries.«

»De Vries«, wiederholte sie.

»Was für ein De Vries?« fragte der Mann.

»Der echte«, sagte Hoffman.

»Der echte, Paps.«

»Der echte? Was *der echte*?«

Hoffman bog sich über einen der Papierstapel auf dem Schreibtisch und sprach in Richtung Apparat.

»Wenn ich kurz mit Ihnen sprechen kann, dann erkläre ich Ihnen alles, Herr Polak.«

»Ist es wegen einer Rolle? Von diesen Flausen kann ich Sie gleich erlösen, denn ich habe Deckhengste genug.«

»Nein, es ist nicht wegen einer Rolle.«

»Wegen was dann?«

»Ardenner Schinken.«

»Was ist damit?«

»Geld. Kann ich Sie kurz sprechen?«

»Na ja... Judy, schick ihn mal rüber.«

Das Mädchen stand auf. Er folgte ihr. Sie trug stramme Bluejeans, die einen wuchtigen Hintern umspannten, und ein wenn möglich noch strammeres T-Shirt, das einen Brustumfang von *Hustler*-Format bedeckte.

Sie führte Hoffman zurück in den Gang und zeigte auf eine Tür. Er las: WAILING WALL PRODUCTIONS.

»Triple X ist der Verteiler, Wailing Wall macht die Produktion«, klärte ihn das Mädchen auf.

»Vielen Dank.«

Hoffman öffnete die Tür und schaute in ein großes Zimmer. Das war modisch leer. Ein kleiner Mann mit ergrauendem Bärtchen stand auf und kam ihm entgegen.

»Bist du De Vries?«

»Jawohl«, sagte Hoffman.

»Hab dich noch nie gesehen... Joop Polak.«

Sie gaben sich die Hand.

»Setz dich, De Vries.«

Hoffman ging über einen dicken grauen Teppich zum schwarzen Schreibtisch hinüber. Drei Ledersessel standen davor. Polaks eigener Stuhl war ein Sessel mit hoher Lehne aus weichem Leder. Zierliche Halogenlampen. Ein Designer-Büro.

»Ich stecke mitten in einem neuen Film. Wir machen gerade Aufnahmen hier um die Ecke in einem süßen Appartement, nette Leute, ein Top-Mädel, aber sie ist neu, und da kann es schon mal ein Problemchen geben.«

Hoffman setzte sich.

Polak betrachtete ihn mit einem eingeschliffenen Lächeln. Seine Zähne waren perfekt, sein Bärtchen von geübter Hand gestutzt. Um seine behaarten Gelenke trug er dicke goldene Armbänder. Die Luft im Büro wurde gefiltert und gekühlt. Hoffman hörte die Klimaanlage leise summen. Er fühlte sich fremd in dieser Welt.

»Also, De Vries, was kann ich für dich tun? Du siehst mir nicht aus wie einer, der einen Job sucht. Aber vielleicht hast du Geld und willst investieren. Dann bist du hier richtig.« Der Mann lachte laut.

»Ich will kaufen«, sagte Hoffman mit bebender Stimme.

»Kaufen? Mach mir ein Angebot, und du kriegst sogar meine Tochter. Ach Quatsch. Also, was willst du kaufen?«

Polak lachte breit und schaute ihn an.

»Alle Kopien von ›Ardenner Schinken‹.«

Polak schüttelte, verwundert über soviel Naivität, den Kopf. Das Lächeln verschwand.

»Du weißt nicht, was das kostet, De Vries.«

»Fünfhunderttausend.«

Polak fing wieder an zu lachen.

»Eine Kopie kostet mich zehn Braune in der Herstellung. Fünfundzwanzig Kopien sind es, das wären allein schon zweihundertfünfzigtausend. Und damit reden wir noch nicht von den Produktionskosten... De Vries, du weißt nicht, was du sagst.«

Er schaute sich Hoffman noch einmal genauer an.

Auch Hoffman versuchte jetzt zu lächeln.

»Okay, De Vries... du bist doch auch ein Jidde, was?«

Hoffman nickte, immer noch lächelnd. »Ja.«

»Was tut ein Jud wie du mit fünfundzwanzig Kopien von ›Ardenner Schinken‹? Du hast kein Kino, bist kein Perverser, was bist du überhaupt?«

»Sammler«, sagte er, wie er es im Auto geübt hatte.

»Sammler? Ja, Scheißdreck. Die hab ich hier schon gehabt, wo du jetzt sitzt, und glaub mir, die Burschen, die du meinst, sehen anders aus. Du bist ein feiner Herr, gute Kleidung, Stil, De Vries, du hast *Stil*!«

Hoffman lächelte höflich.

»Siebenhundertfünfzigtausend«, sagte er und traute seinen Ohren nicht. Er mußte Miriam retten.

Polak schüttelte seufzend den Kopf. »Was willst du eigentlich genau?«

»Ich will den Film. Die Kopien und das Negativ.«

»Was willst du damit machen?«

»Ich will der einzige sein, der ihn anschaut.«

»Ist es eins von den Mädchen, die mitspielen?«

Hoffman wurde rot. »Nein«, sagte er, »mich interessiert der ganze Film.«

»Welches Mädchen?«

Hoffman schüttelte den Kopf.

»Hör mal, du brauchst dich nicht vor mir zu schämen!« Polak lachte laut. »Komm schon, welche willst du? Ich kann was für dich arrangieren. Das kostet dich ein paar Hunderter, aber keine Hunderttausender. Also, welche ist es?«

Er zog die unterste Schublade vom Schreibtisch auf und fischte eine Karte aus einer Kartei.

»Ich hab hier die Namen vom ›Ardenner‹. Ob die Adressen noch stimmen, weiß ich nicht. Ist schon ein paar Jahre her, was.«

Aber Hoffman wollte mit den Namen nicht konfrontiert werden. Er rutschte auf die äußerste Stuhlkante.

»Es geht mir um den Film, Polak. Ich will das Negativ haben. Sag einen Preis.«

»Zwei Millionen.«

Hoffman verzog keine Miene, als er den Betrag hörte. Er sagte: »Eine Million.«

Polak seufzte.

»Hör zu, De Vries, von mir aus kannst du den ›Ardenner‹ haben, zum richtigen Preis, okay? Aber vielleicht kommst du auch billiger an deine Sache, okay? Denn du bist kein Sammler. Also?«

»Eineinviertel.«

»Welches Mädchen, De Vries? Welche läßt dich jubeln?«

»Ich sagte eineinviertel.«

»Nein. Ardenner kostet zwei Millionen. Weißt du warum? Weil der Spaß *mich* zwei Millionen gekostet hat. Ich konnte bisher nur die Kosten für die Kopien wieder rausholen. Komischer Porno? Kannst du vergessen. Zwei Millionen. Sonst lohnt es sich nicht für mich, ihn aus der Hand zu geben. Wirklich nicht. Sonst melke ich ihn lieber noch ein paar Jahre aus, weißt du, und dann denk ich noch nicht mal an die Zinsen.«

»Ich hab keine zwei Millionen. Eins Komma drei. Das ist alles, was ich habe.«

»Mach dir 'nen schönen Tag damit, Junge.«

»Verkauf mir diesen Film, Polak.«

Hoffman hörte sich flehen. Wenn es sein mußte, würde er vor ihm im Staub knien. Ein Jude auf den Knien.

»Ich *muß* ihn einfach haben... Ich kann es dir nicht erklären, aber dieser Film darf nie mehr gespielt werden, verstehst du? Eins Komma drei Millionen, das ist ein Haufen Geld, Polak.«

»Cash?«

»Na ja, cash... in Bildern. Taxiert.«

»Wer?«

»Cobra.«

Polak nahm einen Bleistift von seinem glänzenden Schreibtisch und tippte damit auf einen gelben Notizblock, einen amerikanischen *legal pad*, der sich gut auf der schwarzen Tischplatte machte. Er schaute auf die Karteikarte.

»Eine deiner Töchter, De Vries?«

Er warf einen Blick auf Hoffman.

Hoffman wurde kreidebleich. Er spürte, wie ihm die Tränen in die Augen schossen, und er biß sich auf die Lippe.

»Eine Tochter von dir, was, De Vries?«

Hoffman konnte nicht reagieren, aber Polak schüttelte verärgert den Kopf.

»Immer dasselbe mit den Mädeln... immer. Welche ist es? Erzähl es mir ruhig, du bist nicht der erste.«

Hoffman reagierte nicht.

Polak studierte die Karte.

»Suzy Jean? Nein. Linda Hammer? Rosetta Jones?

Nein. Scheiße. Madame Hauptrolle selbst. Esther Kaplan. Verdammt noch mal.«

Die Tränen flossen plötzlich über Hoffmans Gesicht. Er weinte nicht, aber die Tränen strömten unaufhörlich, obwohl er keine Gefühle zeigen wollte.

Polak legte seine Ellbogen auf den Tisch und schüttelte den Kopf.

»Scheiße, Mann... hättest du nicht besser auf sie aufpassen können?«

Plötzlich änderte er seinen Ton, versuchte eine neue Taktik. »*So what*? Soll sie doch ihre Möse zeigen, raubt dir das etwa den Schlaf?«

»Sie ist tot, Polak. Sie hat alle Fotos von sich selbst vernichtet. Dieser Film darf nicht mehr...«

Polak schaute ihn entsetzt an. »Gott der Gerechte«, murmelte er.

Hoffman rieb sich die Wangen trocken.

»He, Kaplan – du heißt nicht De Vries, was? – Aber sie hieß auch nicht Kaplan. Wie heißt du?«

»Hoffman.«

»Okay, Hoffman, willst du was trinken?«

»Nein danke.«

»Wieviel hast du?«

»Eine Million dreihunderttausend in Bildern.«

»Kapitalanlagen?«

»Es ist alles, was ich habe.«

»Alles, was du hast?«

»Es ist mir die Sache wert.«

»Gib mir die Eins Komma Drei in Cobra, Hoffman. Aber ich will natürlich die Taxierungen sehen, okay?

Übermorgen kannst du die Kopien haben. Ich sage dem Labor, daß du das Negativ abholst. Hier, trink was.«

Hoffman ließ das Negativ und die Kopien vernichten bis auf ein Exemplar, das hob er im feuersicheren Schließfach bei einer Bank in Den Bosch auf, bei Lentjes & Drossaerts. Die Bilder von Cobra waren eingetauscht gegen Miriams Film.

Fünfundzwanzigmalhundert Meter Filmmaterial, vierundzwanzig Bilder pro Sekunde, neunzig Minuten Porno. Polak hatte ihm auch eine Schachtel mit Prospekten mitgegeben. Farbfotos auf Hochglanzpapier von Miriam mit Balken über Brust und Bauch. Er las, daß »Ardenner Schinken« von der Ehefrau eines älteren belgischen Professors handelte, der mit dem Kopf in den Wolken lebte und seine ehelichen Pflichten vernachlässigte; seine junge Frau suchte anderweitig Trost, sowohl männlichen wie weiblichen Trost. Aber schließlich stellte sich heraus, daß der schlaue Professor dies alles provoziert hatte; sein Genuß bestand im Zusehen, und er schaute von einem Versteck aus zu, wie seine Frau es trieb. Der Film war in Hoffmans Sommerhaus bei Vught aufgenommen. Die Ehefrau wurde von Miriam gespielt. Er brachte die Prospektschachtel zu einer Aktenvernichtungsfirma und schaute zu, wie sie zerschnipselt wurde.

Der Nachmittag des 4. Juli 1989

Freddy Mancini war nun schon eine Woche im Safe House. John Marks wunderte sich, daß Mancini sich noch nicht ein einziges Mal über die Beschränkung seiner persönlichen Freiheit beschwert hatte. Mancini hatte ein paarmal mit seiner Frau telefoniert, die ihre Europareise verlängert hatte, und sich dann offenbar völlig in sein Schicksal als Verdächtiger ergeben.

Marks hatte dies schon öfter beobachtet: Der Zeuge fühlte sich schuldig, weil er nur lückenhafte Information lieferte. Mancini identifizierte sich mit den potentiellen Opfern des Vorfalls und machte sich Vorwürfe, daß er nicht genauer hingeschaut hatte.

Marks hatte ihn zweimal an den Polygraphen anschließen lassen, an den Lügendetektor, dem ganze Generationen bei der Firma blind vertraut hatten (für Marks war es ein mittelalterliches Folterinstrument), und Mancini hatte sich dabei immer häufiger in Widersprüche verwickelt. Und doch war Mancini einzig und allein Opfer seiner Freßsucht.

Er hatte eine der Sitzungen mit Mancini auf Videoband aufnehmen lassen und es dann mit seinem Assistenten betrachtet. Sie kamen zu dem Schluß, daß sie aus Mancini nichts mehr herausholen konnten, was sie nicht schon wußten; demnächst würden sie ihn ins Flugzeug nach seinem Heimatort San Diego setzen.

Marks war jetzt unterwegs zum Haus. Er fuhr den Buick. Der Händler hatte ihm sein altes Auto wieder mitgegeben. Er wußte nicht, ob er den Unfallwagen überhaupt fahren konnte; vielleicht sollte er sich einen Gutachter suchen, der am neuen Auto Totalschaden feststellte, auch wenn ihm so etwas eigentlich gegen den Strich ging.

Die Motorhaube des neuen hatte einen Schaden von zweieinhalbtausend Dollar erlitten. Der Besitzer des Chevy, auf den er aufgefahren war, mußte sich mit fünfhundert zufriedengeben. Marks' Anwalt hatte ihn beruhigt und versichert, daß ihm der Mann keinen Prozeß anhängen konnte, aber Marks hatte im Lauf der Zeit gelernt, Anwälten zu mißtrauen.

Das Haus lag bei Potomac, einem Dorf, das nach dem Fluß benannt war, ein paar Meilen nordwestlich von Langley, auf dem anderen Flußufer. Kurz vor dem Dorf bog er von der asphaltierten Straße ab und folgte einem Waldweg, der zu dem abgelegenen Haus führte. Links und rechts standen Bäume und dichte Hecken, ein Paradies für Eichhörnchen und Füchse. Nach einer scharfen Kurve, die er im Schrittempo durchfuhr, wurde er von zwei Männern zum Anhalten gezwungen, die hinter einem Lieferwagen hervorkamen. Sie trugen verspiegelte Sonnenbrillen, aber sie waren noch jung, und Marks verzieh es ihnen sofort.

Auch wenn sie ihn erkannten – sie waren verpflichtet, seine Papiere zu kontrollieren.

»Ihre Papiere, Herr Marks.«

John reichte ihnen den Ausweis der Firma.

Sie betrachteten ihn mit großem Interesse, genau wie sie es bereits letzte Woche jeden Tag getan hatten.

»Sie können passieren, Herr Marks.«

Robert Maclaughlin empfing ihn vor dem Haus.

»Mancini erinnert sich plötzlich an etwas«, sagte Maclaughlin, kaum daß Marks die Tür seines Buick geöffnet hatte. Seine Augen waren vor Aufregung ganz groß.

»Woran erinnert er sich denn?«

»Er sagt, er erinnert sich an ein Armband.«

Freddy Mancini saß unten im Salon vor dem Fernseher. Seine Hände lagen auf den breiten Armlehnen des Sessels, in der linken Faust hielt er eine Dose Cola Light. Mancini lächelte breit, als er Marks sah.

»Ha, John.«

Marks gab ihm die Hand, ohne den Handschuh auszuziehen.

»Alles vorbereitet für die Heimreise, Freddy?«

»Ja...« Ein Schatten huschte über Freddys Augen.

»Du bist bestimmt froh, daß du wieder nach Hause darfst«, sagte Marks.

»Natürlich, aber... heute nacht fiel mir plötzlich etwas ein.«

»Oh, das ändert natürlich alles«, sagte Marks ohne Überzeugung.

Er setzte sich gegenüber auf das Sofa und bemühte sich, ihn möglichst interessiert anzuschauen. »Schieß los, Freddy, ich bin ganz Ohr.«

Freddy sah noch dicker aus als vor einer Woche. Carolyn Bachman hatte eine Liste angelegt von allem, was sie für ihn gekocht hatte.

»Du kannst mir glauben«, hatte sie zu Marks gesagt, »du kannst mir glauben, es gibt eine Menge Restaurants, die froh wären über so einen Kunden. Dieser Mann ist eine einzige große Freßfabrik.«

»Heute nacht fiel es mir ein«, sagte Freddy, »in einem Traum. Normalerweise vergesse ich Träume gleich, aber ich bin aufgewacht und erinnerte mich an alles.«

Er trank einen Schluck und hielt die Dose lange über seinen Mund. Als sie leer war, stellte er sie neben sich auf den Fußboden. Dort standen schon zwei leere Dosen und drei volle, die noch im Plastikband vom Sechserpack hingen. Freddy beugte sich so weit zur Seite, wie er konnte, und zog eine neue Dose heraus.

Marks zündete sich eine Zigarette an. Aus dem Feuerzeug schlug eine hohe Flamme. Er inhalierte tief. Draußen die Ruhe der Natur. Er überlegte, ob er das Haus kaufen sollte, wenn es als Safe House ausgedient hatte. Die Firma benützte es seit einem Jahr. Ein älteres Ehepaar, das nach Palm Springs umgezogen war, hatte es zum Kauf angeboten, und die Firma hatte es über einen Makler erworben, der auch als Strohmann fungierte. Das Haus würde ein oder zwei Jahre lang benutzt werden und dann über den Makler wieder angeboten.

»Ich dachte: Was könnte dieser Traum wohl bedeuten«, fuhr Freddy fort, »denn es war ein Traum, oder nicht? Aber auf einmal wußte ich, daß der Traum nicht einfach ein Traum war, sondern eine Erinnerung!«

Er zog an der Lasche und drückte sie in die Dose hinein.

»Aus diesen neuen Dosen trinkt man nicht mehr so gut«, sagte er, »zuerst hat jeder die Laschen überall hingeworfen, und jetzt kriegt man sie nicht mehr ab.«

Er nahm einen neuen Schluck.

»Es geht um den letzten Augenblick, als Browning ins Auto gezogen wurde, dieser Augenblick. Ich erinnerte mich plötzlich ganz klar und deutlich daran, genau wie in einem Film. Das schwör ich dir, John.«

Marks nickte. Er saß entspannt zurückgelehnt und ließ Freddy nicht aus den Augen.

»Der nackte Arm gehörte einer Frau. Das weiß ich jetzt ganz sicher. Weißt du, warum? Weil ein Armband dran war, John, und an das Armband erinnere ich mich, weil ich es in meinem Traum gesehen habe! In dem Auto saß eine Frau. Findest du das nicht verrückt?«

»Diese Vermutung hatten wir schon länger, Freddy.«

»Aber nun wissen wir es sicher! Eine Frau! Findest du das nicht komisch, daß sie eine Frau zu Brownings Verhaftung mitschicken? Also ich schon. In diesem Auto saß eine Frau.«

»Ein sehr interessantes Detail, Freddy.«

»Das weiß ich nicht, das müßt ihr wissen...«

»Ich schreibe es in den Bericht, Freddy.«

»Schön... aber ich denke mir... vielleicht träume ich noch mehr solche Sachen, wer weiß, vielleicht habt ihr ja Mittel, die solche Träume befördern...«

Mancini trank einen Schluck. Marks schaute ihn abwartend an.

»Also...?«

Freddy stellte die Dose auf die hölzerne Lehne seines Sessels.

»Ich weiß nicht, ob es vernünftig ist, mich jetzt schon wegzuschicken«, sagte er selbstbewußt. »Nicht, weil ich es hier so fabelhaft finde, aber ich will euch doch helfen. Und das kann ich besser hier.«

»Na, dann mach mal einen Vorschlag«, sagte Marks.

Freddy schaute ihn überrascht an.

»Wirklich?«

»Was willst du, Freddy?«

»Was ich will?« Er klang plötzlich düster.

»Glaubst du, daß du zu unseren Untersuchungen noch etwas beitragen kannst?«

»Ja, das glaube ich wohl.«

»Dieses Armband, das hast du geträumt?«

»Ja.«

»Du warst schon tief eingeschlafen?«

»Ja, zumindest hatte ich den Eindruck.«

»Du hattest den Eindruck?«

»Vielleicht war ich nicht so richtig tief eingeschlafen... aber auf jeden Fall schlief ich.«

»Freddy, du kennst doch die Momente, in denen man nicht schläft, aber auch nicht wach ist, und alles, was man sich vorstellt, sieht genau so aus wie in einem Traum? Meiner Meinung nach hast du in diesem Augenblick nicht wirklich geträumt.«

»Es war eine Erinnerung, John.«

»Das bezweifle ich.«

»Wer war dort, du oder ich?«

»Das steht hier nicht zur Debatte.«

»Es war eine Frau dabei, John, damit kannst du doch was anfangen?«

»Ich weiß nicht, ob ich dir glauben kann.«

Mancini zwinkerte erschrocken mit den Augen, als er

diesen Satz hörte. Er trank einen Schluck, um Haltung zu bewahren.

»Wir sind sehr dankbar für das, was du für uns getan hast, Freddy, wir wissen es zu würdigen, daß du uns soviel Zeit geopfert hast. Du hast uns so genau wie möglich erzählt, was damals geschehen ist, aber ich denke, diese Meldung von dem Armband, die vergessen wir lieber.«

Freddy schlug die Augen nieder und starrte auf seinen gigantischen Bauch. Er saß ganz gerade, als ob das Fett ein Korsett wäre.

»Ich glaube, ich könnte noch mehr herauskriegen«, sagte er zögernd, »wenn ich nur mehr Zeit bekäme.«

»Wann kommt deine Frau zurück?«

»Morgen.«

»Freust du dich nicht darauf, sie zu sehen?«

Er hielt die Augen gesenkt und starrte auf die Cola-Dose in seiner rechten Hand. Mit dem Finger strich er über ihren Rand.

»Natürlich, klar.«

»Morgen ist sie wieder zu Hause. Du auch.«

»Ich kann euch hier helfen. Wirklich.«

»Fahr heim, Freddy. Es ist besser für dich.«

Mancini hielt die Dose über den Mund und trank sie leer.

Zwei Stunden später saß Marks in seinem Arbeitszimmer unter dem Dach. Hinter dem großen Fenster standen die alten Bäume von Virginia in der vor Hitze flirrenden Luft. Zwischen die Kamine hatte er eine Pinnwand gehängt, und nun hantierte er mit einem neuen Filzschreiber und einem Stapel gelber Karteikarten.

Putzfrauen mißtraute er, er hielt sein Haus selbst in Ordnung und verbrachte damit täglich sicher drei Stunden. Er hatte eine Wasser- und Luftfilteranlage einbauen lassen, alle Wände waren isoliert und die Fenster mit Lärmschutzscheiben versehen.

Er arbeitete an einem Bericht für Chris Moakley, den Chef der SE-PC, jener Unterabteilung, die die Ostblockländer Polen und Tschechoslowakei ausspionierte. Moakley hatte genau wie Marks als Gebietsinspektor gearbeitet und seine Abteilung aufgrund seiner bürokratischen Fähigkeiten bekommen – er war der geborene Buchhalter. Sein Schreibtisch war übersät mit Utensilien, die er zum Pfeifestopfen brauchte. Marks kannte ihn schon zwanzig Jahre und hatte ihn noch nie dabei ertappt, daß er seine Pfeife länger als dreißig Sekunden am Brennen hielt.

Marks schrieb auf das Kärtchen: BROWNING VERHAFTET. Er pinnte es mit der Nadel auf die Mitte des Bretts. Die Mitarbeiter der Firma, die mit Diplomatenpässen in der Tschechoslowakei arbeiteten, hatten versucht, Klarheit über die Vorfälle in der Nacht des 21. Juni zu bekommen, aber sie hatten auch nicht das kleinste Fitzchen Information ergattert.

Eine der wichtigsten Informationsquellen, über die seine Firma in der Tschechoslowakei verfügte, hieß »Carla«. Sie war Agentin des tschechischen Geheimdienstes, und ein Mitarbeiter der Firma hatte sie vor acht Jahren als Doppelagentin geworben. Sie bekam den Codenamen Carla. Ihre Existenz war nur einem kleinen Kreis bekannt: lediglich der Gebietsinspektor in Prag, die Chefs von SE und die

Firmenspitze kannten Carlas Identität – insgesamt vierzehn Personen.

Die Post, die Michael Browning in Prag hätte abholen sollen, stammte von Carla.

Es war Carla nach der Verhaftung von Browning gelungen, dem Prager Gebietsinspektor einen Bericht zukommen zu lassen, und Marks besaß eine Kopie dieses Berichts. Er hatte von Moakley die Zustimmung erhalten, ihn mit nach Hause zu nehmen.

Gestern hatte Moakley berichtet, daß Carla in den Westen kommen wollte.

»Sie will nicht weitermachen. Kann man ihr das verübeln? Wir haben lange Zeit sehr viel von ihr gehabt. Sie will jetzt endlich ihre Belohnung einstecken.«

Marks hatte ihn darauf aufmerksam gemacht, daß sie nicht wußten, ob sie Carla noch vertrauen konnten. Wenn Carla vor Brownings Verhaftung erwischt worden war, dann hatte sie vermutlich Browning verraten.

»Zufall«, meinte Moakley. »Sie haben Carla nicht erwischt.«

Marks schrieb auf eine Karte: ZUFALL. Er pinnte sie links unter die erste Karte. Dann schrieb er: CARLA HAT BROWNING VERRATEN. Diese Karte pinnte er rechts von ZUFALL und bildete so mit den Karten ein Dreieck.

Wenn die Tschechen, aus welchen Gründen auch immer, Carla verhaftet hatten, dann hatte sie mit absoluter Sicherheit alle Informationen, die sie besaß, preisgegeben. Carla war eine Doppelagentin, aber er konnte nicht ausschließen, daß sie jetzt sogar Tripleagentin war, denn der Gebietsinspektor in Prag hatte berichtet, sie sei auf freiem Fuß.

»Was würden *wir* in diesem Fall tun?« hatte er Moakley gefragt. »Nimm an, wir hätten jemanden wie Carla enttarnen können. Wir würden sie doch umdrehen und wieder auf freien Fuß setzen. Die andere Seite vermutet dann, daß sie noch immer Doppelagentin ist, in Wirklichkeit arbeitet sie wieder für uns.«

»Browning kann nicht verraten worden sein«, sagte Moakley. »Zufall. Niemand, aber auch wirklich niemand wußte, daß er kommen würde.«

»Carla wußte es«, hatte Marks gemurmelt.

Moakley hatte sich eine Methode ausgedacht, die man in der Firma »Das Reisebüro« getauft hatte.

Die Schwierigkeit der Informationsbeschaffung war mit dem Anwerben eines Informanten noch nicht erledigt. Ein neues Problem tauchte auf: Wie kam die Firma auf sicherem Weg in den Besitz der Berichte, die der Informant übermitteln wollte?

Im Normalfall kümmerte sich ein Mitarbeiter der Firma in einem bestimmten Land um einen Informanten. Der Informant kannte die verschiedenen Codes für die Kontaktaufnahme mit seinem »Inspektor«. Ein Beispiel: An einem vorher festgelegten Tag (derlei Absprachen wurden bei der Anwerbung getroffen, meist unter schwierigen Umständen), also sagen wir an jedem dritten Dienstag des Monats stand ein Geranientopf nicht mehr in der Mitte des Fensters, sondern links, und das hieß: Ich möchte nach drei Tagen ein Treffen haben. Auf diese Art waren mit den Informanten verschiedene Codes für den Nachrichtenaustausch abgesprochen.

Meist konnte der Spionageabwehrdienst des Gastlandes

schnell feststellen, welche neuen Diplomaten heimlich Mitarbeiter der Firma waren. Sie wurden unentwegt beschattet, ihre Wohnungen wurden abgehorcht, und man tat praktisch alles, um zu verhindern, daß sie mit der Bevölkerung in Berührung kamen. Der direkte Kontakt mit dem Informanten war ein kritischer Moment.

Die Übergabe eines Berichts im buchstäblichen Sinn, also von Hand zu Hand, kam selten vor (obwohl es auch manchmal geschah, in einem Kaufhaus zum Beispiel). Der gängigere Weg war dieser: Der Informant brachte einen Bericht zu einem bestimmten Ort (beispielsweise zu einem Hohlraum hinter einem Stein in der einen oder anderen Mauer), und vom Mitarbeiter wurde erwartet, ohne Beschatter oder andere Verfolger den Bericht abzuholen und so schnell wie möglich in die sicheren vier Wände der Botschaft zu bringen. Es war eine Art Pfadfindermethode, aber eine bessere gab es nicht.

Moakley hatte eine Variante entwickelt: Man entsende jemanden, der überhaupt nicht im diplomatischen Dienst arbeitet, und lasse ihn als einmaligen Kurier auftreten. Dieser Kurier genoß keinen Diplomatenstatus. Das konnte bei einer Verhaftung negative Folgen haben, dafür mußte er den Bericht auch nur von Punkt A nach Punkt B bringen. Er kannte keine Namen, keine Geheimnisse, keine Codes, und wenn er die üblichen Vorsichtsmaßnahmen beherzigte, war es so gut wie ausgeschlossen, daß man ihn entdeckte.

Der Massentourismus, der inzwischen auch den Ostblock erfaßt hatte, machte diese Variante möglich. Die alte Methode blieb weiterhin in Gebrauch, aber das Reisebüro fand unter den Abteilungsleitern seine Anhänger.

In einer Sonderabteilung in New Mexico hatte die Firma hierfür Mitarbeiter ausgebildet, fern von den anderen Ausbildungszentren. Die Kuriere wurden nun ständig vom Reisebüro in die Ferien geschickt. Für ein paar besonders lästige Länder wie Albanien, Bulgarien und die Tschechoslowakei wurden sie spezialpräpariert, und auf eigenen Wunsch bekamen sie eine Pille mit, die innerhalb von fünf Sekunden tödlich wirkte, die berüchtigte L-Pille. Seit Jahren diskutierte man über diese Pille. Marks war dagegen, daß Kuriere – eigentlich nur Laufburschen im großen Spiel – über diese Pille verfügten, aber andere, darunter Moakley, stellten sich auf den Standpunkt, daß eine Verhaftung, aus welchem Grund sie auch immer erfolgt war, Folterungen einschließen konnte und daß man niemanden dazu verurteilen konnte, diese durchzustehen. Außerdem: Folter erzwang Bekenntnisse, und die Struktur des Reisebüros käme dann ans Tageslicht. Befürworter und Gegner hatten einen Kompromiß geschlossen: Der Kurier durfte selbst entscheiden, ob er die L-Pille mitnahm oder nicht.

Noch nie zuvor war jemand erwischt worden, der für das Reisebüro arbeitete. Browning war der erste Betriebsunfall. Moakley hatte Marks gebeten, die Recherchen zu unterstützen.

»Browning hat nicht aufgepaßt. Vermutlich war es die normale Touristenüberwachung; sie sind ihm gefolgt, hoffe ich zumindest«, hatte Moakley gesagt.

»Bei unserer Arbeit ist Hoffnung eine seltsame Anwandlung, Chris.«

Die Spitze des dicken Filzschreibers quietschte auf dem

trockenen Papier der Karte. Marks schrieb: CARLA ARBEITET FÜR DIE CSSR. Diese Karte pinnte er unter CARLA HAT BROWNING VERRATEN.

Dies alles war hypothetisch, er hatte keine Informationen, die die Vermutungen bestätigten, aber er mußte seine Handlungsweise auf Risikobeschränkungen ausrichten. Er konnte gar nicht anders als eine eventuelle Verhaftung von Carla als Ausgangspunkt nehmen, denn nur so konnte er Brownings Verhaftung erklären. Auf den Zufall durfte man sich nicht verlassen.

CARLA WILL IN DEN WESTEN, schrieb er. Und auf eine andere Karte: CARLA IST EIN KUCKUCKSEI DER CSSR.

Er schaute wieder zurück zu dem einsamen ZUFALL. Würde er bei den Tschechen arbeiten und hätte eine Informantin wie Carla erwischt, dann hätte er Browning höchstpersönlich alle Steine aus dem Weg geräumt. Er hätte Carla wieder für sich arbeiten lassen, und die andere Seite hätte Laufburschen wie Browning geschickt, denen man Spielmaterial mitgegeben hätte (Informationen, die erst nach langwieriger Analyse – und oft nicht einmal dann – ihren getürkten Ursprung erkennen ließen). Er nahm dieses Kärtchen wieder vom Brett und schrieb dazu: DENN ES IST SINNLOS, B. ZU VERHAFTEN, WENN MAN CARLA SCHON HAT.

Er dachte hierüber weiter nach. Angenommen, er würde eine Informantin wie Carla verhaften, weil sie unvorsichtig gewesen war, beispielsweise im Archiv Material fotografiert hatte und erwischt worden war. Er würde sie verhören, und die Techniken, die er zur Verfügung hatte, würden unweigerlich zu ihrem Geständnis führen: Sie arbeitete schon jahrelang als Doppelagentin für die Amerikaner. Er würde versuchen, sie wieder für seine Firma arbeiten zu lassen, und dann würde er sie auf freien Fuß setzen, unter strenger Beobachtung natürlich. Und der Clou des Ganzen wäre, ihr falsches Material zu geben, das sie an ihren Kurier weiterreichte. Desinformation.

Das Problem beim Umdrehen war allerdings, daß man niemals sicher wußte, ob der Verhaftete tatsächlich umgedreht worden war. Es gab Codes, die einem Agenten die Möglichkeit boten, seinen Inspektor oder Kurier davor zu warnen, daß das Material faul war und er selbst keine zuverlässige Quelle mehr. Und wenn der Kurier kam, nahm er die getürkte Information mit, und Marks selbst würde glauben, den Amerikanern etwas untergejubelt zu haben, während sein »umgedrehter« Doppelagent in Wirklichkeit noch immer für die anderen arbeitete.

Nein, wenn er jemanden wie Carla verhaftet hätte (er würde sie allerdings lieber nicht verhaften, damit sie nicht merkte, daß sie entdeckt war), dann würde er versuchen, all ihre Hintermänner aufzurollen, um so schnell wie möglich den größten Schaden anzurichten.

Aber Carla lief noch immer frei in Prag herum. Also doch Zufall?

Vielleicht hatte Browning tatsächlich einen Fehler gemacht. Die Hotels dort wurden scharf überwacht, und trotz seiner Ausbildung hatte Browning beim Verlassen des Hotels möglicherweise Aufmerksamkeit erregt. Um die Hotels herum wimmelte es von Männern in Autos, die keinen anderen Auftrag hatten als Ausländer zu überwachen. Browning war in die Stadt gegangen, und sie hatten ihn verfolgt. Er hatte es gemerkt und war geflohen, mit jenen Folgen, die Freddy Mancini beobachtet hatte.

In diesem Drehbuch fungierte Carla noch immer als zuverlässige Informantin, und Moakleys Reisebüro war die Garantie für strikte Schadensbegrenzung.

Michael Browning hatte eine »Legende« als Autohändler in Green Bay, Wisconsin, und falls die Tschechen ihm nachspürten, würden sie Beweise dafür finden, daß er dort schon seit fünf Jahren wohnte und arbeitete. Beweise, die die Firma sorgfältig präpariert hatte. Familie bedeutete in solchen Fällen ein gewisses Risiko, aber Browning hatte glücklicherweise nur einen Bruder, der mittlerweile schon vom Kondolenz-Team der Firma besucht worden war. Von dieser Seite waren also keine Probleme zu erwarten.

Marks hatte an einer Beratung darüber teilgenommen, ob man einen diplomatischen Skandal forcieren sollte. Wenn das State Department lautstarke Proteste äußerte gegen das Kidnappen unschuldiger amerikanischer Bürger, dann hätte man die Presse über Quellen, »die nicht näher genannt sein wollen«, mit allerlei Stimmungsmache füttern können. Aber sie hatten beschlossen, die Affäre geheim zu halten, weil man nie vorhersagen konnte, welche unbeabsichtigten Wirkungen aus solchen Aktionen noch entstanden.

Die Reisegruppe, mit der Browning gefahren war, hatte die Erklärung geschluckt, daß er wegen eines Todesfalls in seiner Familie überraschend nach Wien zurückgekehrt war. Niemand hatte weiter nachgefragt.

Vermutlich war Browning tot. Er hatte seine Pille genommen oder war in einer tschechischen Zelle zusammengebrochen. Es war unmöglich, im Labyrinth des tschechischen Gulag irgendeine Spur von Browning zu finden. Die Firma verfügte über Satelliten, die praktisch jede Patrone im Ostblock aufspüren konnten, aber es war unmöglich, damit einen Menschen zu finden.

»Zufall«, hatte Moakley behauptet. »Das ist die einzige Erklärung. Es kann nicht anders sein. Jedenfalls wollen wir das hoffen, John, denn sonst sind wir Carla los. Und ich glaube kaum, daß die oberste Etage das gern hört.«

Marks begriff, daß die Spitze bereits eine Entscheidung getroffen hatte.

»Carla muß raus?« fragte er.

»Ich fürchte ja«, murmelte Moakley. Er zog an seiner Pfeife, Flammen schlugen aus dem Kopf. »Ich hoffe nur, daß sie Browning dort nicht allzu übel zurichten. Die oberste Etage möchte Carla hierherholen. Einen Informanten, der das verlangt, den soll man nicht in der Kälte stehen lassen, finden sie. Carla hat jahrelang ihr Bestes getan. Sie wollen es mit Spielmaterial machen. Gib Carla Spielmaterial. Das allerbeste. Damit kann sie ihre Position verbessern. Gib ihr ein Material, das ihre Ausreise erforderlich macht. Die Tschechen werden ihr die Erlaubnis geben. Sobald sie über die Grenze ist, nehmen wir sie in Empfang.«

Marks hatte geantwortet: »Aber vielleicht linken sie uns, Chris. Wenn sie nämlich Carla umgedreht haben und Browning trotzdem verhaftet, was gegen jede Logik ist – und genau deshalb tun sie es auch, verstehst du? –, dann haben sie uns, wo sie uns haben wollen.«

»Und das wäre?«

»In der totalen Verwirrung.«

Marks schrieb: VERGISS DIE LOGIK. Er pinnte die Karte unter CARLA IST EIN KUCKUCKSEI DER CSSR.

Sie durften Carla nicht mehr vertrauen. Alles war möglich. Zum Beispiel, daß Browning durch Zufall gestorben war, oder daß Carla ihn verraten hatte oder daß sie schon länger für die andere Seite arbeitete. Er würde nachprüfen lassen, wieviel Material sie besorgt hatte, das als echt anerkannt worden war. Nichts war unmöglich.

Außer, vielleicht, sie in den Westen zu bringen.

Den Briten war es einmal gelungen, einen Informanten aus Osteuropa herauszuholen. 1985 war Oleg Gordiewski, der KGB-Chef in London, nach Moskau zurückgerufen worden. Dort wurde er von Kollegen verdächtigt, als Doppelagent für MI 6 zu arbeiten, was auch stimmte, aber die Briten schmuggelten ihn von Moskau nach Finnland.

Der Ostblock hatte solide Grenzen, Zäune, elektronische Warnsysteme, Minenfelder, Radar, Hunde, Infrarot – all dies unter dem wachsamen Auge speziell ausgebildeter Grenztruppen. Der KGB allein hatte zweihundertfünfzigtausend Mann an den Grenzen stehen, dazu kamen der militärische Grenzschutz und die Bewachung durch die Satellitenländer.

Die Firmenspitze hatte beschlossen, Carla habe im Westen eine Belohnung verdient. Marks mußte sie mit »Spielmaterial« in den Westen locken. Es war ihnen schon früher auf diese Art gelungen: sie hatten einem Doppelagenten zu starkem Material verholfen, seine Position verbessert, noch mehr Material bereitgestellt für den Fall, daß er einen

Ausflug in den Westen unternahm, und seine Vorgesetzten gaben ihre Zustimmung zu diesem Ausflug, vorausgesetzt, daß er wirklich etwas Wertvolles heimbrächte. Und sobald der Agent hier war, wurde dafür gesorgt, daß er verschwand. Es waren langwierige, schwierige Operationen. Eine Arbeit, die Marks besonders gut beherrschte.

Marks mußte Carla in den Westen bringen. War sie ein umgedrehter Doppelagent, würden dabei keine Schwierigkeiten auftauchen, denn dann hatten die Tschechen selbst ein Interesse daran, daß sie direkt nach Langley kam (er mußte dafür sorgen, daß sie keinerlei Einblick in das Funktionieren der Firma erhielt), aber für den Fall, daß sie noch immer eine zuverlässige Quelle war, mußte er perfektes »Spielmaterial« herstellen lassen und es Carla sehr geschickt in den Weg legen. Die tschechischen Untersucher durften nicht merken, daß die Dokumente – meist eine Mischung aus wahren und falschen Informationen – künstlich präpariert waren. Carlas Stellung mußte sich in den Augen ihrer Vorgesetzten langsam und glaubwürdig verbessern, und die Reise in den Westen mußte den großen Durchbruch versprechen, als könnte ein wahrer Schatz geborgen werden, ein Schatz an Super-Computern und militärischer Technik.

Er schrieb: DIE LOGISCHE FOLGE IST: CARLA NIEMALS VERTRAUEN.

Und auf das nächste Kärtchen: DAS SPIELMATERIAL MUSS PERFEKT SEIN. Falls Carla noch für die Firma arbeitete, waren sie verpflichtet, ihr zu helfen, ohne Schaden anzurichten, deshalb mußten sie kleine Geheimnisse in das Spielmaterial einbauen. Köder für die Tschechen. Aber für den Fall, daß sie ein umgedrehter Doppelagent war, durfte das Spielmaterial nichts wirklich Wertvolles enthalten. Marks war klar, daß er vor allem dieser letzten Forderung unbedingt entsprechen mußte.

Ganz unauffällig sollte Carla in die Lage versetzt werden, das wertlose Spielmaterial zu erwerben.

Er hatte hierfür schon Hilfe bekommen. Von Carla selbst.

Er schrieb: HOFFMAN.

Gestern hatte ihm Moakley die Kopie von Carlas Bericht gegeben. »Unser Mann in Prag hat ihn am üblichen Ort abgeholt.«

»Also lag er noch dort?«

»Ja«, sagte Moakley.

»Merkwürdig«, sagte Marks. »Was steht drin?«

»Nichts wirklich Wichtiges. Sie nennt die Namen von drei neuen Diplomaten in Prag, die den Tschechen für eine Anwerbung geeignet erscheinen.«

»Drei Diplomaten – Amerikaner?«

»Nein«, antwortete Moakley, wobei er einen Blick auf ein Papier warf. Er schüttelte den Kopf. »Hier.«

Er reichte Marks das Papier. Es enthielt Carlas Warnung, daß die Tschechen drei neue ausländische Diplomaten unter die Lupe nehmen wollten, um sie eventuell anzuwerben. Einen Kanadier, einen Italiener und einen Holländer. Marks hatte sich nichts anmerken lassen, und Moakley wußte von nichts, aber Marks kannte den Holländer.

Er ging sich die Hände waschen.

Als er zurückkam, betrachtete er die Kärtchen auf der

Pinnwand und freute sich an dem schönen Muster, das sie bildeten. Seine Arbeit stand der eines Komponisten oder Autors in nichts nach. Er ordnete die Wirklichkeit neu. Er dachte sich Geschichten aus, die absurder waren als die von Irving und realistischer als die von Updike. Er war der beste Drehbuchautor der Vereinigten Staaten, aber nur die zwölf Chefs der Firma wußten davon.

Er schob den Arm des Plattenspielers über die Schallplatte, und die Nadel senkte sich in die Rillen des schwarzen Vinyls. Die Zweite von Brahms. Er nahm die Kärtchen von der Pinnwand und begann mit der Ausarbeitung seines Drehbuchs.

Der Abend des 4. August 1989

Hoffman nahm seinen leichtesten Smoking aus dem Schrank. Er besaß drei. Die Anschaffung von Smokings konnte er dem Außenministerium in Rechnung stellen, sie waren für ihn Dienstkleidung. Manchmal kam es vor, daß er in einer Woche gleich mehrere Einladungen zu Partys und Empfängen annehmen mußte, und auf der Karte stand meist: *black tie*.

Heute abend ging er zum offiziellen Empfang anläßlich der Akkreditierung des neuen italienischen Botschafters. Jana hatte seine neuen Lackschuhe blankpoliert, sie warteten vor dem großen Ankleidespiegel im Schlafzimmer auf seine Füße.

Im Schlafzimmer war er selten länger als eine Stunde. Er benützte das komfortable Badezimmer und suchte sich seine Kleidung aus. Manchmal legte er sich aufs Bett, um ein Buch zu lesen oder eine Videokassette anzuschauen, die die *Auvi*, die Audiovisuelle Abteilung vom Auslandspressedienst, in der Welt herumschickte. Sonst blieb er lieber in der Küche.

Alle Zeitungen in Holland brachten die Verhaftung der drei Journalisten auf der Titelseite. Der Minister gab Erklärungen ab, sprach die »Besorgnis« der Regierung aus und wies auf die Notwendigkeit eines »Dialogs« hin. Alle Nachrichtenredaktionen und Magazine wollten ein Interview mit ihm, aber das Außenministerium blockte alles ab.

Nach zwei Wochen wurde Hoffman wieder nach Prag zurückgeschickt. In diesem Augenblick saßen die drei Journalisten noch in einer heißen Prager Gefängniszelle, folglich bedeutete die Rückkehr des Botschafters nichts anderes, als daß man die Handlungsweise der kommunistischen Polizei demütig akzeptierte. Das Kabinett hatte, trotz der Kommentare im NRC und im *Volkskrant*, offenbar in seiner Weisheit seine Meinung geändert und fand plötzlich, daß eine angemessene Beziehung zur tschechischen Regierung wichtiger sei als das individuelle Schicksal von drei beschränkten holländischen Journalisten. Hoffman war im Prinzip ganz dieser Ansicht, nur fand er, sie hätten früher darauf kommen können. Die Reise nach Den Haag hatte ihm dank seinem Freund Wim Scheffers die Scham für seine Tochter eingetragen. Politik wurde immer persönlich.

Hoffman hatte die Cobra-Bilder, seine Altersvorsorge, für diesen Film geopfert. Er hatte Anspruch auf die Staatsrente und auf die Pension des Außenministeriums, wofür er dreißig Jahre lang Beiträge gezahlt hatte, aber seinen Notgroschen (eigentlich ein Vermögen), den war er jetzt los. Aber er war sowieso davon überzeugt, daß er keine siebzig Jahre alt werden würde, vielleicht nicht einmal fünfundsechzig. Also hätte er dieses Vermögen doch nie ausgeben können.

Ein paar Monate vor ihrem Tod vor fünf Jahren hatte Miriam um die Fotoalben gebeten, die in Khartum im Schrank standen. Sie wollte Abzüge von den Fotos machen lassen. Er hatte sich nach einigem Zögern erkundigt, ob man das nicht auch in Khartum machen konnte, schließlich dem technischen Standard doch nicht vertraut, und weil er ohnehin nach Holland mußte, hatte er die Alben mitgenommen. Er bezweifelte, daß Miriam gut auf sie achtgeben würde, aber sie wäre tief beleidigt gewesen, wenn er ihr die Alben nicht für einige Zeit überlassen hätte; immerhin war sie seine einzige Tochter.

Er hatte mit ihr in Amsterdam gegessen, im großen China-Restaurant Ecke Dam und Damstraat, und dort hatte er ihr die zwei Plastiktaschen mit den Alben überreicht.

Schwarze Netzstrümpfe, winziger Minirock, ein kurzes enges Oberteil, das bei jeder Bewegung ihren sanft gerundeten Bauch enthüllte. Sie schien sich über die Alben zu freuen.

»Komisch, ich wollte die Fotos schon so lange haben. Ich hab so wenig Fotos von euch.«

»Wir haben so wenig Fotos von *dir*. Du solltest öfter welche schicken.«

»Aber ich bin gar nicht fotogen, das weißt du doch? Nein, *ihr* müßt mehr schicken.«

»Du bist sehr fotogen«, hatte er geantwortet.

»Nein, ich seh aus wie eine Hexe.«

»Nein, großartig.«

»Ach, Herr Hoffman, hör doch auf...« Sie war einen Augenblick still. Dann lachte sie laut. »Was würdest du sagen, wenn ich einen Laden aufmachte?«

»Warum nicht?« antwortete er, ohne genau zu wissen, was sie wollte.

»Second-hand-Kleider. Diese Läden siehst du jetzt überall. Mann, damit kannst du 'ne Menge Geld scheffeln!«

»Ich hab nicht gesagt, daß das nicht stimmt.«

»Du kannst echt reich damit werden.«

»Also, reich...«

»Herr Hoffman, du hast keine Ahnung! Die Leute verdienen echt gut damit, kaum zu glauben, wenn man das hört, echt. Und Second-hand-Klamotten findest du immer, sogar gute Kleider. Hier gibts schon genug, aber die meisten holen sie aus Amerika, die lassen einen ganzen Container kommen mit allem möglichen drin, und dann sortieren sie aus und verkaufen die besten Kleider, die drin sind. Ich kenn mindestens fünf Typen, die echt viel Geld damit verdienen.«

»Scheint mir eine sehr gute Idee, Liebes.«

»Findest du echt?«

»Wenn du es wirklich willst...«

»Ich will es wirklich!«

»Na ja, meinen Segen hast du.«

»Meinst du das jetzt wirklich, oder sagst du das nur, damit ich still bin?«

»Ich meine es wirklich, Miriam. Ich halte es für eine gute Idee. Wenn du so einen Laden aufmachen willst, dann helfe ich dir dabei. Und nicht nur mit guten Ratschlägen, das kannst du mir glauben. Aber zuerst...«

»Was zuerst...?«

Er flüsterte, weil er nicht wollte, daß andere es hörten: »Du weißt, was ich meine, Miriam.«

»Warum flüsterst du denn?« fragte sie herausfordernd.

»Komm, Miriam, beherrsch dich ein bißchen.«

Sie sagte, zu laut für sein Gefühl: »Okay, ich nehm Drogen, *so what*? Ich hör auch wieder auf damit, wirklich, denn ich will selber wieder davon runter. Ich muß nur einfach eines Tages zu mir sagen: So, heute ist Schluß, und dann ist auch echt Schluß, aber so einfach ist das gar nicht in diesem Land, wenn sie weiter so mit Drogen umgehen. Also, ich nehm Drogen, und ich möchte einen Laden aufmachen, that's all ...«

»Ich will dir helfen, Miriam.«

»Ja, aber *wie*, darüber willst du natürlich nichts sagen.«

»Sag du mal, wie ...«

»Ich brauch einen Ladenraum, das ist das erste.«

»Such dir einen. Geh zu einem Makler.«

»Makler, hör mal, das ist aber ätzend ...«

»Wenn du willst, geh ich mit dir hin.«

»Echt?«

»Klar.«

»Gehen wir morgen hin?«

»Morgen bin ich den ganzen Tag in Den Haag, Liebes. Aber übermorgen hab ich Zeit.«

»Übermorgen kann ich nicht. Kannst du morgen?«

Er schüttelte den Kopf. »Kannst du es nicht verlegen?«

»Du verlegst doch morgen auch nichts?« antwortete sie.

»Liebes, es ist neun Uhr abends, ich kann niemanden mehr erreichen!«

»Hey, Herr Hoffman, willst du mir helfen oder nicht? Wenn ich dir wichtig bin, dann rufst du deine Leute morgen früh an und sagst ihnen, daß du was anderes erledigen mußt. Nämlich mit deiner Tochter zum Makler gehen.«

Er nickte mit brennendem Herzen, und sie gab ihm eine Telefonnummer, unter der er sie am nächsten Morgen erreichen konnte. Als er sie dort anrief, nahm niemand ab. Alle Viertelstunde wählte er die Nummer, und der Vormittag verstrich. Er wartete in seinem Haager Appartement, beklagte seine Ohnmacht, und der Tag ging vorbei, ohne daß er sie hätte sprechen können.

Den Rest der Woche kämpfte er gegen seine Unruhe an. Mit unbewegter Miene konferierte er mit Stiftungsvorsitzenden, die Entwicklungshilfegelder verwalteten, berichtete von der Kassala Flood Protection und der Khartoum Central Foundry, ging essen, arbeitete seinen Terminkalender ab, blätterte nachts in Krimis und trauerte um Miriams Schicksal. Daß die Familie Esther nicht hatte behalten können, mußte sie mit lebenslangem Martyrium büßen. Sie waren nicht mehr Familie Hoffman, sondern Miriam Schuld, Felix Schuld. An jedem Halbtag – er hatte dieses merkwürdige Bürowort in dieser Woche zum erstenmal gehört – wählte er die Telefonnummer. Nach einer Woche meldete sich eine Männerstimme.

»Ist Miriam da?«

»Nein.«

Hoffman hörte der Stimme deutlich an, daß er den Mann geweckt hatte. Es war halb vier Uhr nachmittags.

»Können Sie mir sagen, wann sie wieder da ist?«

»Hey Mann, bin ich ein Wahrsager?«

»Sagen Sie ihr, daß ihr Vater angerufen hat. Meine Nummer hat sie.«

»Ach, Sie sind das?«

»Sagen Sie ihr, daß ich mit ihr zum Makler gehen will.«

»O Mann«, kicherte die Stimme, »Sie sind wohl das Letzte, was sie braucht.«

Und legte auf.

Zwei Tage später, kurz vor seiner Abreise nach Khartum, besuchte sie ihn in Den Haag in seinem Diplomaten-Appartement.

»Warum hast du dich nicht gemeldet, Miriam?«

»Immer dieser vorwurfsvolle Ton! Wieso kannst du dich nicht einfach mal freuen, daß du mich überhaupt zu sehen kriegst! Ich hab schließlich noch was anderes zu tun, als dich die ganze Zeit anzurufen und so. Ich hab eben auch meine Verabredungen, und dann hab ich was andres am Hut als meinen Vater, der gar so dringend was von mir will.«

»Es tut mir leid, Miriam. Vielleicht versteh ich das alles nicht richtig. Ich muß übermorgen wieder weg, also können wir morgen noch zum Makler.«

»Mensch, hör doch auf mit dem Makler.«

Sie lachte heiser. Sie trug billige Ringe an jedem Finger, und sie drückte eine Hand gegen den Mund, als sie zu husten anfing. Sie rauchte Gauloises und inhalierte den stahlblauen Rauch. Vornübergebeugt saß sie auf einem Stuhl am Eßtisch. Ihre schlanken Beine hatte sie übereinandergeschlagen und stützte sich mit dem Ellbogen auf ein Knie.

Die Art, wie sie angezogen war, ließ keine Fragen offen über ihre Figur; sie würde einen Mann glücklich machen. Als der Husten nicht aufhörte, ging sie in die Küche. Er hörte, daß sie einen Schluck Wasser trank. Dann: »Hey, hast du hier keinen Vanille-Pudding oder so?«

Das einzige, was sie aß, war Pudding, und er hatte alle zwei Tage eine Packung Pudding gekauft, denn er wollte etwas zu essen für sie haben, falls sie plötzlich vor seiner

Tür stand. Aber dann hatte er es aufgegeben, hatte alles weggeworfen, und jetzt hatte er nichts im Haus.

»Nein, hab ich nicht. Sollen wir zusammen was essen gehen?«

Sie kam ins Zimmer, blieb an die Küchentür gelehnt stehen, eine Hand unter der Achsel, die andere mit der Zigarette vor dem Mund.

»Hey, sag mal ehrlich... dieser Makler, willst du da echt mit mir hin?« fragte sie.

»Ich geh mit dir zum Makler, zum Rechtsanwalt, zur Bank, wohin du willst.«

»Zur Bank auch?«

»Für den Laden? Ja.«

»Ich will keinen Laden. In einem Laden wirst du verrückt, weißt du?«

»Was sagst du da? Ich dachte, du...«

»Ach Mann, ich hab halt irgendwas erzählt...«

Sie grinste. »Du hast's echt geglaubt, was?«

»Ja, ich hab es wirklich geglaubt...«

»Du kapierst auch nichts davon, stimmt's?«

»Wovon?«

»Von mir. Von der Welt.«

Sie lachte wieder. Sie klemmte die Zigarette zwischen ihre dick geschminkten Lippen und inhalierte tief.

»Nein«, murmelte er.

»Mann... ich will überhaupt keinen Laden. Ich will überhaupt nichts.«

»Nichts? Über kurz oder lang wirst du doch irgendwas müssen, glaube ich.«

»Nein. Über kurz oder lang will ich überhaupt nichts.«

»Liebes, du bist gerade vierundzwanzig geworden!«

»*So what*? Glaubst du ehrlich, daß ich mir Sorgen mache über meine Zukunft? Ich werde doch keine Dreißig... ach ja, vielen Dank noch für das Geld.«

»Sag so was nicht, Miriam.«

Asche fiel auf den Fußboden. Sie schaute hinunter und fegte die Asche mit der scharfen Spitze ihres Stiefels fort. Sie lehnte immer noch am Türpfosten.

»Herr Hoffman... hast du ein bißchen Geld für mich?«

»Ist es schon alle?«

»Ja, hey Mann, glaubst du etwa echt, daß man von fünfzehnhundert Gulden hier leben kann?«

Er hatte ihr zum Geburtstag einen Scheck über diesen Betrag geschickt, vor gut einem Monat, und sie hatte offenbar schon alles weggespritzt.

»Wieviel brauchst du?«

»Tausend?«

Sie kaute an einem Nagel, sah ihn nicht an.

»Miriam, wir haben dir gerade fünfzehnhundert geschickt.«

»Zu meinem Geburtstag, ja.«

»Wozu brauchst du es?«

»Nur so... Miete bezahlen.«

»Warum gehst du nicht arbeiten?«

»Es gibt keine Arbeit.« Sie betrachtete weiter ihre Fingernägel.

»Und du bezahlst die Miete nicht.«

Sie sah mit flammenden Augen auf und sagte: »Soll ich vielleicht auf den Strich gehen oder so? Willst du lieber, daß ich das mache?«

Sie gingen essen, das heißt, er aß und sie nahm ein paar Löffel Suppe. Am nächsten Tag gab er ihr das Geld, im Hauptbahnhof von Amsterdam. Bei diesem letzten Treffen war sie gehetzt, nervös, ungeduldig. Sie riß ihm den Umschlag aus der Hand und zählte schnell das Geld. Mit tiefen Zügen rauchte sie ihre Zigarette zu Ende und ging dann weg. Sie hatte ihre Uniform an.

Hoffman knöpfte sich das Hemd zu, das zum Smoking gehörte, ein Hemd, dessen Knöpfe unter einer Knopfleiste versteckt waren. Die Manschetten mußten umgeschlagen werden, und es fiel ihm immer ziemlich schwer, die goldenen Manschettenknöpfe durch die Löcher gleichzeitig zu stecken. Seine Finger waren alt und dick.

Die Fotoalben hatte er im Haus in Vught wiedergefunden. Nach dem Begräbnis war er mit Marian dort hingefahren. Ihre Tochter hatte sich selbst überall herausgeschnitten. Marian wollte nicht im Haus bleiben, deshalb nahmen sie sich ein Zimmer im Hotel Central in Den Bosch.

In dem leerverkauften Haus hatte er durchsichtige Plastikteile gefunden. Er wußte nicht, was sie zu bedeuten hatten, dachte, sie gehörten zu den Dingen, die sie spritzte und rauchte, und hatte die blauen und orangefarbenen Teile weggeworfen. Er kapierte jetzt, daß es Filter waren. Überreste von den Filmaufnahmen, die in diesem Haus für »Ardenner Schinken« gemacht worden waren. Er durfte Marian nichts davon erzählen.

Er hatte Polak zu Hein Daamens Lagerhalle in Den Bosch kommen lassen. Sie hatten die dreiundvierzig Bilder in einen Lieferwagen geladen, wobei er wie ein Ochse schwitzte, und Polak hatte ihm die Schachtel mit fünf Filmdosen übergeben.

»Das läuft alles nicht durch die Bücher, was, Hoffman?«

Natürlich, wie sollte sein Steuerberater in Den Haag diese Ausgabe verbuchen? »Ankauf Negativ Pornofilm, worin die Tochter selig des Herrn F. Hoffman sich zwischen die Beine schauen läßt.«

Nachdem er in Den Bosch gewesen war und die letzte Kopie des Films bekommen hatte, eine Schachtel voller Schande, hatte er noch schnell Wim Scheffers im Büro angerufen.

»Verzeih mir, Wim.«

»Schon gut. Verzeih mir auch, bitte.«

»Ich verzeihe dir.«

»Es tut mir leid, Felix. Ich hätte es dir nicht sagen sollen.«

»Der Film existierte, ob ich das nun wußte oder nicht.«

»Ich könnte mich ohrfeigen.«

»Jetzt weiß ich es. Wenn man es einmal weiß, dann kann man es nicht mehr nicht wissen. Was machst du heute abend?«

»Ich lade dich ein, Felix.«

»Ah, Wiedergutmachung, was?«

»Sieht das so aus?«

»Beinahe. Aber laß es mich wiedergutmachen. Hab ich dir weh getan, Wim?«

»Na ja. Ich hatte Prügel nötig, weißt du.«

Hoffman öffnete den Schrank und suchte nach einer

Fliege. Er hatte eine ganze Schachtel voll von diesen Dingen. Vor ein paar Jahren hatte er bei Saks in New York ein dunkelblaues Halstuch gekauft, ein gewagtes Ding mit gelben Punkten. Er hatte viele Komplimente dafür bekommen. Heute abend würde er es wieder tragen.

Dieser italienische Empfang war das erste große Fest, an dem er hier teilnahm, abgesehen von seinem eigenen Empfang natürlich, der aber, gut holländisch, eher bescheiden ausgefallen war.

Einen Monat war es her, daß er den Film gekauft hatte, und die wenigen Bilder, die er davon gesehen hatte, flimmerten ihm den ganzen Tag vor den Augen. Er hatte versucht, sich bewußtlos zu saufen. Eine Woche lang hatte er sich jede Nacht nach seiner Rückkehr mit Wodka volllaufen lassen. Jede Nacht kam der Punkt, an dem der Alkohol seine Speiseröhre zu sehr reizte und der Weg zum WC plötzlich zu weit war. Sein Magen hatte sich auf den Küchenfußboden entleert.

Wie sollte man vergessen, wenn man nicht schlief? Man vergaß nur, wenn man sich selbst vergessen konnte. Er wünschte, er könnte die Maschine in seinem Kopf endlich abstellen. Im Kopf hörte er ununterbrochen eine ruhelose Stimme. Diese lästige Stimme erinnerte ihn an Esther und Miriam und an alles, was sein Leben in ein Labyrinth verwandelt hatte. Es war seine eigene Stimme, soviel war ihm schon klar, und ohne diese Stimme wäre er tot, aber: diese Stimme hielt einfach ihren Mund nicht und jammerte *die ganze Zeit* über *alles*, was er *nicht* hören wollte.

Der Film, den er im Haager Sexkino gesehen hatte, steigerte seine Fähigkeit, sich selbst widerwärtig zu finden, ins

Unermeßliche. Denn er hatte beim Anblick von Miriam nicht nur geweint – er hatte gespürt, wie sich innerhalb von hundert Sekunden eine schreckliche Erregung in seinem Schoß ausbreitete und ihn wie einen kranken Voyeur auf seine Tochter starren ließ. Er war aufgestanden und hatte taumelnd den Ausgang gesucht. Angewidert.

Der Abscheu vor dem, was er gesehen hatte, war nicht rein. Miriam entblößte sich in ihrer verborgensten Nacktheit, und er hatte die Hände vor die Augen geschlagen und zwischen den Fingern hindurchgeschaut. Verbotene Bilder, die er trotzdem sehen wollte.

Sie weckten in ihm eine grobe, tierische Geilheit. Aber das Tabu richtete sich drohend vor ihm auf und bestrafte ihn mit Peitschenhieben, die ihm mitten durch die Seele zitterten. Ein Vater durfte seine Tochter so nicht sehen. Er verspürte biblische Scham.

Er mußte sich reinigen. Seinen Verstand, seine Seele, seinen Körper. Aber er wußte, daß er die Kraft dazu nicht hatte. Lieber vergiftete er sich selbst. Wenn seine Kinder kein Recht auf Leben hatten, dann er schon gar nicht. Sein Herz schlug aber weiter, und seine Lungen nahmen Sauerstoff auf, und er konnte hören und sehen, und sein Körper funktionierte immer weiter, während die Knochen seiner Kinder in der Erde von Zwolle zerkrümelten. Er hatte kein Recht auf Leben, aber er konnte ihm auch kein Ende setzen. Was seinen Kindern genommen worden war, durfte er nicht leichtsinnig wie etwas Wertloses wegwerfen.

Er traute sich nicht mehr an Spinoza heran. Er hatte sich mit der *Abhandlung* vergnügt und zur gleichen Zeit irgendwo in seinem Hinterkopf das Verlangen gespürt, die Ideen des Philosophen ganz genau kennenzulernen und ins Herz zu schließen. Aber selbst das Recht, irgend etwas zu lieben, hatte er verspielt.

Er setzte sich aufs Bett, um seine neuen Lackschuhe mit einem Schuhlöffel anzuziehen. Seine Füße waren geschwollen, und das Leder spannte schmerzhaft über den Zehen. Er mußte die Schuhe richtig einlaufen, sonst konnte er sie niemals problemlos tragen. Zusammen mit einem neuen Smoking hatte er sie vor seiner Versetzung nach Prag gekauft. Neue Schuhe für die neue Arbeit. Er hatte sie in Waalwijk bestellt, bei Greve, dem besten Schuhmacher der Welt. Er vertrat das Königreich. Er war derjenige, der die Ehre des schlauen Handelsvölkchens an der Nordsee verteidigen mußte. Und er dachte, er könne dies am besten tun, indem er heute abend seine neuen niederländischen Schuhe trug.

Er erinnerte sich an die Lehren seiner Mutter: »Achte immer auf die Haare und die Schuhe, Felix, denn daran erkennt man Bildung. Deine Haare sind gewaschen und geschnitten, weißt du, warum? Weil du damit zeigst, daß du deinen Kopf und deine Gedanken rein hältst. Und du trägst Schuhe, weil du kein Vieh bist, aber vergiß nicht: Die Schuhe sind geputzt, weil du Ehrfurcht vor der Erde hast.«

Er hatte Ehrfurcht vor der Erde, denn in der Erde lagen seine Kinder. Er hatte auch Ehrfurcht vor der Luft, denn in der Luft schwebte der Staub seiner vergasten Eltern.

Mühsam band er sich die Schnürsenkel zu. Er war schwerfällig, und die Jahre machten sich bemerkbar.

Seine Eltern hatte er zum letztenmal gesehen, als er im Frühjahr 1942 den Schweinezüchter auf dessen Hof bei Boxtel begleitete.

Dieser Bauer, Van de Pas, war Kunde bei der »Judenbank«. Seine Familie war ursprünglich von vornehmer Brabanter Herkunft, aber der Reichtum war versoffen und die Ländereien verhökert. Bauer Eduard van de Pas war der letzte Nachfahre, ein introvertierter Mann, ein Sonderling, der mit seinen Tieren redete und neue Zuchtmethoden für sie entwickelte, sie aber mitleidlos schlachtete, wenn er Fleisch brauchte. Er las Rilke und brannte seinen eigenen Schnaps, mit dem er sich betrank, bis er schielte.

Hoffmans Vater kannte ihn schon seit Jahren und schlug ihm einen Handel vor: Versteckst du meinen Sohn, streiche ich deine Schulden. Van de Pas hielt sich an die Abmachung. Er gab dem Jungen zu essen, gab ihm einen Platz zum Schlafen und hielt ihn warm.

Zweieinhalb Jahre blieb Felix versteckt. Er las die Bücher des Bauern, ohne sie zu verstehen. Nachts lag er weinend auf einer Strohmatratze.

Seine Eltern hatten ihn verstoßen. Sie hatten ihn zu diesem Bauern verbannt, um selbst irgendwo anders ein Versteck für sich zu suchen. Auch wenn sie ihm ein paar Dutzend Mal erklärt hatten, daß es sicherer war, wenn er allein irgendwo untertauchte (er stellte sich einen Keller vor, tief unter der Erde, feucht und dunkel), begriff er doch nicht, warum er nicht mit ihnen gehen durfte. Er wurde dreizehn bei diesem Bauern, aber zwischen den Schweinen konnte er nicht Bar Mizwah feiern.

Nicht seine Mutter, sondern sein Vater hatte geweint, als Van de Pas ihn mitgenommen hatte. Sie verabschiedeten sich an der Küchentür. Seine Mutter sagte: »Es dauert nicht lange, Felix. Vielleicht nur ein paar Wochen. Dann kommst du wieder nach Hause.«

»Wohin geht ihr?« hatte er voller Angst gefragt.

»Besser, du weißt es nicht«, sagte seine Mutter.

»Aber ich bin euer Kind!« rief er empört.

»Trotzdem, es ist sicherer, wenn du es nicht weißt.«

Er schluchzte vor Verzweiflung.

»Wann sehe ich euch wieder?« fragte er.

»Sehr bald«, sagte sie. Sie küßte ihn.

Sein Vater reichte ihm den Koffer.

»Hier.«

Felix versuchte mit beiden Händen, den Griff zu zerkneten.

»Papa, ich will aber nicht...«

»Du mußt, mein Junge, glaub mir. Du wirst wohl Heimweh haben, diese Woche, aber später... ich weiß, du wirst dann einsehen, daß es besser so war.«

Van de Pas nahm ihm den Koffer aus der Hand.

»Komm, dieser Koffer ist zu schwer für dich«, sagte er.

Seine Eltern küßten ihn beide gleichzeitig auf die Wangen, links und rechts.

»Jetzt mußt du gehen, Felix«, sagte seine Mutter.

Van de Pas sagte: »Egal, was passiert, ich bringe euch den Jungen gesund und munter zurück.«

Und dann sah Felix, daß sein Vater nicht mehr an sich halten konnte und anfing zu weinen. Seine Mutter schlang schützend ihre Arme um seinen Vater und sagte gequält zu ihrem Sohn: »Geh jetzt, Felix, geh jetzt. Nehmen Sie ihn mit, Herr Van de Pas.«

Der Schweinezüchter schob ihn mit seinen schmutzigen Händen zur Tür hinaus, und das letzte, was er von seinen Eltern sah, war der Trost, den seine Mutter seinem Vater spendete, ihre Arme um seinen Körper, seinen Kopf auf ihrer Schulter.

Bei Van de Pas hatte er mitten unter den unreinen Tieren gelebt. Nach ein paar Wochen wusch er sich nicht mehr, genau wie der verrückte Bauer, der ihm dort zu essen gab. Der Mann trank seinen giftigen Kornschnaps und sprach mit seinen Tieren. Abends saß er hinter verdunkelten Fenstern beim Schein einer gelben Petroleumlampe und las Rilke, Morgenstern, Hölderlin – Dichtung aus dem Grenzgebiet zum Wahnsinn. Er gab die Bücher auch dem jungen Juden, und Felix las zwischen den schwarzen Fingerabdrücken von Van de Pas die dunklen Worte, die er nicht verstand:

Der Tod ist groß
Wir sind die Seinen
Lachenden Munds.
Wenn wir uns mitten im Leben meinen
Wagt er zu weinen
Mitten in uns.

Bis Ende 1944 lebte Felix im Schatten des langen, schmutzigen Mannes, der etwas betrauerte, wofür er ein Gedicht suchte.

Felix war verflucht. Er wußte nicht, wo seine Eltern waren, und er las Worte, die zu groß waren für seine Augen.

Er schlief auf einer mit Stroh gefüllten Matratze, und tagsüber half er dem Bauern, war dabei, wenn der ein schreiendes Schwein in die Küche trieb und ihm die Kehle durchschnitt. Die Eingeweide lagen sauber und dampfend in der Bauchhöhle, der Schädel wurde mit einem Beil gespalten, und alles wurde gegessen, sogar die Füße.

Seine Eltern hatten ihn verstoßen, und selbst als die Kanadier schon da waren, konnte er das Gefühl nicht abschütteln, daß er verurteilt war. Seine Eltern würden kommen und ihn abholen, behauptete Van de Pas, aber niemand erschien auf dem Hof, und die Monate gingen dahin. Er wartete und wartete und fragte sich, ob er eine Rettung durch seine Eltern, ihre Verzeihung und Sorge, eigentlich verdient hatte, und tief im Herzen wußte er, selbst wenn er nicht begriff warum, daß er etwas Schreckliches versäumt haben mußte, als Van de Pas ihn mitgenommen hatte in eine Welt von sterbenden Schweinen und Gedichten voller Angst. Als es ihn schließlich wieder nach Den Bosch trieb, krank vor Hoffnung und Scham, sah er, wie der eisige Wind durch ihr Haus an der Hekellaan blies. Hein Daamen hatte ihn gerettet.

Felix hatte es überlebt, er war aus der Verbannung zurückgekehrt und konnte Hugo von Hofmannsthal und Stefan George aus dem Gedächtnis aufsagen, aber er wußte, es war nicht *besser so*.

Er zog die Smokingjacke an und betrachtete sich im Spiegel. Ein etwas dicklicher, arrogant wirkender Vertreter des Establishments. Das glänzende Äußere einer schwarzen Seele.

Sonnema, der junge Stellvertreter in der Botschaft, würde auch zum Empfang kommen. Er sollte erst noch in der Kanzlei vorbeigehen und schauen, ob Den Haag geantwortet hatte. Die Tschechen wollten bei Philips Computer kaufen, die Tri-z, die noch nicht unter das Embargo fielen, das die Nato über Instrumente und Maschinen verhängt hatte, die auch für militärische Zwecke verwendbar waren.

Er ging nach unten, und als er auf die letzte Stufe trat, kam Marian aus dem Salon. Sie trug ihr langes schwarzes Abendkleid. Jana wartete in der Halle.

»Ich mach das schon«, sagte er zu Jana.

Marian drehte ihm den Rücken zu, und schweigend half er ihr in die leichte Sommerjacke.

Ihr Haar war noch immer dunkelbraun, bis auf eine einzige graue Locke, einen hellen Streifen, der ihr über die Stirn fiel, Zeichen dafür, daß sie älter war, als sie aussah. Sie war sehr gepflegt, und nur von ganz nah erkannte man ein zartes Netz von Falten. Etwas fülliger war sie als vor zehn Jahren, die Haut unter ihrem Kinn schlaffer geworden, aber ihre Augen waren noch groß und klar, sie bewegte sich graziös und kleidete sich mit Geschmack. Er hatte sie schon seit Jahren nicht mehr nackt gesehen, und er fragte sich, ob er einschlafen könnte, wenn er im Bett in ihren Armen liegen würde.

Er streichelte kurz ihre weiche Schulter, als sie in die Jacke geschlüpft war, und schlug sich die Frage aus dem Kopf. Sie warf ihm ein Lächeln zu, als grüßte sie auf einem Empfang einen entfernten Bekannten.

Der Chauffeur wartete schon in der Vorhalle. Er hieß Boris, ein hagerer Mann mit eingesunkenen Wangen und mageren Händen. Trotz der Hitze trug er seine Schirmmütze. Er hatte sie immer auf, auch wenn sie ihm bis auf die Ohren rutschte und seine erloschenen Augen in ewige Finsternis hüllte. Sonnema behauptete, auch dieser Mann stünde auf der Gehaltsliste der Tschechischen Staatspolizei, jeder Einheimische, der bei einer Botschaft das Telefon annahm oder einen Diplomaten im Auto herumfuhr, war ein Mitarbeiter der Geheimen Staatspolizei. Hoffman konnte das nicht beurteilen, und wenn er ehrlich sein sollte, waren ihm diese Dinge höchst gleichgültig.

Sonnema hatte ihn in aller Kürze informiert über den HSR, über Hlavni Sprava Rozvedsky, den tschechischen Nachrichtendienst, eine Unterabteilung des Innenministeriums, der sich mit Spionage und Spionageabwehr befaßte. Der HSR hielt ein wachsames Auge auf das Diplomatische Corps, und seine Tätigkeit überschnitt sich mit der einer anderen Ministerialabteilung, dem Landesnachrichtendienst oder FSZS, der Dachorganisation für Innere Sicherheit im Land und für die Politische Polizei. Sonnema behauptete, daß dieser Chauffeur, ein schweigsamer Mann mit unauffälligen Bewegungen, ein FSZS-Agent war. Hoffman und Boris schwiegen sich so intensiv an, daß es nicht so aussah, als würde der Chauffeur die Geheimnisse des Königreiches rasch aus dem Botschafter herauskitzeln.

Hoffman saß neben Marian auf dem Rücksitz des Mercedes, und trotz der Klimaanlage roch er ihr Parfum.

»Welches hast du benutzt?« fragte er.

»Estée Lauder. Gefällt es dir nicht?«

»Doch. Sehr sogar.«

Sie lächelte. Der Wagen donnerte über das Kopfsteinpflaster. Es dämmerte schon, aber die Straßenlaternen waren noch nicht an, man wollte Elektrizität sparen. Skodas, Ladas und Trabis füllten die Straßen, volle Straßenbahnen schaukelten auf unebenen Gleisen, alte Motorräder der Marke Jawa ächzten unter dem Gewicht ihrer Fahrer in dünnen Sommerhemden.

Hoffman blickte in Marians Gesicht, das im Scheinwerferlicht der entgegenkommenden Autos aufleuchtete, und er fühlte, wie Schuldgefühle sein Herz einschnürten wie ein zu enger Jutesack.

»Du hast eine hübsche Frisur«, sagte er.

Sie nickte unbehaglich und sah ihn nicht an. Es war Ewigkeiten her, seit er ihr zuletzt solche Komplimente gemacht hatte, eigentlich seit Miriams Tod nicht mehr.

»Wie kommt es, daß ich grau bin, und du hast noch deine Naturfarbe?« fragte er.

Sie schüttelte den Kopf und warf ihm einen überraschten Blick zu.

»Das kommt, weil du Sorgen hast, und ich keine.«

»Ja?« sagte er.

»Nein, natürlich nicht. Hast du wirklich gedacht, daß das meine Naturfarbe ist? Noch so schön in meinem Alter?«

»Könnte doch sein, oder?«

»Komm, Felix, sei nicht so naiv.«

»Hast du es gefärbt?«

»Natürlich.«

»Und seit wann?«

»Seit... seit ich weiß nicht mehr wann.«

»Und diese weiße Locke?«

»Das ist meine echte Farbe. Genau wie bei dir.«

Was wußte er noch von seiner Frau? Ab und zu erzählte sie etwas über Vondel und die vielen Jahre, die ihre Untersuchung noch dauern würde, sie machte kurze Reisen nach Holland, um im Reichsarchiv und in der Königlichen Bibliothek in Den Haag zu arbeiten, sie hatte in vielen Ländern Bekannte, die sie manchmal besuchte oder die zu ihr kamen und sie besuchten, sie war Bestandteil jenes Diplomatenfrauenkreises, der überall auf der Welt eine Insel westlicher Zivilisation aufrechterhielt: miteinander Tennis spielen, golfen, Rezepte austauschen, die Nationalfeiertage vieler Länder feiern, fremdgehen, aber mehr wußte er nicht.

Marian und Felix waren durch ihre Kinder aneinandergeschmiedet. Zwar waren die Kinder tot, aber das hatte die Kette nur gehärtet. Der Tod hatte sie zueinander verurteilt, und nichts konnte dieses Urteil aufheben. Er wußte nichts von seiner Frau. Und er gestand sich ein, daß er nicht den Mut hatte, mehr von ihr zu erfahren, als daß sie ihr Haar färbte.

Die italienische Botschaft befand sich dicht hinter der niederländischen in einem neubarocken Palais. Er schüttelte dem Botschafter die Hand, einem Schwulen mit zartem Händedruck, er schüttelte auch dessen Frau die Hand, einer häßlichen Kuh mit verschmiertem Lidstrich, und geleitete Marian über das blanke Parkett in einen vollen Saal. Dort war es glutheiß.

Schwitzende Herren im schwarzen Smoking und schwitzende Damen im langen Abendkleid, höflich mit einem Glas in der Hand konversierend, standen Schulter an Schulter unter wollüstigen Kronleuchtern. Ein versteinertes kleines Salonorchester in der Ecke gab Klassik zum besten, aber die Gespräche übertönten die Saiten.

Links stand ein langer Tisch mit Tellern und Schüsseln. Ein *forkbuffet*, sah Hoffman sofort, man konnte die Speisen nur mit der Gabel essen: Salate, Pâtés, Ossobuco, Pürees und Pasta. Aber er hatte schon gegessen. Dunkle Männer in eng sitzenden Westen mit Kupferknöpfen zeigten breit lächelnd ihre weißen Zähne und waren beim Buffet behilflich. Aufgeregt trippelten die zurechtgemachten Diplomatenfrauen auf hohen Absätzen hin und her.

Hoffman reichte Marian ein Glas Champagner und nahm selbst ein Glas Wodka. *Freddo*.

»Wie findest du es hier?« fragte sie.

»Ach...«, sagte er. Er hatte dazu keine Meinung. Sollten die Italiener nur machen.

Der Wodka strömte in seinen Mund und steckte dort alles in Brand. Dies war der stärkste Wodka, den er je getrunken hatte. Er nahm sofort ein zweites Glas.

»Paßt du ein bißchen auf, Felix?« sagte sie besorgt.

»Immer«, sagte er. »Wie findest *du* es hier?«

»Schön. Italiener haben Geschmack.«

»Der Botschafter ist schwul.«

»So? Woher weißt du das?«

»Das sieht man«, sagte er. Er stürzte den Wodka hinunter.

»Wenn du so weitermachst, bin ich in fünf Minuten weg«, drohte Marian.

»Tu, was du nicht lassen kannst«, sagte er und winkte dem Barmann für ein *refill*.

»Ancora«, zeigte er an.

Marian drehte ihm aus Protest den Rücken zu.

Johan Sonnema, der Star der Botschaft, ein baumlanger Junge mit großem blondem Kopf und Nickelbrille, tauchte an seiner Seite auf. Sonnema war Historiker und veröffentlichte ab und zu im NRC-Handelsblatt eine Rubrik »Unter uns gesagt«.

Seine breite rechte Hand umschloß die Finger eines ungefähr achtjährigen Mädchens. Sie schaute mit fiebrigen Augen auf die Smokings und Abendkleider. Ihr Haar war lang und blond und reichte bis zur Taille, zwei rote Schleifen steckten über den Ohren. Der Schweiß glänzte unter ihren Augen.

»Hallo, Chef«, ertönte Sonnemas tiefe Stimme.

»Die haben hier einen erstklassigen Wodka, Junge.«

»Gib mir auch mal einen, Chef. Gewagter Binder.«

»Aus Amerika«, erklärte Hoffman.

Sonnema entdeckte Marian und tippte ihr vorsichtig auf die Schulter.

»Frau Hoffman …«

Sie lächelte und sah das Kind.

»Ist das Ihre Tochter, Herr Sonnema?«

»Jorinde, gib Frau Hoffman die Hand«, sagte er. Kokett hielt das Mädchen ihr die Hand hin.

»Heißt du Jorinde?« fragte Marian.

Hoffman erhaschte ihren Blick und drehte sich zur Bar um, während bitterer Kummer ihm in den Augen brannte. Der italienische Barmann nahm sofort die Flasche Stolichnaya zur Hand und füllte erneut sein Glas. Hoffman deutete auf Sonnema, und der Italiener stellte ein zweites Glas daneben. Hoffman trank und sagte über die Schulter: »Was möchte deine Tochter, Sonnema?«

»Jorinde?«

»Cola«, sagte sie und schaute verlegen zur Seite.

»Cola«, wiederholte Hoffman für den Barkeeper.

Hinter ihm sprach Marian mit dem Kind. Er hörte, wie das Mädchen antwortete. Sie war bei Papa zu Besuch, sagte sie mit einer hellen, jungen Stimme, ihre Mutter lebte in Holland mit einem anderen Herrn. Sonnemas Stimme dröhnte in tiefem Baß: »Wir sind seit vier Jahren geschieden. Jorinde wohnt bei ihrer Mutter. Aber so oft es nur geht, sind wir beisammen, was, mein Schatz?«

Hoffman merkte plötzlich, daß er nie mit Kindern sprach. Seine Arbeit brachte ihn kaum mit Menschen unter fünfunddreißig in Berührung, und er wußte, daß er sich in einen melodramatischen Clown verwandelte, wenn er einem achtjährigen Mädchen begegnete.

»Hier«, sagte er und reichte dem Mädchen das Glas. Seine Hand zitterte. Cola schwappte über.

»Pardon«, sagte er.

Das Mädchen sah sein Zittern und umklammerte ihr Glas mit beiden Händen. Mißtrauisch sah sie zu ihm auf.

Sonnema machte den Barmann auf die Colaflecken auf dem Parkett aufmerksam, und Hoffman fühlte Marians kühlen Blick. Er drehte sich fragend zu ihr um, als ob er nicht kapierte, daß ihr stiller Groll durch seine Sauferei verursacht wurde. Er reichte Sonnema das Wodkaglas.

»Trinken Sie noch etwas, Frau Hoffman?« fragte Sonnema.

»Nein danke, ich habe noch«, antwortete sie reserviert.

»Was Neues vom Affenfelsen?« wollte Hoffman von Sonnema wissen.

Dieser prostete ihm mit dem erhobenen Glas zu und nippte an seinem Wodka. Er nickte.

Marian begriff den Wink und zog sich zurück. Eine Frau, die Hoffman nicht kannte, sprach sie an, eine attraktive Frau um die dreißig. Einer der Italiener putzte schnell die Colaflecken weg.

»Vor zwei Stunden kam ein Codebericht. Und zwar nein. Ein deutliches Nein. Die Ablehnung war natürlich vorherzusehen. Die Apparate scheinen Einzelteile zu haben, die doch auf der Liste stehen.«

»Glaubst du, daß die Tschechen darauf reagieren?«

»Solche Ablehnungen kriegen sie praktisch jeden Tag, und wenn sie sich dafür rächen wollten, dann hätten sie viel zu tun.«

»Warum bestellen sie sie dann überhaupt?« fragte Hoffman und schaute Sonnemas Tochter an, die mit großen Augen zu ihm aufsah.

»Sie probieren es eben. Es kommt immer wieder vor, daß eine Bestellung doch irgendwie durchrutscht. Sie wissen, daß wir keine wasserdichte Verwaltung haben, und ab und zu kriegen sie so einen Computer zu fassen.«

Sonnema hob plötzlich einen Finger und beugte sich zu seiner Tochter hinab.

»Hörst du?« fragte er lächelnd.

Das Mädchen nickte, die seidenen Haarschleifen schaukelten.

»Und was ist es?«

»Mozart«, sagte sie bestimmt.

»Jorinde spielt Geige«, sagte Sonnema, »sie hat sie mitgebracht, sie will jeden Tag üben.«

Sein Gesicht glühte vor Liebe zu seinem Kind. Er konnte seine Gefühle nicht im Zaum halten, beugte sich hinunter und küßte das Mädchen hingebungsvoll auf die Stirn.

Während ihm das Blut in den Schläfen klopfte, wandte Hoffman den Blick ab. Er sah, daß Marian noch immer mit der Frau sprach. Die Frau warf ihm einen flüchtigen Blick zu und lächelte. Er lächelte zurück.

»Wer ist diese Frau, Johan?«

»Welche?«

»Die da bei meiner Frau steht.«

Gemessen und nonchalant schaute Sonnema sich um. Hoffman folgte seinem Blick, und niemand hätte sagen können, daß er gezielt die Gesprächspartnerin von Marian im Visier hatte.

»Was für eine schöne Frau«, sagte Sonnema bewundernd.

»Kennst du sie?«

»Ist das nicht die Dame von *Rude Pravo*?«

»Journalistin?«

»Ja, ich glaub schon. Ich kenne sie nicht, nein, aber ich hab ihr irgendwo schon mal die Hand geschüttelt.«

»Jetzt kommt noch ein Mann dazu«, sagte Hoffman, der freie Sicht auf die Frau hatte.

Sonnema drehte sich wieder um.

»Jiri Hladky. Redakteur bei *Rude Pravo*. Also ist sie es wirklich.«

»Wie heißt sie?«

»Weiß ich nicht mehr. Ich geh eben auf die Toilette. Paßt du auf Jorinde auf, Chef?«

Hoffman nickte. Das Mädchen hielt das Glas fest umklammert und schaute ihrem Vater nach, dessen erhitzter Kopf über den Köpfen der Gäste tanzte. Hoffman konnte sie nicht aus den Augen lassen. Er bekam vom Barmann ein neues Glas Wodka und sammelte Kraft. Er wischte sich die Hitze von der Stirn. Er fragte Sonnemas Tochter, wo sie wohnte, wich ihren Augen dabei aus.

»In Deventer«, sagte das Mädchen.

»In welche Klasse gehst du?«

»Ich komme in die vierte.«

Hoffman suchte nach einer Frage, es fiel ihm aber keine ein. Obwohl er sah, daß das Glas in ihren Händen noch halb voll war, fragte er sie: »Möchtest du noch etwas trinken?«

»Ich hab noch«, sagte sie und hob das Glas in die Höhe, um es ihm zu zeigen. Er nickte.

»Sprudelt es auch noch genügend?«

»Ja.«

Er glaubte jetzt eine Frage gefunden zu haben. »Was naschst du gerne?«

Das Mädchen begann nervös zu kichern.

»Warum lachst du?«

Sie hob die Schultern.

»Es ist eine komische Frage.«

»Ja?«

»Wer fragt denn so was? Erwachsene fragen so was nie.«

»Aber ich schon. Was naschst du am liebsten?«

»M &M's. Und Lakritz und Negerküsse, aber normales Mittagessen mag ich auch. Und Sie?«

»Ich? Ich mag Bärenohren und Schlangenbeinchen...«

»Schlangen haben keine Beine.«

»Nein? Die kauf ich doch immer beim Metzger. Heißt das, daß der Metzger mir einen Bären aufbindet?«

»Sie wissen ganz genau, daß Schlangen keine Beine haben.«

Sie taxierte ihn mit ironischem Blick, intelligent und erwachsen.

»Ach, ich hab nur einen Witz gemacht«, sagte er. »Ich mag alles.«

»Wirklich alles?«

»Ich glaube schon, ja.«

»Auch... Krokodil?«

»Ja. Hab ich schon mal gegessen. In Afrika. Es ist ziemlich festes weißes Fleisch. So ähnlich wie Truthahn. Hast du schon mal Truthahn gegessen?«

»Zu Weihnachten«, sagte sie. »Und Menschenfleisch?«

»Das hab ich mal gegessen in... ich glaube, es war in Timbuktu.«

»Nee«, sagte sie mit angeekeltem Gesicht, »das glaube ich nicht!«

»War nur ein Spaß.«

»Haben Sie auch Kinder?«

Er schüttelte verkrampft den Kopf.

Der Barmann bot von sich aus einen *refill* an. Hoffman fragte sich, wie viele Gläser er schon getrunken hatte, er hatte aufgehört zu zählen.

»Nein, nein, ich habe keine Kinder, nein, nein«, sagte er.

Sie betrachtete ihn forschend.

»Warum tun Sie so komisch?« fragte sie.

»Ich tu komisch?« sagte er.

»Ja. Sie tun komisch«, wiederholte sie mißbilligend.

»Ja? Vielleicht wirklich«, murmelte er. Er setzte das Glas auf dem Tisch ab. Er wußte, daß er betrunken war. Sonnema näherte sich, er ragte zwei Köpfe über den Rest der Gesellschaft. Das Mädchen blickte erleichtert zu ihrem Vater auf, der ihr vertraulich die Hand auf die Schulter legte.

»War sie brav, Chef?«

»Ja, ja«, antwortete Hoffman schüchtern.

»Gehen wir jetzt alles anschauen, Papa?« fragte das Mädchen.

»Natürlich, Kleine.«

Hoffmans Magen revoltierte, und durch die Speiseröhre stieg ihm ein saurer Kloß in den Hals. Er spannte seine Halsmuskeln und hielt mit Anstrengung den Mund geschlossen.

»Entschuldige«, zischte er zwischen den Zähnen.

Da und dort nickte er einem Gesicht zu, das er auf seinem eigenem Empfang gesehen hatte. Mit verkniffenem Mund fragte er einen der italienischen Kellner nach dem WC und suchte im hellerleuchteten Gang nach der richtigen Tür. *Lavabo* las er.

Er kam in einen strahlend weißen Vorraum, in dem zwei schwarze Ledersofas standen. »Herren« war rechts. Hinter der Tür befand sich ein Raum mit Spiegeln und Waschbecken und drei Toiletten. Er probierte die Klinke der mittleren Tür, aber die war verschlossen. Die linke Tür gab nach. Noch bevor er seine Smokingjacke ausziehen konnte, spritzte das Abendessen aus seinem Mund.

Er ließ sich auf den weißen Marmorboden sacken und fühlte, wie seine Knie in etwas Nassem landeten. Er übergab sich wieder und sah gelbe Flecken auf den seidenen Revers seiner Jacke landen. Er dachte an die zarten Kalbsmedaillons in Marsala und an das Kartoffelpüree mit gedünstetem Chicoree, das er heute abend gegessen hatte – halb verdaut und bis zur Unkenntlichkeit entstellt, wie sein Leben. Er grinste über soviel Metaphorik in seinem Geist, und aus seinem grinsend geöffneten Mund schoß wieder eine Ladung Magenbrei.

Er keuchte und wischte mit einem Jackenärmel die ekelhafte Substanz vom Kinn. In dieser Jacke konnte er sich nicht mehr sehen lassen, und er überlegte, ob er in weißen Hemdsärmeln in den Saal konnte. Der Gedanke überfiel ihn plötzlich: ein Eisbär zwischen Pinguinen, und er drängte sich aus dem engen Raum zwischen Kloschüssel und Türe hoch. Er hoffte, daß der Sozialismus nicht im Widerspruch stand zu einer ordentlichen Reinigung, sonst mußte er seinen Smoking nach Wien schicken. Er schob seinen Hintern etwas weiter über die Kloschüssel, um mehr Platz zu haben, und ein donnernder Furz entwich seinen Därmen.

Er öffnete die Tür und trat in den Raum mit den Waschbecken. Dort stand ein Diplomat und wusch sich die Hände.

Der Mann sah ihn im Spiegel näherkommen und erstarrte, als Hoffman neben ihm den Wasserhahn aufdrehte. Es war ein großgewachsener Herr mit grauem

Schnurrbart. Ein Engländer, wußte Hoffman plötzlich, er war ihm schon einmal begegnet. Der Mann schwitzte genauso wie er, behielt aber vollkommen die Fassung. Hoffman machte aus seinen Händen eine Schale und warf sich Wasser ins Gesicht. Aber es war nicht kalt. Seine Smokingjacke wurde naß – egal. Der Engländer trat erschrokken zur Seite.

»I beg your pardon!« sagte er in vorbildlichem Oxbridge-Englisch.

Hoffman schaute ihn verblüfft an. »Oh, pardon«, sagte er.

Der Mann schüttelte mißbilligend den Kopf und spülte die Seife von den Händen.

»Herr Hoffman, warum tun Sie sich so etwas an?« sagte er mit seiner arroganten britischen Stimme.

»Wie meinen Sie, Herr äh...?«

»Trevor-Jones. Botschafter Trevor-Jones. Wir sind einander schon früher begegnet, Herr Hoffman.«

»Botschafter Hoffman-Jansen«, sagte Hoffman mit derselben Betonung.

»Man hat mich vor Ihnen gewarnt«, sagte der Engländer.

»Ach ja? Wer denn?«

»Meine Quellen, Herr Hoffman, Sie glauben doch nicht, daß ich meine Quellen aufdecke?«

Hoffman seifte ausführlich seine Hände ein, sahnig glitt die Seife zwischen seinen Fingern. Fröhlich rief er in den Spiegel: »Natürlich nicht, Herr Trevor-Jones! Natürlich decken Sie Ihre Quellen nicht auf!«

Der Mann drückte mit einem Ellenbogen den Knopf

eines Warmluftapparates und hielt seine Hände in den Luftstrom.

»Herr Hoffman... ich muß Sie an Ihre Pflichten erinnern.«

»Natürlich!« rief Hoffman in den Spiegel. »Erinnern Sie, erinnern Sie nur!«

»Sie sind eine Schande für Ihr Land«, sagte der Engländer.

Hoffman sah die Geringschätzung in dessen Augen flackern. Er ging auf den Engländer zu und fuchtelte mit einem eingeseiften Zeigefinger vor ihm herum. Der Mann wich zurück.

»Jetzt hör mir mal zu, du alter Mistkratzer. Zufällig bin ich angeheuert, um mein Land unsterblich zu blamieren, also glaub bloß nicht, daß ich die Regeln übertrete, denn zufällig bin ich hier der offizielle Hanswurst, und Schande, das ist mein Beruf.«

Trevor-Jones wich ihm aus und hastete zur Tür. Dort drehte er sich kurz um.

»Ich werde den Doyen des Diplomatischen Corps hierüber informieren«, warf er Hoffman hochmütig zu.

»Ich auch!« rief Hoffman.

Er hielt die Hände unter den Wasserhahn. Er hörte die Tür zufallen. Jetzt erinnerte er sich, daß Trevor-Jones ihn auf seiner eigenen Begrüßungsparty mit einem Besuch beehrt hatte (selbstverständlich besuchte der britische Botschafter den neuen Botschafter eines Nachbarlandes), und Hoffman hatte bei dieser Gelegenheit ein paar Worte mit ihm gewechselt, britische *understatements*, die in Hoffmans Ohren wie Engelsgesang klangen, lebendige Ironie, die die karge Rhetorik der niederländischen Diplomaten wegfegte. Es wunderte ihn, daß Trevor-Jones keinen Spaß verstand; er warf einen Blick in den Spiegel und sah sich selbst, wie Trevor-Jones ihn gesehen hatte.

Kotze klebte an seinem Smoking, an seinem Lieblingshalstuch und rund um seinen Mund, seine Haare waren in Unordnung, und erbarmungslos zeigten seine Augen die Farbe seiner Seele. Panik detonierte ihm in der Brust. So konnte er sich nicht mehr blicken lassen! Er konnte nicht mehr in den Saal zurück, er konnte nicht einmal den Gang entlang! Er taumelte zurück in das wc und schloß die Tür.

In der Schüssel lag noch der Fladen, den sein Hals ausgeschieden hatte, und er drückte auf den Knopf, womit Fortschrittler die Kette ersetzt hatten. Ein Wasserschwall spülte die Kotze weg. Er setzte sich auf die Klobrille und versuchte, seine Lage ruhig zu betrachten. Wenn er seine Jacke auszog, konnte er mehr oder weniger unauffällig das Haus verlassen, auch wenn er dem italienischen Schwulen später eine Entschuldigung für seinen plötzlichen Aufbruch übermitteln mußte. Er würde einfach sagen, daß er krank war, und er fühlte sich auch krank, sein Magen stöhnte, und heftige Krämpfe ließen ihn sich zusammenkrümmen. Plötzlicher Schmerz zuckte durch seine Glieder.

Er hatte Magenkrebs, wußte er plötzlich, endlich hatte er seinen Körper kleingekriegt. Weil er zu feige war für eine Kugel oder einen tüchtigen Strick um den Hals, hatte er diese Art von Abschied gewählt, begriff er, und der Schmerz, der von seinem Magen ausstrahlte, wurde vom Balsam der Einsicht gelindert.

Trotzdem nahm er sich vor, die Botschaft ohne weiteres Aufsehen zu verlassen. Er hatte einen Skandal provoziert, der seinen angeschlagenen Ruf vollends ruinieren konnte, und sein Körper begann mit seinen allerletzten Zuckungen; für den Augenblick reichte das wohl. Was für einen Wodka hatte er hier getrunken? Er war bis heute abend immun dagegen gewesen, hatte manchmal ganze Flaschen hinter die Binde gegossen, ohne irgendwelche Veränderungen in seiner Wahrnehmung, und plötzlich führte er sich auf wie ein Trunkenbold. Aber *war* es überhaupt Wodka gewesen, was er getrunken hatte? Auf einmal zweifelte er. Beim Abendessen um sechs Uhr hatte er eine Flasche Juliénas getrunken, und als er sich auf den Empfang vorbereitete, war er bereits im Zustand verminderter Zurechnungsfähigkeit gewesen. Er erinnerte sich, daß er sich mühsam in seinen Smoking gezwängt hatte, von Erinnerungsbildern und ziellosen Grübeleien fortgerissen, und der Wodka-Ersatz hier hatte ihm den Rest gegeben.

Mescal – warum hatte er das nicht gleich gemerkt! Die Hände fingen ihm an zu zittern, als ihm einfiel, daß Mescal gern vom FSZS verwendet wurde – zwar war es rätselhaft, warum sie ausgerechnet ihn, Felix Hoffman, packen wollten, aber wenn die Flasche, die er in der Hand des italienischen Barkeepers gesehen hatte, keinen Wodka enthielt, sondern Mescal, dann hatten sie ihm einen Skandal anhängen wollen.

Seine nervösen Finger befühlten seine glühenden Wangen. Es wurde ihm klar, daß er gerade noch rechtzeitig zum Klo gegangen war, er hatte damit einen irreparablen

Eklat verhindert, vorausgesetzt, Trevor-Jones hielt seinen Mund. Er würde ihn morgen früh anrufen.

Mescal machte einen verrückt. In Lima hatte er gesehen, wie blinde Indios in stinkenden Hütten, wo man Mescal ausschenkte, mit dem Messer aufeinander losgingen, und wie mescalbenebelte Prostituierte sich mit Hunden befriedigten.

Er hörte jemanden in den Waschraum kommen und in die Kabine neben ihm gehen. Er stand auf und öffnete die Tür einen Spalt breit. Der Waschraum war leer, und mit rudernden Armen machte er die fünf Schritte zu einem der Waschbecken. Dort hielt er sich schnell fest, um nicht zu fallen. Nachdem er seine Smokingjacke an einen Kleiderhaken gehängt hatte, griff er sich eins von den Handtüchern, die neben dem Becken lagen, hielt es unter den Wasserhahn und säuberte Mund und Kinn.

Er versuchte, die Flecken aus dem Hemd zu entfernen, aber das gelang ihm nicht, und ein großer, nasser Fleck breitete sich auf seiner Brust aus. Er kämmte sich die Haare schnell mit den Fingern und überlegte, daß er seine Jacke vor die Brust halten konnte, wenn er zum Ausgang eilte. Aber ohne Jacke konnte er nicht so lange in der Halle stehen und warten, bis Boris den Mercedes vor den Eingang gefahren hatte, also mußte er draußen ein Taxi anhalten und sich zu seiner Wohnung fahren lassen.

Er machte die Tür zum Vorraum auf und ging mit der Jacke über dem Arm zum Gang. Er fragte sich, warum Sonnema keine Probleme mit Alkohol hatte, und auf diesen Gedanken folgte ein plötzlicher Stich in seiner Brust, gleichzeitig wurden seine Fußgelenke von unsichtbaren Händen gepackt, die ihn umwarfen.

Er verlor das Gleichgewicht.

Er griff nach der Wand, fand nichts, woran seine Hände sich festhalten konnten, und fiel. Sein Körper kam auf dem harten Boden auf. Der Schmerz in seiner Brust schnürte ihm die Kehle zu, und er sah, wie die weiße Decke hinter schwarzen Flecken verschwand, hinter Luftballons, die in großer Anzahl losgelassen wurden und eine dichte Wolkendecke zwischen seinen Augen und den Spotlampen formten. Es wurde so schwarz, als würde er gleich das Bewußtsein verlieren. Eine Angst, die er aus seiner Jugend kannte, damals, als Bauer Van de Pas ihm beim Geräusch eines nahenden Autos zuschrie, er solle weglaufen, und er die Schweine beiseite schob und auf bloßen Füßen in den Wald hineinrannte und rannte und rannte – solche Angst verbreitete die messerscharfe Klinge, die jetzt in seinem Brustkasten an seinem jagenden Herzen herumkratzte. Seltsam, aber auf einmal lief er da, fühlte die Zweige unter seinen schwarzen Füßen, Dornen rissen ihm die Haut auf, und er hoffte, daß irgendwo im Wald seine Eltern auf ihn warteten und ihn mitnahmen in Papas schwarzem Packard und ihn in den Schlaf küßten und ihn bei dicken Männern an weißen Tischen zuhören ließen, und er wußte ganz gewiß, daß sie ihn trösten und ihm den Schmutz von den Händen waschen würden.

Er spürte Finger unter seinem Kinn und unter seinem Hals; jemand lockerte seine Halsbinde und machte ihm den obersten Hemdknopf auf. Er atmete tief, sog die prikkelnde Luft aus der Olivetti-Klimaanlage ein – es war doch

Olivetti, und nicht Zenith oder Goldstar? –, und seine Lungen füllten sich mit einer reichen Mischung. Süße Düfte schwebten unter seiner Nase, und er roch Parfum und den schweren Geruch von altmodischem Puder, womit sich die Frauen früher die Wangen zu schminken pflegten.

Er öffnete die Augen und sah die Silhouette einer Frau gegen das grelle Deckenlicht.

»Danke schön«, sagte er. Er benetzte sich die Lippen und streckte haltsuchend eine Hand aus. Die Frau hielt ihn fest, und er richtete sich auf.

Sie sprach ihn auf Englisch an. »Können Sie stehen?« fragte sie.

»Ja, ich glaube schon«, sagte er.

Er setzte sich aufrecht hin, den Rücken an die Wand gelehnt. Immer noch tanzten Flecken vor seinen Augen, er konnte die Frau nicht richtig sehen. Er kniff die Augen zu. Es war, als ob ihm eine brennende Zigarette ein Loch in den Magen brannte, ein glühender Schmerz reichte bis an sein Herz, und er spürte seinen Körper unter der Last von sechzig Jahren stöhnen. Es war ihm voll bewußt, daß er nichts mehr zu erwarten hatte, und daß er die Tage verbraucht hatte, die ihm gegeben waren, wenn er auch nicht wußte, von wem.

»Können Sie stehen, glauben Sie, daß Sie stehen können?« fragte die Frau.

Er nickte. Natürlich hatte er keinen Mescal getrunken. Er war magenkrank. Kein Magen konnte diese Mengen vertragen, die er in sich hineinstopfte.

Er versuchte, aufrecht zu stehen, und die Frau stützte ihn unter einer Achsel, zog ihn hoch. Die Anstrengung verschlimmerte den Schmerz. Er fühlte, wie ihm das Blut aus den Schläfen wich, und er hielt sich schwindelig an der Wand fest.

»Ich bringe Sie zu einem Arzt«, sagte die Frau.

Er schüttelte den Kopf. »Keinen Arzt«, murmelte er, »ich will nach Hause.«

»Ich helfe Ihnen«, sagte sie.

Sie führte ihn aus dem Vorraum hinaus. Er stapfte mit zugekniffenen Augen und gesenktem Kopf neben ihr her, das Licht der weißen Wände blendete ihn, und er fühlte ihren unterstützenden Arm. Sie hielt einen italienischen Kellner an und sprach italienisch mit ihm.

Behutsam wurde Hoffman in die Tiefen des Gebäudes geleitet, sie schoben ihn durch Korridore, die immer dunkler wurden, sie mußten treppauf und treppab, eine Tür schwang auf, die laue Außenluft schlug ihm entgegen, und er atmete tief ein.

Die Frau bat den Kellner, Hoffmans Chauffeur zu holen, und der Mann ließ ihn los. Hoffman hörte seine Ledersohlen auf dem Straßenpflaster klappern, als er wegrannte.

»Sie sind sehr freundlich«, sagte er zu der Frau, »vielen Dank.«

Er hielt die Augen noch immer geschlossen, als ob er sogar im Halbdunkel Angst hätte vor dem Licht. In seinen Ohren dröhnten Grillen. Er wußte nicht, wer sie war, noch wie sie aussah, kannte nur ihre sanfte Stimme und ihre unterstützende Hand.

»Sie brauchen sich nicht bei mir zu bedanken«, hörte er ihre Antwort, »glauben Sie, Sie kommen jetzt allein zurecht?«

»Ja, ja, vielen Dank«, sagte er.

»Sie sollten aber doch einen Arzt holen, Herr Hoffman«, sagte sie.

»Ja... ja, das werde ich tun«, antwortete er, »vielen Dank für Ihren Rat.«

»Ich glaube, da kommt Ihr Wagen.«

Er hörte, wie der Mercedes anhielt, und er roch die Abgase. Boris stieg aus. Er eilte auf Hoffman zu, und die Frau sagte etwas zu ihm in schnellem Tschechisch. Boris nahm ihn ihr ab. Als er den eisernen Griff seines Chauffeurs spürte und zum Auto gehievt wurde, hob Hoffman den Kopf und öffnete vorsichtig die Augen. Im Autolicht erkannte er die Frau. Es war die Journalistin, mit der sich Marian im Saal unterhalten hatte. Die Innenbeleuchtung des Mercedes reflektierte auf ihrem Gesicht, besorgt sah sie ihn mit ihren großen graublauen Augen an, ihre Lippen glänzten, üppiges blondes Haar tanzte um ihren Kopf, und sie versuchte zu lächeln, als sie merkte, daß er sie endlich anschaute.

»Geht es wirklich, Herr Hoffman?«

»Ja, vielen Dank. Sind wir uns schon mal begegnet?«

»Ich glaube nicht«, sagte sie.

»Sie wissen meinen Namen...«

»Ja...«, antwortete sie unbestimmt. Sie gab Boris die Smokingjacke, sagte schnell noch ein paar Worte zu ihm und verschwand im dunklen Gang des Botschaftsgebäudes.

Hoffman ließ sich von seinem Chauffeur ins Auto helfen. Erschöpft sank er auf den Rücksitz.

»Wie heißt diese Frau, Boris?« fragte er mit schwacher Stimme.

»Ich weiß es nicht, Herr Hoffman«, sagte der Chauffeur.

»Sie scheint Journalistin zu sein.«

»Schon möglich. Nie gesehen. Soll ich Sie zu einem Arzt bringen?«

»Nein, wir fahren zurück in die Residenz. Dreh bitte die Klimaanlage voll auf, ja?«

»Es gibt hier ein sehr gutes Krankenhaus für Diplomaten, Herr Hoffman. Wenn ich Sie wäre, würde ich mich dort mal untersuchen lassen.«

»Nein«, antwortete Hoffman flüsternd. Er war am Ende seiner Kraft. Er war niemals krank gewesen, niemals operiert worden, aber er hatte seine Gesundheit auch nie genießen können. Die Krankheiten, die er hätte kriegen können, hatten sich in seinen Kindern ausgetobt, und über sie auch in ihm ihre Spuren hinterlassen.

»Bitte fahr zum Eingang und laß meiner Frau ausrichten, daß ich gegangen bin. Sie soll an meiner Stelle die Honneurs machen...«

Boris wendete den Wagen in der engen Straße. Sie waren an der Schmalseite des Gebäudes, kein Mensch war zu sehen; Boris fuhr den Wagen zurück zum imposanten Hauptportal und stieg aus.

Auf der Rampe standen unter der italienischen und der tschechischen Flagge rotgekleidete Livreediener. Schwarze Limousinen warteten in Reihen geparkt, Chauffeure standen in Grüppchen beieinander. Zigarettenrauch wirbelte über ihren Köpfen. Hoffman krallte sich in die Armlehnen, sein Magen schien reißen zu wollen.

Er sah Boris wieder zwischen den Livrierten auftauchen, gefolgt von Marian, die suchend zu den Autos hinüberschaute. Boris wies ihr die Richtung, und Marian kam eilig zum Mercedes gelaufen.

Sie ließ sich neben ihm auf den Rücksitz fallen.

»Was ist los, Felix?« Sie strich ihm über den Kopf, er sah ihre Finger glänzen.

»Nichts, gar nichts.«

»Du siehst aus wie eine...« Sie verschluckte das Wort.

»Wie eine Leiche? Danke, sehr nett von dir...«

»Du mußt zu einem Arzt.«

»Ich gehe zu keinem Arzt.«

»Was ist denn passiert? Ich habe gehört, daß du im Klo auf dem Fußboden gelegen hast! Felix, was ist mit dir los?«

»Nichts! Nichts ist mit mir los. Ich hab Ärger mit meinem Magen, das ist alles.«

»Was verstehst du unter *Ärger*?«

»Magenkrämpfe...«

»Bist du hingefallen, oder wie?«

»Mir wurde ein bißchen schwindlig, das ist alles. Es ist schon längst wieder vorbei, glaub mir doch. Geh jetzt mal wieder rein und bitte den Schwulen, mich zu entschuldigen, und dann schick ich dir Boris wieder zurück für den Heimweg.«

»Willst du sterben, Felix?«

»Wie meinst du?« Er stellte sich dumm.

»Willst du sterben?«

»Bitte, Marian, hör auf.«

»Ich kann dich nicht festhalten«, sagte sie, »ich kann dich nicht daran hindern, so weiterzumachen.«

Unfreundlich sagte er: »Geh um Himmels willen wieder rein, ich fahre hier weg.«

Sie stieg aus. Ohne sich nach ihm umzudrehen, ging Marian zur Rampe zurück.

»Wir fahren zurück?« fragte Boris.

Der Mercedes schwebte zurück in die Residenz. Hoffman saß reglos auf dem schwarzen Leder, die Hände zu Fäusten geballt.

Jana öffnete ihm die Tür. Sie erschrak bei seinem Anblick und packte sofort mit an. Zwischen den beiden eingehängt, wankte er ins Haus.

»Sind Sie krank, Herr Hoffman?« fragte sie.

»Nein«, antwortete er.

Sie tauschte einen Blick mit Boris.

»Sollen wir Sie nach oben bringen?« drängte sie.

»Nein, ich will in die Küche.«

»Sie sollten sich wirklich lieber hinlegen«, sagte Boris, »ich ruf einen Arzt, und dann ruhen Sie sich ein bißchen aus.«

»Ich will in die Küche«, wiederholte er so bestimmt wie möglich mit zitternder Stimme. »Wenn ich dort einen Augenblick sitze, geht's mir wieder besser.«

Als er am Küchentisch saß, starrte er eine Weile völlig erschöpft auf die leere Anrichte. Das Smokinghemd klebte ihm am Rücken und an der Brust. Jana bot ihm Tee an, eine Bouillon, ein Bad, aber nichts konnte die stille Wut in seinem Herzen beschwichtigen, und er forderte sie auf, nach oben zu gehen.

Er hörte aufgeregtes Geflüster von Boris und Jana in der Halle und brüllte, sie sollten ihn in Ruhe lassen.

Die Haustür fiel ins Schloß, was bedeutete, daß Boris zum Empfang zurückkehrte. Hoffman wußte nicht, ob er in Marians Gegenwart sterben wollte. Er blieb heute nacht lieber allein, hier am Tisch, und mit seinen knarrenden neuen Lackschuhen stapfte er in die Halle.

»Jana! Jana!«

Sie kam mit schweren Schritten herunter. Er sah ihre dicken Hände über das polierte hölzerne Treppengeländer gleiten. Auf der untersten Stufe blieb sie stehen und sah ihn mit unverhohlenem Abscheu an.

»Jana, kannst du mir etwas bringen?« Er wartete die Antwort nicht ab. »Im Apothekerschrank in meinem Bad steht eine kleine Samtschachtel. Roter Samt. Die möchte ich bitte haben. Ja?«

Sie nickte und ging wieder hinauf. Ihre breiten Hüften hatten niemals Kinder getragen, sie hatte ihr fruchtbares Leben den niederländischen Diplomaten geopfert.

Er hielt sich an der gedrechselten Säule fest, mit der das Treppengeländer endete. Heute abend war er endgültig zum alten Mann geworden. Seine Sterblichkeit hatte sich seines Körpers bemächtigt und lag geduldig an der Schwelle seines Bewußtseins auf der Lauer. Er wußte, daß er heute nacht sterben würde. Mitten in der Nacht, so um fünf herum, würde er krepieren.

Wegen Esthers Leiden hatte er so manchen Tag in Krankenhäusern verbracht, und dort hatte er gehört, daß fünf Uhr früh die kritische Zeit war. Im Grenzland zwischen Nacht und Tag starben die meisten. Morgen früh würden sie ihn finden, vornüberliegend auf dem Küchentisch oder vielleicht auch vom Stuhl geglitten. Seine Blase würde sich wohl entleeren, aber seine chronische Verstopfung würde dafür sorgen, daß er wenigstens nicht mit Scheiße zwischen den Beinen gefunden wurde. Dadurch wurde die Schande des Sterbens allerdings nicht geringer.

Auch wenn er nicht behaupten konnte, daß ihn sein nahendes Ende mit Begeisterung erfüllte, registrierte er doch eine gewisse Neugier, was wohl mit seiner sich auflösenden Identität, mit seinem *Ich*, geschehen würde, wenn sein Herz zu schlagen aufhörte und sein Gehirn vom Sauerstoff abgeschnitten wurde. Und Esthers Worte, so leuchtete plötzlich die Erinnerung in seinem Kopf auf wie ein Feuerwerk, Esthers *Wissen* würde er selbst erfahren. Er spürte, wie die Wut über seinen dummen Tod sich bei dieser Erwartung auflöste, und er sog Luft in die Lungen und widerstand dem Schmerz in seinem Zwerchfell, während er der Haushälterin hinterher rief: »Jana! Nimm auch das Buch mit, das auf meinem Arbeitstisch liegt. *Spinoza* steht drauf!«

Jana hatte ihn wieder zum Küchentisch geführt, und als er oben keine Geräusche mehr hörte, hatte er seine schwarze Hose mit der perfekten Bügelfalte auf seine Knöchel fallen lassen und die rotsamtene Schachtel geöffnet. Damals, als die Ärzte einen langen Leidensweg erwarteten und den Eltern geraten hatten, einen kurzen Hauspflegekurs zu absolvieren, hatte er Esther manchmal eine Spritze gegeben.

In der Schachtel lag auf einem kleinen weißseidenen Kissen eine versilberte Spritze und eine intakte Kapsel mit Morphin. Er hatte es in Lima gekauft, nach Esthers Tod, und all die Jahre aufgehoben.

Der Schmerz, den er empfand, war erstickend, und obwohl er die Gefahren kannte, die eine Morphininjektion ohne ärztliche Überwachung in sich barg, stach er die Nadel durch die Aluminiumhaut der Kapsel und zog das Morphin auf. Er drückte die Luft aus der Spritze, suchte eine Ader an seinem Oberschenkel, dicht am Knie, stach die Nadel in seine bleiche Haut – schloß dabei die Augen, weil er diesen Anblick nicht ertrug – und spritzte sich die Betäubung ins Blut. Vor Anspannung schlug ihm das Herz im Hals.

Er legte die Spritze in die Schachtel zurück, und es war, als ob eine große Hand Schmerz und Hitze aus seinem Körper wegnahm. Er wußte, daß es Wahnsinn war, was er tat, aber der Schmerz war einfach unerträglich und außerdem fand das Aufbewahren der Spritze so nach zwanzig Jahren eine Rechtfertigung.

Er wollte nicht mit Schmerzen sterben. Vielleicht war das feige und wenig männlich, aber die Schönheit des Heldentums hatte er noch nie besonders geschätzt. Schmerz trübte seinen Geist, und die letzten Stunden, über die er noch verfügte, wollte er Spinoza widmen; der Philosoph des klaren Wissens konnte ihm den Weg zu seiner Tochter zeigen. Vielleicht bin ich verrückt, dachte Hoffman, aber wenn ich es bin, dann nicht aus freien Stücken.

Das Morphin schwebte durch seine Adern, und es dauerte minutenlang, bis er die Kraft gesammelt hatte, seine Hose wieder hochzuziehen. Er nahm das Buch zur Hand und las mit träger Konzentration die vierzehn Absätze dieses Kapitels.

»Ich rede vom wirklichen Zweifel im Geiste«, schrieb Spinoza zu Beginn des sechsten Kapitels, »und nicht von dem, den wir hie und da finden und bei dem einer bloß mit Worten sagt, er zweifle, obwohl er im Geist gar nicht zweifelt.«

Dieses Kapitel handelte vom »Zweifel und einigen anderen Gegenständen wie dem Gedächtnis, der Vorstellung, der Sprache.«

Der Zweifel.

Zweifel entstand aus mehreren undeutlichen Ideen, behauptete Spinoza, denn »wenn bloß eine einzige Idee im Geist ist, mag sie nun wahr sein oder falsch, dann gibt es keinen Zweifel, aber auch keine Gewißheit.«

Hoffman begriff, daß diese einzige Idee ein hypothetischer Fall war, und wenn man überhaupt nur eine einzige Idee im Kopf hatte, wußte man, ob sie wahr oder falsch war, ein Zweifel war dann ausgeschlossen. Er begriff auch, daß der Philosoph meinte, Zweifel entstünde, wenn verschiedene Ideen einander im Weg standen.

»Die Idee, die uns in Zweifel setzt, ist nicht klar und deutlich. Wenn zum Beispiel jemand niemals über die Täuschung der Sinne nachgedacht hat, sei es mit Hilfe der Erfahrung, sei es auf welche Art auch immer, dann wird er niemals Zweifel darüber empfinden, ob die Sonne größer oder kleiner ist, als sie erscheint.«

Natürlich, die Sonne war nur ein Scheibchen am Himmel, und ohne Kenntnis von Sternen und Planeten und der Art, wie man die Dinge auf die Entfernung wahrnahm, würde man niemals auf die Idee kommen, die Sonne sei ein gigantischer Ball, größer als alles, was man je berührt und gesehen hatte.

»Aber durch das Nachdenken über die Täuschung der Sinne entsteht der Zweifel.«

Hoffman kannte dies aus Erfahrung. Manchmal wußte man nicht, was man sah, manchmal nicht, was man hörte. *»Ich weiß es«*, hatte seine Tochter gesagt, aber je mehr Jahre darüber vergingen, desto klarer hörte er ihre Worte und desto schärfer sah er ihr Gesicht. Die Zeit brachte sie immer näher, also eine umgekehrte Bewegung, und er fürchtete, daß seine Einbildung die zerschlissenen Erinnerungen angereichert hatte.

Als er hierüber nachdachte, schwer und träge, aber mit federleichten Worten, merkte er, daß er zwei Dinge durcheinandergebracht hatte: In Gedanken war er von den »Sinnen« zum »Gedächtnis« gesprungen, und die Überschrift des Kapitels verriet, daß Spinoza dies auch tun würde; es war also besser, wenn seine Gedanken dem Philosophen folgten wie ein schwanzwedelndes Hündchen. Hoffman fühlte sich unterlegen, und seine eigenen Leseerfahrungen waren ausschließlich persönliche Assoziationen, trotzdem ließ er sich von der *Abhandlung* nicht abhalten und wollte heute nacht bis zum Ende des Buches kommen.

Voller Erwartung versuchte er, sich die vorigen Kapitel wieder vor sein geistiges Auge zu rufen. Spinoza führte eine Methode vor, mit der man die Wahrheit von der Unwahrheit unterscheiden konnte, und mit »Wahrheit« meinte er: Erkenntnis der Natur. Wahrheit war die inhärente Qualität eines klaren Gedankens, sie gehörte zum »innersten Wesen« dieses Gedankens. Unwahrheit dagegen wurde erzeugt von Verwirrung und Mangel an Erkenntnis. Mit seinem letzten Satz über den Zweifel, der aus der Täuschung der Sinne entstand, meinte Spinoza faktisch dasselbe: Unsere Art der Betrachtung wurde genährt und gelenkt durch unsere Erkenntnis der wahren Ideen, und ein Mangel daran gebar Zweifel und Täuschungen.

Die nächste Zeile nannte einen Vergleich, der in Hoffmans Augen glänzend war und ihn, wie er dachte, auf den heilsamen Weg von Spinozas Denken führte.

Spinoza erzählte darin, daß die Erkenntnis Gottes zu vergleichen sei mit der Erkenntnis über die Winkel des Dreiecks, deren Summe gleich ist mit der Summe zweier rechter Winkel. Hoffman begriff: Die Summe der Winkel eines Dreiecks betrug hundertundachtzig Grad, und dies war ein unwiderlegbares, unumstößliches *Wissen*, es war eine Form von Erkenntnis, in der die logische Art der Natur greifbar wurde, und worin sich Gottes Logik selbst majestätisch offenbarte.

Die Sätze bewegten sich in einem zeitlosen Tanz über das Papier, und Hoffman, der vom Schmerz erlöst war und dessen Augen sogar die Dicke des Papiers und die Tiefe der Buchstaben messen konnten, stieß einen Schrei der Bewunderung aus. Wenn die Küche hätte sprechen können, dann hätte sie ihre Verwunderung ausgedrückt über das strahlende Gesicht dieses lesenden Mannes.

Hoffman sah ein leuchtendes Dreieck über dem Buch, ein Zeichen, speziell für Fee, von Dem dort Oben.

Nachdem Spinoza zum soundsovielten Mal darauf hingewiesen hatte, wie wichtig eine systematische Untersuchung und die Überwindung des Zweifels durch klare und deutliche Ideen war, wollte er »nun auch einiges über Gedächtnis und Vergessen sagen.« Aber gerne! dachte Hoffman. Der Philosoph bemerkte: »Je besser eine Sache begriffen wird, desto leichter wird sie auch im Gedächtnis behalten.«

Hoffman nickte in Bewunderung und Seelenverwandtschaft, auch wenn er aus Erfahrung wußte, daß man etwas, was man absolut nicht begriff, ebenso behalten konnte. Das Gedächtnis war »nichts anderes als die Empfindungen der Eindrücke des Gehirns, verbunden mit dem Gedanken an eine bestimmte Dauer«. Oder: Wenn das Gedächtnis tätig war, streifte man durch eine Art Stapelplatz, wo das Gehirn seine Eindrücke ablegte, Eindrücke, die über die fünf Sinne in den Kopf gelangt waren.

Diese Wortwahl zeigte Hoffman bereits, daß Spinoza dem Gedächtnis mißtraute: Man verirrte sich in diesem Stapelplatz und wußte nicht, welche Eindrücke wo aufgehoben wurden. Nur klare, einfache Dinge konnten ohne Probleme gestapelt und wiedergefunden werden, sagte der Philosoph, und der folgende Abschnitt enthielt eine Warnung vor der Einbildung oder Vorstellungskraft, die er offenbar als eine Art Kinderspielplatz sah, wo das Gedächtnis nach Herzenslust schaukelte und Sandtörtchen buk. »Denn es ist gleich, was man unter Einbildung oder Vorstellungskraft versteht«, las Hoffman. Spinozas Einbildung war »etwas, wodurch der Geist leiden muß«, und: »(zugleich) wissen wir, auf welche Weise wir uns mit Hülfe des Verstandes von ihr befreien können.«

Einbildung und Gedächtnis waren tatsächlich Hoffmans Quälgeister, er wollte sie loswerden, sie vernichten, sie zerstampfen, und er las weiter, in seinem eigenen Rhythmus, mit eingeschlafenen Gliedern und wachem Blick. Gerührt, weil Spinoza ihm solche Erkenntnis verlieh, spürte er, wie ihm die Tränen durch die Furchen seines Gesichtes hinunterströmten.

Die Absätze, die ihn zum Schluß des Kapitels führten, erleuchteten seine Seele, als werde in seiner Brust, wo er übrigens ohne weitere Anleitung den Sitz der Seele lokalisierte, eine Lampe angezündet. Hoffman hatte dort nie eine Lampe vermutet, und das goldene Licht strahlte durch seine Augen auf die Seiten des Buches – Laternen mit göttlichem Licht nannte er sie.

Spinoza nannte den Verstand »eine Art geistigen Automaten« und wies damit auf den besonderen Charakter und die Gesetzmäßigkeiten des Verstandes hin. Wenn wir also etwas voll und ganz begriffen, dann benutzten wir eine Fähigkeit, mit der uns die Natur begabt hatte, gewissermaßen das Herz unsres Geistes, so umschrieb Hoffman den Verstand in Spinozas Bedeutung, und erst dann erlangten wir wahrhaftig das Glück und das Leben, wenn, genau wie das Herz im Körper, auch das Herz des Geistes zu schlagen anfing.

Nicht allein Einbildung und Gedächtnis konnten falsche Ideen hervorbringen und Zweifel verbreiten und damit den Weg zu Frieden und Glück mit Fallgruben untergraben, auch die Umgangssprache sorgte für Irrtümer, »wenn wir uns nicht sehr davor in acht nehmen«:

»Dies geht schon daraus hervor, daß wir all die Dinge, die nur im Verstand und nicht in der Vorstellungskraft existieren, meist mit negativen Namen bezeichnen wie: unkörperlich, unendlich usf., und daß wir auch vieles, was in Wirklichkeit positiv ist, mit negativen Bezeichnungen versehen und umgekehrt...«

Ja! dachte Hoffman, während sein Herz schneller schlug, als ob Denken eine Art Schnellauf wäre; er konnte nicht ausschließen, daß sein Gedächtnis seine Erinnerung an Esther verformt und vergrößert hatte und daß ihre Bemerkung einmal anders geklungen hatte! Ihr *Ich weiß es* waren Worte, die er zu hören geglaubt hatte, aber seine Sinnesorgane waren leicht zu täuschen, sein Gedächtnis war unvollkommen, und seine Gefühle trübten seinen Verstand! Vielleicht hatte sie gesagt: »Ich vergesse es« oder »Ich meine es.«

Konnte er darauf vertrauen, daß Esther dies gesagt hatte? Und angenommen, sie hatte es wirklich gesagt, konnte er überhaupt sinnvoll darüber nachdenken? Ließ sich eine *Methode* entwickeln, mit der er den Inhalt ihres *Wissens* enthüllen konnte?

Ihn schwindelte. Er fühlte, wie sich sein Körper mit flüssigem Blei füllte, und er legte mit großer Mühe das Buch auf den Tisch. Er sah seine Hand in Zeitlupe zum Tisch hinunterschweben, und das Buch sank auf die Marmorplatte. Er fuhr sich über das Gesicht, spürte die Erschöpfung nach dieser Anstrengung.

Er befürchtete, daß er das Ende des Abends womöglich nicht mehr erleben würde; wenn dem so war, würde ihm der Schluß des Buches verborgen bleiben.

Er wollte auf seine Uhr schauen, als könnte er darauf ablesen, wie viele Stunden er noch zu leben hätte, und er erstickte fast in der Angst, die breit und wuchtig durch ihn hindurchschlug. Er hob seinen Arm und spürte das tote Gewicht seiner Muskeln, seiner Haut, seiner Knochen, und er sah, daß es elf Uhr war. Dann fühlte er, wie sein Herz brach. Er hatte diese abgedroschene Redewendung oft gehört, aber jetzt durchlebte er sie buchstäblich, und dieses Erlebnis war neu und angsteinjagend. Wie eine Granate explodierte der Schmerz in seiner Brust, scharfe Splitter flogen in Hals und Schultern und Bauch, und er dachte: Jetzt kann mich nichts mehr trösten.

Er verlor das Bewußtsein.

Der Nachmittag des 7. August 1989

Johan Sonnema hatte ihm am Morgen Arbeit mitgebracht, und er las einen Bericht des Landwirtschaftsattachés. Sein Rücken wurde von ein paar Kissen gestützt, ein schmales Brett, das man über das Bett schwenken konnte, diente als Lesetisch.

Durch ein großes Fenster links vom hohen Krankenhausbett ging der Blick auf eine Hügellandschaft mit grünen Feldern, die von hier aus unberührt erschien, manchmal hinter dichten Regenschleiern verschwand und plötzlich wieder aufleuchtete, weil ein paar grelle Sonnenstrahlen ein Loch in den Wolken gefunden hatten. Der erste Regen seit Monaten. Die Tür hielt die Geräusche vom Flur ab. In Ruhe studierte er die Akten.

Marian hatte heute morgen an seinem Bett gesessen, als Sonnema mit dem Stapel Aktenmappen hereinkam, und ihn empört gefragt, wie er auf die Idee käme, ihren Mann drei Tage nach einem Herzinfarkt so schwer zu belasten. Hoffman selbst hatte darum gebeten, aber das beruhigte sie nicht: »Dann müssen Sie ihm eben sagen, Herr Sonnema, daß Sie diesen Wahnsinn nicht mitmachen.«

»Aber gnädige Frau, ich kann meinem Chef doch nicht sagen, daß ich ihm die Papiere nicht bringe, um die er mich gebeten hat?«

»Das können Sie sehr wohl!«

»Marian«, sagte Hoffman, »hör auf mit diesem Blödsinn.«

»Du mußt dich ausruhen«, sagte sie.

»Das tu ich doch auch.«

»Aber nicht, wenn du arbeitest.«

»Dies ist keine Arbeit«, antwortete er.

»So? Was ist es dann?«

»Wir Diplomaten nennen es *travail diplomatique* oder bezahltes Geschwätz.«

Verärgert stand sie auf, um auf dem Flur eine Zigarette zu rauchen.

Als Sonnema gegangen war, kam sie wieder zurück.

»Felix, ruh dich jetzt aus, mir zuliebe.«

»Ach, laß mich ruhig machen, das kann nichts schaden.«

»Der Doktor sagte: *Ruhe.*«

»Dies ist für mich Ruhe.«

Sie küßte ihn auf die Wange und verließ das Zimmer. Am frühen Nachmittag wollte sie wiederkommen. Er hatte ein Dossier durchgelesen und Trevor-Jones und dem italienischen Botschafter Briefe geschrieben (Sonnema hatte sie gestern schon von seinem Infarkt in Kenntnis gesetzt). Um halb eins brachte ein Pfleger ein leichtes Mittagessen. Dann kam jemand zu Besuch, eine Frau.

Das erste, was er hinter dem Fußende seines Bettes sah, waren die gelben Blumen, die sie vor die Brust hielt. Die Chrysanthemen waren schon am Verblühen, ärmliche Sozialistenflora in den Händen einer attraktiven Frau, und er überlegte, wo er sie schon einmal gesehen hatte.

»Herr Hoffman?« sagte sie auf Englisch.

Er erkannte die Stimme. Er lächelte.

»Frau Nová?«

Sie kam näher und überreichte ihm die Blumen mit einer kindlichen Geste. Sie trug einen gelben Regenhut, eine Art Südwester. Auf den Schultern ihres Regenmantels lagen ein paar Tropfen.

»Vielen Dank«, sagte er. Er legte die Blumen auf den Schwenktisch und drehte ihn zur Seite, so daß nichts zwischen ihnen war.

»Ich frage gleich nach einer Vase. Eigentlich bin ich derjenige, der Ihnen etwas schenken muß«, sagte er. »Setzen Sie sich doch.«

Sie knöpfte ihren Mantel auf und setzte sich. Sie trug einen Rock, der die Knie frei ließ, er hatte Aussicht auf wohlgeformte Beine.

»Das ist aber eine Überraschung«, sagte er. »Möchten Sie etwas trinken? Ich könnte etwas bestellen.«

Er griff nach dem kleinen Schalter, der an einem Kabel neben seinem Bett hing, aber sie schüttelte nachdrücklich den Kopf. »Nein, bitte keine Umstände, ich habe gerade vorhin etwas getrunken.«

»Wirklich nicht?«

Sie schüttelte wieder den Kopf und lächelte höflich. »Nein.« Sie nahm den Hut vom Kopf und schüttelte ihre blonden Haare. Dann legte sie den Hut auf ihre Knie und sah ihn an, mit aufrechtem Rücken, wie ein wohlerzogenes Schulmädchen. Er sah, wie sie einen Blick auf das Pflaster und den Schlauch warf, der ihn mit dem Plastikbeutel über seinem Bett verband.

»Sie sehen gut aus«, sagte sie, »aber Sie sind hier ja auch in unserem besten Krankenhaus.«

»Sehr gute Verpflegung«, stimmte er zu und schaute tief in ihre Augen. Sie war groß und ausgesprochen weiblich, und jede ihrer Bewegungen rief in ihm eine ganz persönliche Assoziation hervor, als ob sie für die Erotik geschaffen war. Sie hatte volle, leicht nach außen gewölbte Lippen, die dauernd zu einem Kuß anzusetzen schienen, hohe Wangenknochen, die ihr ein leicht slawisches Aussehen verliehen, graugrüne Augen, intelligent und spöttisch. Dicke Locken verbargen ihre Ohren, aber er vermutete hübsche Ohrmuscheln darunter, die die Geheimnisse von anderen, stärker duftenden Hautfalten verrieten.

»Hat meine Frau Ihnen gesagt, daß ich hier bin?«

»Nein. Ich habe heute früh in Ihrer Botschaft angerufen.«

»Ich bin wirklich sehr froh, Sie zu sehen«, sagte er.

Sie lächelte beherrscht. »Ich war erschrocken, als ich es hörte.«

»Sie wußten es gar nicht?«

»Nein.«

»Sie dachten an diesem Abend, ich sei betrunken?«

»Nein, eigentlich nicht«, antwortete sie verlegen.

»Geben Sie es ruhig zu, ich tue es auch: Ich gestehe, daß ich wirklich betrunken war.«

Wieder ein Lächeln. Er sah gepflegte Zähne, aber nicht so stramm in Reih und Glied, wie man sie im Westen einem teuren Zahnarzt verdankte. Ein Eckzahn stand ein bißchen schief, wodurch ihr Lächeln etwas Blutrünstiges bekam. Sie wurde dadurch noch anziehender.

»Müssen Sie lange hier bleiben?«

»Ungefähr noch fünf, sechs Tage. Warum ich liegen muß, ist mir ein Rätsel, aber der Arzt will es so. Eigentlich fühle ich mich zu fit dafür.«

»Hatten Sie früher schon mal so etwas?«

»Einen Herzanfall? Nein.«

»Das muß schrecklich sein«, sagte sie.

»Ich kann es Ihnen nicht empfehlen. Ich habe Glück gehabt. Meine Frau hat mich gefunden, kurz nachdem ich das Bewußtsein verloren hatte. Sie brachten mich hierher. Hier scheinen sie die neuesten westlichen Apparaturen zu haben.«

»Dies ist ja auch das Krankenhaus der Partei«, sagte sie mit verschwörerischem Lächeln. »Müssen Sie jetzt Medikamente nehmen?«

»Blutverdünnende Mittel heißt das, glaube ich.«

Er wußte im Moment nicht mehr, was er sagen sollte, und schluckte die Spucke hinunter, die seine Phantasie angeregt hatte.

Sie schlug die Augen nieder.

Mit gemischten Gefühlen hatte er den Herzinfarkt überlebt. Er atmete, stoffwechselte und war neugierig auf die wenigen Tage, die er offensichtlich noch hatte, aber gleichzeitig dachte er müde an die trostlose Wiederholung des Immergleichen.

Vor drei Tagen hätte er sterben sollen. Marian war zu früh nach Hause gekommen. Sie war beunruhigt gewesen, und dadurch hatte sie ihn gerettet. Am nächsten Morgen im Krankenhaus hatte er ihr schweigend und mit zitternden Händen gedankt, ungeheuer neugierig auf jede Stunde, die er noch leben durfte, aber schon am zweiten

Tag seines restlichen Lebens hatte er ihr ebenso schweigend Vorwürfe gemacht. Jetzt war er hier, weil Marian es so wollte. Seinen Körper, ein autonomes Ding, das wie eine Maschine reagierte, hatten sie wieder angeworfen und in Gang gebracht, das mußte er hinnehmen. Aber er atmete Luft, auf die er kein Recht hatte.

Sie hatten ihn mit einem Mittel ruhiggestellt, das sein Herz angeblich nicht belastete. Aber der traumlosen Leere des künstlichen Schlafes fehlte das Gefühl der Gleichzeitigkeit von Leben und Tod. Im echten Schlaf war man anwesend, aber auch abwesend. Man konnte sich selbst besser ertragen, wenn man jeden Tag kurze Zeit fliehen konnte, aber das Loch, in das sie ihn mit ihren Spritzen beförderten, brachte kein Entfliehen und daher auch keine Befreiung. Es war einfach nur schwarz.

»Sie sind Journalistin?« fragte er.

»Ja.« Sie nickte, aus ihren Gedanken auftauchend.

»Für etwas Spezielles?«

»Reportagen allgemein.«

»Schon lange?«

»Sechs Jahre. Vorher habe ich studiert. Italienisch und Englisch.«

»Merkwürdige Kombination.«

»Zuerst hatte ich nur Englisch. Aber durch die englischen Romantiker kam ich auf Italien, denn sie waren von Italien völlig besessen.«

»Sind Sie mal dort gewesen?«

»Nein.«

Er meinte, sie erröten zu sehen. Sie rutschte auf ihrem Stuhl hin und her. Plötzlich schaute sie zur Decke, auf die

Wände. Suchte sie nach versteckten Mikrophonen oder wich sie nur seinem Blick aus?

»Sind Sie in Italien gewesen?« fragte sie ihn.

»Ja. Sogar mehrmals.«

»Ist es dort...«

»...schön? Ja. Es wäre der perfekte Rahmen für Ihre eigene Schönheit.«

Er klang wie ein alter Verführer, aber er hatte sie verunsichert, und das wollte er jetzt wiedergutmachen. Sie reagierte so routiniert auf seine Worte, als müsse sie den ganzen Tag solche Komplimente abwehren.

»Sie sind zu freundlich«, sagte sie, »in der italienischen Landschaft wird wahrscheinlich alles schöner. Ich möchte Sie etwas fragen.«

»Bitte sehr.«

»Ich hätte gern ein Gespräch mit Ihnen.«

»Und was tun wir gerade?«

»Ein Gespräch für meine Zeitung. Die *Rude Pravo.*«

»Worüber?«

»Über die Beziehungen zwischen unseren Ländern.«

»Da muß ich erst die Zustimmung meiner Vorgesetzten einholen.« Das stimmte zwar nicht, aber er sagte das immer, wenn er einen Vorschlag in aller Ruhe überdenken wollte.

»Selbstverständlich.«

»Aber wenn es nach mir ginge, würde ich Sie sehr gern einmal wiedersehen«, sagte er unvermittelt.

»Überreden Sie Ihre Chefs, dann wird es gehen.«

»Können Sie schreiben, was Sie wollen?«

»Wie meinen Sie das?«

»Darf ich alles sagen bei unserem Gespräch?«

»Natürlich dürfen Sie alles sagen.«

»Aber drucken Sie es auch ab in Ihrer Zeitung?« Natürlich würde sie nicht alles abdrucken, was er von sich gab, er wollte nur sehen, wie sie darauf reagierte.

»Ich schreibe alles auf, was Sie sagen. Ob es abgedruckt wird, weiß ich nicht. Das ist in Ihrem Land genauso.«

»Wer entscheidet das?«

»Im Westen nennt man es ›Schlußredaktion‹.«

»Und bei Ihnen heißt es nicht etwa ›Zensur‹?«

»Wir haben unsere eigenen Zuständigkeiten, Herr Hoffman.«

»Das hoffe ich«, sagte er. »Ich muß gestehen... ich habe wenig Sympathien für Ihr System.«

»Das steht Ihnen frei«, antwortete sie.

»Ja, aber Ihnen nicht«, sagte er.

Sie reagierte nicht darauf. Er sah an ihrem schönen Hals, daß sie schluckte. Er dachte an die Fältchen zwischen ihren Achseln und Brüsten, dort, wo die samtenen Wölbungen absanken in eine rasierte Mulde.

»Ich habe auch wenig Sympathien für das System in meinem eigenen Land«, fuhr er fort. »Vielleicht bin ich einfach ein alter Anarchist, ich habe nämlich überhaupt noch kein gutes System gesehen.«

»Anarchisten und Kommunisten haben wenig gute Erfahrungen miteinander«, sagte sie.

»Offiziell verstehen wir uns nicht, was? Aber ich bin kein normaler Anarchist, glaube ich, sondern nur Anarchist im emotionalen Sinn.«

»Davon hab ich noch nie etwas gehört«, sagte sie verblüfft.

»Nein? Ehrlich gesagt, ich auch nicht.«

Sie lachten beide.

»Ihr System hier beruht auf einer altmodischen Philosophie aus dem neunzehnten Jahrhundert, Frau Nová. Im Westen ist sie auch nicht moderner, wenn das ein Maßstab sein soll, nein, aber zeitlos. Wir gehen aus vom Hunger der Menschen und von unserem Wolfscharakter, den wir zu beherrschen suchen. Sie hier mit Ihrer Ideologie gehen aus vom Guten im Menschen, aber alles, was dabei herauskommt, ist, daß die schlimmsten Wölfe die Schwächsten manipulieren.«

»Ich will mit Ihnen nicht darüber diskutieren«, sagte sie kühl.

»Vielleicht ist das auch besser so«, antwortete er erschrocken; er fürchtete, daß er die winzige Chance, seine Lippen jemals auf ihre Schenkel zu drücken, schon verspielt habe. »Ich will Ihnen nicht zu nahe treten, aber so denke ich darüber. Jeden Tag legt mir einer meiner Mitarbeiter einen Bericht auf den Tisch über das, was in Ihrem Land geschieht.«

»Wozu brauchen Sie meinen Beifall, Herr Hoffman?« Er hörte Irritation in ihrer Stimme.

»Ich bin nicht auf Ihren Beifall aus, mich interessiert Ihre Meinung.«

»Ich habe keine. Ich bin nur Vermittlerin.«

»Dann wären Sie die erste Journalistin, der ich begegne, ohne Meinung. Aber vergessen Sie nicht: Ich finde das System im Westen genauso verwerflich.«

»Das klingt in meinen Ohren schon besser.«

»Das glaube ich gern.«

»Sie sind also der offizielle Vertreter eines verwerflichen Systems?« fragte sie herausfordernd.

»Ja. Genau so ist es.«

»Und das würden Sie mir im Interview auch sagen?«

»Ganz bestimmt nicht.«

»Schade. Können Sie mir denn sagen, was Sie so verwerflich finden an Ihrem System?«

»Den Überfluß.«

Er wußte genau, daß es lächerlich klang, aber in diesem Augenblick, in diesem Bett – als freiwilliges Opfer seiner eigenen Maßlosigkeit, mit trockener Kehle vor pubertärer Wollust – konnte er keinen anderen Begriff finden.

»Den Überfluß?«

»Ja.«

»Ist das aus kapitalistischer Sicht nicht ein ... eine Errungenschaft?«

»Überfluß und Schuld«, sagte er, plötzlich ernst und blaß und mit einer Sicherheit, über die er sich selber wunderte, als wäre es das letzte Gespräch vor seinem Tod. »Wer Überfluß genießt, wird heimgesucht von einem nagenden Schuldgefühl, Frau Nová, wir wissen nämlich gar nicht, warum gerade wir das Recht darauf haben, warum *wir* die Auserwählten sind. Zunächst verursacht der Überfluß Zweifel und Lähmung«, sagte er inspiriert, »also zum Beispiel: Was soll ich nehmen? Was lasse ich liegen? Und jeden Tag schauen wir in einen Flimmerkasten in unserem Wohnzimmer und müssen wählen zwischen Bildern von Millionen Toten in fernen Ländern, die vor Hunger sterben, und den Bildern eines Unterhaltungsprogramms. Wir klammern uns an unsere Situation, wissen nicht, wie lange wir sie noch haben, und während wir unsere Schlemmermahlzeiten verzehren, werden wir selbst verzehrt von einem mythischen Schuldgefühl...«

Worauf wollte er hinaus? fragte er sich plötzlich. Waren diese Worte nicht nur für ihn selbst bestimmt? Verwendete er zu Unrecht die *Wir*-Form? Aber er bohrte weiter und fand visionäre Gedanken an seinem geistigen Horizont.

»Wir leben in einer monströsen Zeit«, sagte er, »im Jahrhundert von Vernichtung und Überfluß und Schuld. Vor drei Tagen wäre ich beinahe gestorben, und ehrlich gesagt weiß ich nicht, ob ich nicht lieber auf dem Küchenfußboden liegengeblieben wäre.«

Er erschrak vor ihrem entsetzten Blick.

»Das klingt aber dekadent«, sagte sie empört. »Warum können Sie nicht einfach das, was Sie haben, genießen?«

»An allem hängt ein Preisschild«, antwortete er vielsagend und wußte genau, was er damit meinte.

»Sie brauchen nichts zu bezahlen«, sagte sie mißbilligend. »Sie sind privilegiert und weigern sich trotzdem zu genießen. Das nenne ich dekadent.«

»Aber ich will ja bezahlen!« rief er, voller Verlangen, es ihr zu erklären. »Sie verstehen mich nicht, Frau Nová, ich will ja bezahlen.«

Sie schüttelte den Kopf und wendete den Blick ab.

»Es tut mir leid, daß ich Sie verwirre«, sagte er.

»Das tun Sie gar nicht«, sagte sie mit gesenktem Blick.

»Ich fürchte, ich habe mich nicht klar ausgedrückt«, versuchte er es noch einmal, »ich wollte etwas erklären, was man nicht erklären kann, glaube ich. Ich hätte lieber gar nichts sagen sollen.«

Sie schaute mit einem intensiven Blick auf: »Sind Sie denn gar nicht neugierig auf die Zukunft?« fragte sie wie ein junges Mädchen.

»Nein.«

»Das Jahr 2000«, sagte sie, »wollen Sie das nicht erleben?«

Darüber hatte er wohl schon nachgedacht, aber noch nie mit jemandem gesprochen.

»Nein. Da bin ich tot.«

»Wie alt sind Sie?«

»Neunundfünfzig.«

»Dann sind Sie ja erst siebzig.«

»Vor drei Tagen hatte ich einen Herzinfarkt.«

»Wenn Sie sich schonen, leben Sie noch mindestens zwanzig Jahre«, sagte sie, als ob sie ihm etwas verkaufen wollte.

»Ich muß das Ende dieses Jahrhunderts nicht miterleben.«

»Das verstehe ich nicht«, sagte sie, »ich verstehe Sie wirklich nicht.«

Er senkte den Blick und fragte sich, ob er sie etwa schon verloren hatte. Nur Jugendliche führten solche Gespräche voller Unverständnis und Verschwommenheiten.

»Haben Sie Kinder?« fragte sie.

»Nein.«

»Oder sonst Familie?«

»Außer meiner Frau – nein.«

»Dann sind Sie... also dann sind Sie gewissermaßen der letzte Hoffman aus der Familie Ihres Vaters?«

»Nicht nur meines Vaters. Ich bin von allen Familien der letzte Hoffman. Ich bin das definitive Ende.«

»Sie sagen das ja mit einer grausamen Genugtuung.«

»Das ist mir nicht bewußt.«

Sie stand auf. Wahrscheinlich war sie größer als er.

»Sie sind rätselhaft offenherzig«, sagte sie, während sie ihre Haare unter den Hut schob. »Ich freue mich auf unsere Verabredung.«

»Wollen Sie denn noch, daß sie stattfindet?« fragte er überrascht.

»Ich finde, Sie sind ein anregender Gesprächspartner.«

»Ja? Oh... und ich dachte, daß ich Sie... abstoße.«

»Im Gegenteil«, antwortete sie. Sie knöpfte ihren Mantel zu. Er folgte ihren Fingern so fasziniert, als knöpfte sie seinen Hosenschlitz auf.

»Ich dachte immer, daß Menschen, die einen Infarkt gehabt haben, froh sind, daß sie noch leben. Sie offenbar nicht.«

»Meinen Sie damit: Ich bin ein Barbar, weil ich das Leben nicht zu schätzen weiß?«

»Ja«, sagte sie offen.

»Das stimmt nicht. Ich schätze das Leben so hoch, daß ich es mir selbst nicht zugestehe.«

»Ich bin Kommunistin, Herr Hoffman. Ich glaube an die Zukunft, ich glaube daran, daß man die Welt verändern kann.«

»Da beneide ich Sie«, sagte er.

»Wenn Sie mich fragen, sind Sie ein Opfer Ihrer eigenen Verwirrung, nicht das Opfer dieses Jahrhunderts. Was ist denn dieses Jahrhundert? Eine nichtssagende Abstraktion. Für Sie ist dieses Jahrhundert etwas anderes als für einen Bauern in der Ost-Slowakei oder für einen Schwarzen in

Ghana. Wir müssen die Welt in ihrer eigenen Dynamik sehen, in ihrer eigenen Gesetzmäßigkeit. Nicht von unseren subjektiven Besessenheiten aus.«

»Ich verstehe absolut nicht, wovon Sie reden«, antwortete er und betrachtete fasziniert ihr Gesicht.

»Sie kommen eben aus einer anderen Welt«, sagte sie mit lehrerinnenhaftem Ton.

»Für mich sind Sie die andere Welt.«

Sie streckte eine Hand aus, er ergriff sie mit beiden Händen.

»Ich bin sehr dankbar, daß Sie gekommen sind«, sagte er. »Sie haben mich an dem Abend … na, sagen wir mal … gerettet.«

Sie zog ihre Hand zurück, und er mußte sie aus der Umarmung seiner Finger entlassen.

»Wie ich jetzt sehe, hätte ich wohl besser daran getan, Sie Ihrem Schicksal zu überlassen?«

Er schwieg und sah nach draußen, als könnte er dort eine Antwort finden. Dunkle Regenwolken glitten über die Hügel und legten einen Schleier über die Landschaft. Er meinte, daß er kein Recht auf Leben hatte, wenn seine Kinder es auch nicht hatten. Esther und Miriam hatten noch nicht einmal genug Zeit gehabt, seine Fehler zu machen, sie hatten noch nicht verhöhnt und betrogen und verachtet (Miriam vielleicht doch, aber da war sie schon tot gewesen, wenn auch noch nicht gestorben), und er fragte sich, ob der Tod seiner Kinder eine Strafe war, die Gott ihm auferlegt hatte.

Aber ein Gott, der solche Strafen austeilte, war grausamer als der Teufel, und er dachte an Spinozas Gott, der die

Kraft der Natur war, der weder strafte noch belohnte, der fruchtbar war und fortschreitend, aber der kein Ende machen konnte an Leiden und Leere.

Hoffman war ein unfertiger Jude, beschnitten, aber ohne Zeugnis. Er wußte nicht, ob Spinoza auch über den Gott von Moses und Abraham geschrieben hatte, über den Gott, der eine Person war und daher auch brüllen konnte wie ein himmlischer Marktschreier. Mit Spinozas Gott konnte er nicht in Diskussion treten, aber der Gott von Moses war ein Individuum, dem man gut zureden konnte, das man auf seine Pflichten hinweisen konnte. Wenn Hoffman gestraft wurde (für seine Schlechtigkeit, die natürlich schon lange vor Esthers Krankheit in seiner Seele verborgen lag), dann konnte nur der Gott von Moses diese Strafe auf dem Gewissen haben, und dann war Spinozas abstrakte Gottesidee falsch. Aber wenn Esthers Leiden und in dessen Folge auch Miriams Leid sinnlos und unerklärbar und damit unerträglich blieben – und sie blieben es immer und für alle Zeiten –, dann verschwamm die Individualität vom Gott des Moses, und er konnte sich nur noch an der Gottesidee Spinozas festhalten. Wenn er sich überhaupt irgendwo festhalten wollte.

Der Gott von Moses zog sich mit Strafen wie Tod von Kindern nur Zorn zu, die grenzenlose Wut des Vaters; der Gott von Spinoza flehte um Vergebung, weil er die Natur nicht anders entworfen hatte als mit Geburt und Leiden und Tod.

Wenn Irena Nová – Marian hatte ihm erzählt, daß die tschechische Journalistin ihn auf dem Fußboden bei den Toiletten gefunden hatte – ihn seinem Schicksal überlassen hätte, dann wäre er vermutlich noch dort gestorben. Er wollte nicht mehr leben. Das Tierische seiner Existenz, seine wie Hunde krepierten Kinder, dieses dumm in seiner Brust weiterschlagende Herz (dieselbe Art Herz wie bei einem Schwein oder einer Hyäne) hatten ihn sein Ende herbeisehnen lassen.

»Ja«, antwortete er endlich und wandte sich wieder an Irena Nová, und er wollte damit sagen: Ja, du hättest mich liegenlassen sollen. Aber er verschluckte diese Worte und schwieg, als er sie da stehen sah.

Die Hände vor dem Bauch gefaltet, groß, hübsch und strahlend vor Gesundheit, sanft und weiblich trotz ihres formlosen Regenmantels und plumpen Südwesters, stand sie da und betrachtete ihn unbefangen. Sie hatte ihn wortlos beobachtet, und ihre Augen erzählten ihm, daß sie Angst vor ihm hatte und auf Abstand blieb – und gleichzeitig verrieten ihre Augen, daß sie fasziniert von ihm war.

Er versuchte, seine Erregung zu unterdrücken, doch die Empfindungen nahmen ungehindert Besitz von seinem Geschlecht, und er legte die Hände auf die Decke und bedeckte seinen Bauch und wurde sich klar darüber, daß er noch ein Ziel in seinem Leben hatte, bevor er die Erde von unten betrachten würde: Er wollte ihre Brüste küssen, den Duft von ihrem Schoß riechen.

Der Nachmittag des 18. August 1989

Hoffman hatte sie in ein Restaurant am Namesti Republiky zum Mittagessen eingeladen. Wenn er sich zum Essen verabredete, tat er es gern in einem der großen Hotels wie Ambassador oder Europa.

Sonnema hatte ihn einmal in dieses Lokal mitgenommen, und es erschien ihm die richtige Umgebung für sein Gespräch mit Irena Nová. Das Essen war hier genauso schlecht wie anderswo, aber die Einrichtung war original Jugendstil, die Lüster aus vergilbtem Milchglas strahlten eine diffuse Huldigung an das Wien der k. u. k.-Zeit aus.

Sie hatte sich für das Interview nicht anders angezogen als für den Krankenbesuch, weite Kleider, gedeckte Farben. Sie hatte einen japanischen Kassettenrecorder mitgebracht, aber er wollte nicht, daß sie das Gespräch aufzeichnete, damit er hinterher Äußerungen, die zu scharf ausgefallen waren, ableugnen konnte. Beim Essen – einem überraschend schmackhaften Beefsteak mit zerkochten Kartoffeln und lauwarmen roten Rüben – stellte sie ihre Fragen.

Sie war distanzierter als bei ihrem ersten Besuch. Sie schaute ihn kaum an und machte sich handschriftlich Notizen auf einem Block, auf dem sie auch ihre neutralen Fragen aufgeschrieben hatte. Er antwortete mit den leeren Phrasen des diplomatischen Jargons.

Er trug einen teuren italienischen Leinenanzug – wieder

ächzte Europa unter einer tropischen Hitzewelle – und spürte die Blicke der Tschechen von den anderen Tischen. Er fiel hier in diesem Anzug negativ auf, so wie ein schweres goldenes Armband oder ein dicker Siegelring in seinem eigenen Milieu deplaziert gewesen wären. Er trug diesen Anzug höchstens einmal im Jahr, es war bereits an der Grenze dessen, was sich ein niederländischer Diplomat an *showing off* erlauben konnte. Es wäre besser gewesen, er hätte sich hier in seinem ältesten Anzug an den Tisch gesetzt.

In den vergangenen Tagen und Nächten, seit ihrem Besuch an seinem Krankenbett, wurde er von erotischen Phantasien heimgesucht. Die fiebrigen Bilder ihres Körpers waren eine unerschöpfliche Quelle wollüstiger Vorstellungen und Einfälle. Seit Kenia hatte er keine Frau mehr angerührt. Früher hatte ihn schon das Betreten eines Bordells so erregt, daß er den Akt schnell und feurig verrichtete, allein der Gedanke, daß eine Frau für Geld ihre Beine spreizte, geilte ihn auf, und er war fester Kunde gewesen in den Diplomatenbordellen in Lima, Daressalam, Rio, Houston, all den Posten, auf denen er nach Esthers Tod stationiert gewesen war. Er onanierte. Ein sechzigjähriger Mann, der Hand an sich selbst legte.

Die Sexualität eines Menschen veränderte sich im Lauf der Jahre, wie die Behaarung auf den Armen oder die Form eines Muttermals. Loswerden konnte man sie aber nicht, höchstens unterdrücken.

Sein Unterdrückungsmechanismus hatte angefangen zu hapern, als er Irena Nová gesehen hatte. Ein Blick von ihr, und schon wollte man wissen, was man bis dahin noch nicht wußte, denn sie hatte erotische Augen, und mit Erotik meinte er, daß sie Geheimnisse verhießen. Durch ihre Augen hindurch wollte man die dunklen Flecken ihrer Seele und die dunklen Flecken ihres Körpers erkunden.

Er hatte an sie gedacht, nachts in seinem Schlafzimmer, inmitten seiner internationalen Zeitungen und Zeitschriften, bis der leere Schlaf von Bayer ihn überkam. Der Herzinfarkt hatte dafür gesorgt, daß er die Bekanntschaft mit seinem Bett erneuerte. Er war das stundenlange Liegen nicht mehr gewohnt, aber die Ärzte hatten ihm wirksame Schlafmittel verschrieben, und er schluckte sie brav. Er hatte über Irenas Größe nachgedacht, ihre Augen baten um Entdeckungsreisen, ihre Figur erregte atemlose Geilheit – auf diese drei Merkmale reduzierte er seine Erwartungen.

Er war aus dem Krankenhaus entlassen worden und hatte seinen armseligen Lebensrhythmus wieder aufgenommen – mit einem einzigen Ziel vor Augen, einer heroischen Aufgabe, die unmöglich schien und zu den absurdesten Plänen führte. Hoffman hatte wenig Zeit, er näherte sich dem Ende der Reise. Jetzt saß sie ihm unerreichbar gegenüber und benahm sich kühl und emotionslos.

Das Gespräch schleppte sich hin. Als er sich in den italienischen Anzug geworfen hatte, hatte er gehofft, daß er ihn jünger machen und seine Werbung unterstützen würde, aber sie interessierte sich nicht für seine Stimme, seine Augen und seinen Anzug; in routinierter Weise zog sie das Interview durch.

Als der Kaffee gebracht wurde (türkischer Kaffee, in kleinen Gläsern), bedankte sie sich bei ihm. Er sah winzig kleine Schweißperlen auf ihrer Stirn und ihrer Oberlippe.

»Gern geschehen. Sie geben es mir noch einmal zu lesen?«

»Ja, wie verabredet.«

»Was tun Sie mit dem angebrochenen Nachmittag?« fragte er.

»Ich muß noch ein paar Sachen fertigmachen«, antwortete sie ausweichend und schaute an ihm vorbei auf Gäste an anderen Tischen.

»Ich habe das Gefühl…« Er zögerte und suchte nach Worten. »Ich habe das Gefühl, daß Sie gedanklich nicht bei der Sache sind«, sagte er.

Sie warf einen kurzen Blick auf ihn, böse und feindlich, schüttelte dann nervös den Kopf.

»Nein. Es geht schon«, sagte sie.

»Es geht schon? Also ist doch irgendwas los?«

Sie reagierte nicht, sondern starrte verzweifelt auf das Gläschen Kaffee, das unangerührt zwischen ihren Händen stand.

»Wenn ich Ihnen irgendwie helfen kann, Frau Nová, dann tu ich das gern, vielleicht kann ich für Sie noch wichtig werden.«

Sie lachte spöttisch, sah kurz auf und ließ Verachtung in ihren Augen schimmern. Er las in ihren Augen die deutliche Botschaft, daß sie seine Phantasien gesehen hatte und mißbilligte.

»Mir braucht man nicht zu helfen, Herr Hoffman«, sagte sie, »ich helfe mir schon selbst.«

»Aber wenn Sie doch…« drängte er. Er sah, daß er sie verärgerte.

»Ich weiß es«, sagte sie scharf.

Ohnmacht überfiel ihn. Er würde niemals näher an sie herankommen, als der Tisch zwischen ihnen zuließ. Niedergeschlagen blieb er mit seinem Kaffee sitzen, als sie schon gegangen war. In ein paar Tagen würde sie ihn anrufen, dann konnte er das fertige Interview durchlesen. Es gehörte eigentlich zu den Standardgepflogenheiten, daß ein solches Interview vor der Veröffentlichung nicht mehr durchgelesen wurde. Dann konnte der Diplomat jederzeit behaupten, er habe so etwas nie gesagt, all dies sei der Phantasie des Journalisten entsprungen, aber in diesem Fall hatte er doch zugestimmt, damit er sie noch einmal sehen konnte und eine Chance behielt, seine Phantasien zu verwirklichen.

Er bestellte eine Flasche Wein und begann in flottem Tempo, die Flasche zu leeren. Er wollte nachdenken.

Es lag etwas Hysterisches in seinem Wunsch, mit Irena Nová zu schlafen. Er überlegte, ob Miriam eine Rolle spielte bei dieser unsinnigen Besessenheit. Miriam wäre in diesem Jahr neunundzwanzig geworden, und Irena Nová schien etwas älter zu sein, Anfang Dreißig. Plötzlich glaubte er an die magische Symbolik des Unbewußten. Er konnte sich vorstellen, daß er sich symbolisch mit seiner verstorbenen Tochter vereinigen wollte und Irena zu ihrer Stellvertreterin erwählt hatte. Aber als er sich ernsthaft mit diesem Gedanken auseinandersetzte, schüttelte er verwundert den Kopf über die Irrwege, auf denen sich sein Geist verloren hatte, und düster und ohne Durst trank er die Flasche leer.

Es war erst früher Nachmittag, als er nach Hause kam. Er war beschwipst, fühlte sein Gesicht glühen und zog sofort sein Sakko aus. Es war ihm völlig gleichgültig, daß er sein Leben aufs Spiel setzte mit soviel Alkohol im Blut. Als er in der Küche – seinem sicheren Hafen, seinem teuren Zufluchtsort – eine zweite Flasche entkorkte, kam Marian mit einem silbernen Tablett herein, auf dem die Reste ihres Mittagessens standen. Er sah, daß ihr sein Anblick einen Schock versetzte. Mit zitternden Händen stellte sie das Tablett auf die Anrichte.

»Felix...«

Sie blieb mit dem Rücken zu ihm stehen, starrte in den grünen Garten, und er hörte die Emotion in ihrer Stimme. Auch sie hatte Zugeständnisse gemacht an die Hitze. Sie trug ein Kleid mit kurzen Ärmeln, und er sah die schlaffe Haut an ihren Oberarmen. Mit einem leisen »plopp!« kam der Korken aus der Flasche. Elegant gluckerte der Wein ins Kristallglas.

»Felix...«

Er hob das Glas und schnupperte. Ein edler Wein.

»Felix...«

Er nahm einen Schluck und bewegte den Wein im Gaumen hin und her, alle Geschmacksknospen in seinem Mund wurden gekitzelt.

»Ich gebe es auf, Felix«, hörte er Marian sagen. Er warf einen Blick auf die Hüften, die ihre beiden Kinder getragen hatten. Er erinnerte sich an die junge Frau, die sie gewesen war, und an ihre Spielart von ehelichem Sex im verdunkelten Schlafzimmer, zwischen Befangenheit und Lust. Damals jagte er hinter nichts anderem her, er hatte Marian und die beiden Mädchen, und das Leben verwöhnte ihn. Er war glücklich.

»Hörst du, was ich sage? Ich gebe es auf.«

Hoffman zog einen Stuhl zurück und setzte sich. Marian stand noch immer mit dem Rücken zu ihm, sie war unfähig, ihn anzusehen.

»Du hast doch dein eigenes Leben?« sagte er heiser. »Also kümmere dich nicht um mich.«

Sie fragte: »Willst du so gern sterben?«

Er hörte, wie sie die Tränen zurückdrängte. Sie sagte: »Willst du dich wirklich auf diese Art umbringen?«

»Es ist heiß. Ich habe Durst. Das ist doch erlaubt«, sagte er.

»Du bist betrunken. Du warst schon betrunken, als du gekommen bist. Hast du irgendwo zu Mittag gegessen? Ach, was geht mich das an.«

Er sah, daß sie den Kopf schüttelte und auf den besprühten Rasen mit den hohen Bäumen blickte.

»Warum haben wir uns damals nicht scheiden lassen? Vielleicht wäre das auch für Miriam besser gewesen.«

»Unsinn«, sagte er.

»Miriam hat noch am meisten darunter gelitten. Es ist unsere Schuld, daß sie nicht mehr da ist.«

»Und Esther? Ist es auch unsere Schuld, daß sie Krebs bekommen hat?«

»Ich weiß es nicht... manchmal denke ich, daß es ein höheres Wesen gibt, das straft. Esther ist vielleicht für uns gestorben.«

Er hob das Glas und sagte: »Dieser Gedanke ist ein Überbleibsel aus deiner katholischen Phase, Schatz.« Er nahm einen Schluck und genoß den ausgereiften Wein.

»Wir haben es falsch gemacht, Felix.«

»Ach ja?«

»Hör auf mit deinem Sarkasmus!« Sie hatte ihn angeschrien.

Er zeigte mit dem Finger auf sie und erinnerte sich, daß Besoffene in billigen Cafés auf diese Weise das Unrecht von sich abwehren.

»Sprich nicht in diesem Ton zu mir, Marian! Du hast kein Recht, mich so zu beschimpfen!«

Sie reagierte nicht, blieb regungslos vor der Anrichte stehen.

Schnaubend saß er am Marmortisch und schenkte sich das halbvolle Glas nach. Er benahm sich unfair, eingebildet, rachsüchtig und verspürte eine Wut, die sich nur in ätzenden Vorwürfen Luft machen konnte und darin, daß er sie zum Weinen brachte.

»Du kommst einfach so herein und fängst von Scheidung an!« Er hörte sich selber großsprechen, einen widerlichen Mann. »Verdammt noch mal, ich versuche hier, mich von einem Herzinfarkt zu erholen, von einem *Herzinfarkt*, hörst du!« Jetzt brüllte er wirklich, mit aufgerissenen Augen, und hielt sich am Tischrand fest. »Hoffst du, daß ich noch einen Infarkt kriege, wenn du so mit mir sprichst? Legst du es darauf an? Soll ich verrecken? Regst du mich deshalb so auf, damit ich in meinem eigenen Blut ersticke? Du willst, daß ich abkratze, oder? Du willst, daß ich kaputtgehe! Okay, Schatz, mach weiter so, und ich bin kaputt!«

»Ich will dich nicht kaputtmachen!« schrie sie und schlug die Hände vors Gesicht.

Er nahm einen großen Schluck, um seine Aufregung zu

dämpfen, aber seine Seele schmorte auf einem Rost aus Scham und Schuld, und der Alkohol schürte das Feuer. Er mußte sie vernichten, wenn er sein Schuldgefühl jemals loswerden wollte. Er wollte ihre Tränen sehen.

»Weißt du was, Schatz?« sagte er mit der einschmeichelndsten Stimme, die ihm unter diesen Umständen noch zu Gebote stand, »vielleicht möchtest du ja alle um dich herum tot haben. Alle.«

»Lump!«

Sie drehte sich mit einem Ruck zu ihm herum. »Du Lump!« wiederholte sie. Sie hielt die Fäuste vor der Brust geballt, als ob sie sich auch körperlich verteidigen müßte. Aber ihre Augen waren bleich und trocken. Sie flüsterte: »Du bist ein Tier. Du bist widerlich.«

Sie sah ihn an, als wäre es zum letzten Mal. Dann verließ sie die Küche.

Sofort schenkte er sich ein neues Glas ein. Er mußte irgendwie bis zur nächsten Verabredung mit Irena überleben. Er hatte keine Chance, aber es war die einzige Erwartung, die ihm die Luft zum Leben gab.

Wenn er sich eine Plastiktüte über den Kopf stülpte, würde er ersticken.

In einem Zuber mit Wasser konnte er ertrinken.

Die Luft, die er atmete, war wertvoller als sein Leben.

Er trauerte um den Mann, der er einmal gewesen war.

Das Telefon klingelte, und jemand im Haus nahm ab. Zwanzig Sekunden später machte Jana die Küchentür auf und blieb auf der Schwelle stehen.

»Für Sie«, sagte sie ohne Mitleid.

Er stemmte sich hoch und schwankte in die Halle, immer an der Wand lang.

Mit feuchten Händen nahm er den schweren schwarzen Hörer auf.

»Ja?«

»Irena Nová...«

»Frau Nová!«

Als ob die Gefahr bestand, daß sie ihn sehen konnte, versuchte er aufrecht zu stehen und seine Betrunkenheit zu verbergen, aber er merkte schnell, daß es keinen Sinn hatte.

Er sagte ihren Namen noch einmal, diesmal ruhiger: »Frau Nová... was kann ich für Sie tun?«

»Das Interview. Können wir einen Termin für nächste Woche ausmachen? Mittwoch, ginge das?«

Er hatte keine Ahnung, ob er Mittwoch frei war, aber er konnte unmöglich nein sagen. Er würde alles andere für die Verabredung mit ihr verschieben.

»Ja natürlich, Mittwoch ist hervorragend. Wo?«

»Am gleichen Ort?«

»Hervorragend.«

»Ungefähr um sieben?«

»Abends?«

»Ja, natürlich.«

Sie wollte ihn abends treffen. Jugendliche Freude strömte durch seine Brust, die Vorfreude eines verliebten Jungen. »Gerne«, sagte er.

Sie legte auf.

Er hielt sich an der gedrechselten Säule des eichenen Treppengeländers fest und schaute hinauf. Auf der höchsten Stufe stand Marian und blickte mit roten Augen auf ihn herunter. Sie wartete auf ein Wort von ihm, und er wußte, daß ein Zeichen, eine Geste mit der Hand oder nur mit einem Finger genügen würde, für den Fall, daß er plötzlich sprachlos geworden war.

Hoffman schwankte zurück in die Küche.

Der Abend des 23. August 1989

Hoffman hatte die folgenden Tage und Nächte überlebt. Jeden Abend wartete so etwas wie ein unbezwingbarer Berg auf ihn, den er mit bloßen Händen erklettern mußte. Steile Wände, rauhe Felsen. Und jeden Morgen erreichte er das Flachland des Tages. Er war verblüfft darüber wie ein Lahmer nach einem Spaziergang.

Der Botschafter ließ sich von Boris zum Restaurant am Namesti Republiky fahren. Die Sonne war hinter den Hügeln im Westen der Stadt verschwunden, ein sanfter Schimmer lag über den vielen hundert Türmen und Giebelfenstern.

Auf der Motorhaube wehte die Standarte des Königreichs. Hoffman hatte heute einen Bericht über die Menschenrechte in der Tschechoslowakei gelesen, der unter seinem Namen nach Den Haag abgehen würde. Seine Hauptaufgabe in Prag war die Unterstützung von Dissidenten, ein von den Rhetorikern im Außenministerium ausgeklügelter Trick. Niemand in Den Haag scherte sich einen Pfifferling um die Dissidenten hier, er selbst eingeschlossen. Aber der Herr Minister konnte im Parlament Eindruck schinden mit seinen Elogen auf weltverbessernde Humanisten oder enttäuschte Kommunisten. Die westliche Presse war ganz gierig auf Dissidenten, denn Dissidenten waren eine Spielart des Journalismus: am Rande der Politik, alles besser wissend, aber mundtot gemacht von den bösen Politikern. Der Journalist, eine traurige Figur, der seine Verbitterung zum Beruf erhoben hatte, konnte sich daher mühelos mit dem Dissidenten identifizieren.

Auch in Holland gab es Dissidenten, aber dort nannte man sie einfach Querulanten. In Osteuropa lag das anders. Ein paar Ausnahmen, die die Regel bestätigten, gab es hier (wie zum Beispiel Sacharow, die verkörperte Unschuld), aber die meisten Dissidenten waren tiefgläubige Helden, denen man den Kirchenbesuch erschwerte und die sich ein Europa unter der Führung des Papstes erträumten. Er dachte hierbei besonders an die Polen, die nicht mehr arbeiteten, ihr Land an den Rand des wirtschaftlichen Ruins gebracht hatten und daher den ganzen Tag in der Kirche auf den Knien lagen, um mit der Heiligen Jungfrau über bessere Zeiten zu verhandeln.

Ein Querulant, der in einem osteuropäischen Land zur Welt gekommen war, wurde im Westen Dissident genannt. Ein Halbanalphabet, der mit Mühe HAUS BAUM BALL schreiben konnte und das Glück hatte, in einem Arbeitslager des Gulag interniert zu werden, wurde in München oder Paris als »bedeutender experimenteller Dissidentenautor« gedruckt.

Hoffman mußte mit örtlichen Dissidenten Kontakte knüpfen, so lautete eine der Richtlinien vom Affenfelsen, er mußte Partei und Regierung hier klarmachen, daß dem niederländischen Volk etwas lag an der Befolgung der Beschlüsse von Helsinki. Einmal abgesehen von Hoffmans im stillen gehegter Überzeugung, daß sich das niederländische Volk nicht im geringsten um die Beschlüsse von Helsinki scherte, konnte er auch nichts Gutes darin finden, wenn Europa wieder zum Schlachtfeld erbitterter Nationalisten wurde. Seiner Meinung nach verdienten Sudetendeutsche, die die Grenzen revidieren wollten, ein straffes kommunistisches Regime.

Hoffman überließ die Kontakte mit den dissidierenden Mitbürgern Johan Sonnema, dem katholischen Intellektuellen aus Franeker, der alles über Unterdrückung wußte und gern bei einem Glas Wein über Dasein und Freiheit in Gebundenheit und dergleichen schwafelte.

Es schien Hoffman, als ob sich in der Tschechoslowakei niemals etwas ändern würde. Die Polen wollten ein Römisches Reich mit dem Papst auf dem Thron und hatten bei den Wahlen im Juni – den ersten seit vierzig Jahren – die Kandidaten der Partei mit leeren Händen nach Hause geschickt. Die Ostdeutschen waren vor allem Deutsche und wollten alle unter einer einzigen Fahne marschieren (sie saßen jetzt nicht mehr nur in Budapest und Ostberlin in den westdeutschen Botschaften, sondern auch hier in Prag – er hatte gehört, daß sie auf den Fluren kampierten, unter Schreibtischen und zwischen Aktenschränken schliefen, alle WCs waren verstopft). Die Ungarn träumten von einer großen, packenden Sache wie zum Beispiel dem Habsburgerreich (die Partei war hierüber im Gespräch mit der Opposition, die um kein Haar besser war, befand Hoffman), aber was wollten die Tschechen?

Freiheit und Demokratie hatten die Tschechen nur zwischen 1918 und 1939 gekannt, und ein nationales Gefühl, wie das der Polen und Ungarn, war ihnen fremd. Es war das Land von Franz Kafka und dem Soldaten Schwejk, ein benebbichtes kleines Land zwischen Paranoia und Minderwertigkeitsgefühl. Es war nicht einmal eine Einheit, Deutsche, Tschechen und Slowaken wohnten dort, alle drei mit ihrer eigenen Sprache und Kultur, immer wieder zerrieben zwischen den echten Deutschen, den Österreichern und den Russen.

Vor zwei Tagen hatte eine verbotene Demonstration stattgefunden, und die Polizei hatte Hunderte von Verhaftungen vorgenommen. In solchen Ländern fanden sich immer Menschen, die ganz versessen waren aufs Verhaften. 1968, als die Russen Dubčeks menschliches Gesicht mit Schlagringen bearbeitet hatten, schienen Heerscharen begeisterter Tschechen nur darauf zu warten, ihre eigenen Landsleute unterdrücken und foltern zu dürfen. In jedem osteuropäischen Land verfügten ganze Horden über die Fähigkeit, sich unbegrenzt in den Dienst ihrer Besatzer zu stellen, mit noch größerem Einsatz, höherer Perfektion und Erbarmungslosigkeit als alle Kollaborateure während der Nazi-Besetzung Europas zusammen. Überall hatten sie Dreck am Stecken, jedes Volk unterdrückte sich selbst.

Hoffman hatte eine Heidenangst vor einem freien Rumänien, das den Deutschen im Krieg vorgemacht hatte, wie man am besten Juden vernichtete. Auch die Ungarn hatten in dieser Hinsicht ein eindrucksvolles Jahrhundert auf dem Buckel, mit ganzen Reihen von antisemitischen Staatsoberhäuptern. Und was sollte er von den Sachsen halten, die ihr Land DDR genannt hatten? Er schauderte bei dem Gedanken, die Sachsen könnten von den Russen unabhängig und frei werden oder gar – was Gott verhüten mochte – ein Bündnis mit den Westdeutschen schließen: Gab man einem Deutschen den kleinen Finger, dann hackte er die ganze Hand ab.

Zum Glück horchten in Berlin kleine graue Männchen mit verkniffenen Mündern auf die Instruktionen aus Moskau. Der Moskau-Kommunismus – nichts anderes als eine riesige Oligarchie – hielt in ganz Osteuropa den Deckel auf dem brodelnden Topf voller Nationalismus, Rassenwahn und Judenhaß. Die europäische Teilung war noch das geringste Übel, das dieses Jahrhundert hervorgebracht hatte.

Natürlich hatte er in Irena Novás Interview darüber geschwiegen. Er hatte ihre Fragen vollkommen neutral beantwortet. Tatsächlich hatte er nicht eine einzige Aussage gemacht, außer jener, wie gut er in der Lage war, zu reden, ohne etwas zu sagen.

In den vergangenen Nächten hatte er wieder gegessen, seinem wilden Hunger wieder nachgegeben. Er hatte Zeitschriften und harmlose Krimis gelesen und trotz seiner Blähungen gelassen auf den Morgen gewartet. Das blutverdünnende Medikament Sintrom nahm er noch, aber die Schlafmittel hatte er oben in seinem Schlafzimmer in eine Schublade gelegt, neben das Buch von Spinoza, das verwirrende und ermüdende Erinnerungen in ihm wachrief. Fast schien es, als forderte die jungenhafte Bravour, mit der er an die Verbesserung seines Verstandes gegangen war, schon jetzt ihren unvermeidlichen Preis, denn – wie er aus Erfahrung wußte – diese Forderung blieb niemals aus; er war nichts weiter als ein alter Mann mit ausgewachsenem Selbsthaß und einem letzten Wunsch, den er niemandem anvertrauen konnte.

Er dachte in diesen Begriffen von »Preis« und »Rechnung«. Für jeden Schritt vorwärts hatte er bezahlt. Sein Überleben im Krieg hatte er bezahlt mit dem Tod seiner Eltern, das Zugrundegehen seiner Kinder stellte den Preis für seine Karriere dar – so ungefähr sah seine Bilanzierung aus.

Immer wieder hatte er auf dem Klo oder am Küchentisch darüber nachgedacht und sich gefragt, ob er nicht ein anderes Wertsystem übernehmen konnte, aber in dieser Frage war er nicht frei, er spürte die einschnürende Beschränktheit seines Charakters.

Er war eben so, wie er war, stellte er fest. Mit dieser Erkenntnis akzeptierte er eine Art Bequemlichkeit, und die enthob ihn der Verbesserung seines Verstandes und auch seiner Moral. Er hatte sich damit abgefunden. Die spannende Jagd nach Glück endete damals an Esthers Grab; jetzt gab er auch sein Streben nach Ruhe und Verständnis dran. Es flog wie ein entwischter Luftballon in die Wolken.

Sein Bewußtsein registrierte jede Kräuselung in seiner Geistesverfassung – Begleiterscheinung seiner traumlosen Existenz. Nur der Tod konnte ihn von sich selbst erlösen.

Der Mercedes fuhr über die Brücke vor dem Tschechischen Beitrag zur Expo 58. Das glatte Gebäude aus Glas und Metall stand vor dem steilen Hügelkamm, der das linke Moldauufer säumte. Die Brücke war asphaltiert, auf dem rechten Ufer ging es wieder mit Gebrumm über das Kopfsteinpflaster. Sie fuhren jetzt durch eine Straße, die Revolucni hieß, an deren Ende sich das Restaurant befand, in dem er Irena treffen würde. Boris öffnete ihm den

Schlag. Er war eigentlich noch nicht so gebrechlich, aber Boris hatte ihm schweigend klargemacht, daß er das Öffnen und Schließen der Mercedestüren als seine Aufgabe betrachtete.

Der Sommer war noch nicht vorbei, der Abend war drückend und lau. Hoffman dankte Boris und sagte ihm, daß er später, in ein paar Stunden, ein Taxi nehmen würde. Boris konnte nach Hause fahren.

Im Restaurant war es still. Da ihm kein Ober entgegenkam, suchte er sich selbst einen Tisch. Es sah aus, als hätte jemand in die Halle von Tuschinski, dem großen Art-deco-Kino in Amsterdam, das er in seiner Studentenzeit oft besucht hatte, lauter Tische und Stühle gestellt. Sein Gedächtnis bot ihm eine Erinnerung an, die zweite oder dritte Verabredung, damals mit Marian: Bei einem italienischen Film hatte er seinen Arm um sie gelegt, und sie hatte ihn geküßt. Er legte seinen alten Burberry über eine Stuhllehne und setzte sich. Auf dem weißen Tischtuch spürte er an der Außenkante seiner rechten Hand ein paar Brotkrümel; in alte Erinnerungen verloren, scharrte er sie zusammen.

Alarmiert von seinem sechsten Sinn sah er auf und unwillkürlich stand er auf, als er sie aus dem Gang kommen sah, der vom Restaurant zu den Toiletten führte. Ihr Anblick linderte seinen Seelenschmerz. Sie setzte sich an einen anderen Tisch, dann sah sie ihn zufällig. Ohne zu atmen, als könnte die geringste Bewegung ihren Anblick verscheuchen, beobachtete er sie. Er stand stramm, Hand an der Hosennaht, wie in Habachtstellung, und wartete auf den Befehl, den ihr Lächeln ihm schicken würde.

Sie lächelte.

Er ging zu ihr hinüber.

Sie stand auf und erwartete ihn in ihrer ganzen Schönheit. Anmutig streckte sie ihm die Hand entgegen.

»Herr Hoffman...«

»Frau Nová...«

Er küßte ihr die Hand.

»Finden Sie es hier auch so leer?« fragte sie, während er in ihren Augen versank und ihre Hand festhielt.

»Würden Sie lieber woanders hingehen?«

»Eigentlich schon«, sagte sie.

»Leider bin ich fremd in dieser Stadt«, sagte er.

»Aber ich nicht.« Erst jetzt zog sie ihre Hand aus seiner gierigen Umklammerung.

Sie schlug ein Restaurant vor mit einem etwas zweideutigen Ruf. Man munkelte, daß Parteibonzen zur Kundschaft zählten. Irena behauptete, es habe die beste Küche in der ganzen Stadt, Fremde wurden nicht ohne weiteres zugelassen. Er hatte davon gehört.

Sie nahmen ein Taxi zur Francouzska, einer breiten Ausfallstraße aus dem Stadtzentrum. Sie gab ihm die Durchschläge des Artikels, der nur zweieinhalb Seiten umfaßte. Die Straßenbeleuchtung war zu schwach, er konnte die Buchstaben nicht erkennen.

Sie sah strahlend aus, hatte sich geschminkt, trug ein elegantes Kostüm, und auf den Schultern ihres streng geschnittenen Jacketts lag ihr dichtes blondes Haar wie ein Pelzkragen. Während sie über die geringe Zahl von Nachtrestaurants redete, fragte er sich, ob sie sein Angebot annehmen würde. Er war zu dem Schluß gekommen, daß er ihr Geld bieten mußte, und er wollte mit einem Betrag von tausend Dollar anfangen. Er war darauf gefaßt, auch eine Gegenforderung von zehntausend Dollar zu akzeptieren, denn er war bereit, ihr alles, was ihm nach dem Kauf des Pornofilmdebüts seiner Tochter geblieben war, zu geben. Auf dem hiesigen Schwarzmarkt waren tausend Dollar ein Vermögen, das sie nicht zurückweisen konnte. Wichtig war der Moment, in dem er seinen Vorschlag machte, nach dem Abendessen, als sei es die normalste Sache von der Welt, ihre Liebe zu kaufen.

Er hatte ein steifes Treffen erwartet, gefolgt von einer raschen Mahlzeit, aber sie schien guter Laune zu sein. Sie schwatzte drauflos und folterte ihn mit ihrem Lachen.

Das Taxi hielt, und Irena führte ihn in eine dunkle Gasse, die man von der Straße aus nicht erkennen konnte. In der schmalen Gasse hörte man den Lärm der Stadt nicht mehr, nur ihre eigenen Schritte hallten von den alten Steinen wider, die die Hitze des Tages ausatmeten. Auf einmal war er mit ihr allein. Sie fürchtete seine Nähe nicht.

»Mögen Sie Geflügel?« fragte sie.

»Ich bin ganz wild auf Fasan, Perlhuhn und Wachteln…«

»Man sagt, die Förster vom Jagdschloß der Regierung liefern hier die Ausbeute ihrer Wilddiebereien ab.«

Vor einer niedrigen Tür in einer Mauer, die einen Innenhof zu umgrenzen schien, blieben sie stehen. Irena klopfte.

»Kann man hier reservieren?« fragte er.

»Sie haben kein Telefon, das behaupten sie jedenfalls.«

Eine Luke in der Tür ging auf. Im Finstern erkannte Hoffman die Umrisse eines Gesichtes. Irena flüsterte etwas, aber der Kopf wurde verneinend geschüttelt. Er hörte an Irenas Stimme, daß ihr Ausflug nicht belohnt werden würde.

Sie wandte sich zu ihm um. »Erst in einer guten Stunde«, sagte sie, »aber sie fürchten, daß sie dann nichts mehr übrig haben.«

»Wollen Sie solange warten?« fragte er.

»Ich habe eigentlich ziemlich Hunger.«

»Dann gehen wir ins Hotel Europa«, beschloß er. Sie sagte etwas zu dem dunklen Gesicht, und die Luke wurde wieder geschlossen. Sie gingen zur Straße zurück.

»Das ist der Nachteil von diesen kleinen Lokalen«, sagte sie, »sie sind davon abhängig, was am Tag zufällig hereinkommt.«

»Ich lade Sie gern für nächste Woche dort ein. Dann gehen wir früher hin.«

»Vielen Dank.«

Wieder waren sie allein. Eine schwache Straßenlaterne in fünfzig Metern Entfernung warf gelbes Licht auf ihr Gesicht. Obwohl sie eine Armlänge Abstand von ihm hielt, spürte er die Wärme ihres Körpers.

»Tausend Dollar.«

Er hatte es gesagt, bevor er darüber nachgedacht hatte.

Lächelnd warf sie ihm von der Seite einen Blick zu. Es war klar, daß sie nicht verstanden hatte, was er gesagt hatte. Sein Herz klopfte schneller, als ginge er bergauf.

»Was meinten Sie?« fragte sie.

Er fühlte sein Geschlecht wachsen.

»Tausend Dollar«, wiederholte er mit zittriger Stimme.

Sie blieb stehen, noch immer lächelnd, aber in ihren Augen sah er Unruhe aufflackern.

»Ich verstehe nicht, was Sie meinen«, sagte sie, als hätte sie einen Witz nicht begriffen.

Er stand mit dem Rücken zu der breiten Straße. Das Licht der Straßenlaternen fiel auf seine Schultern, sie konnte also sein Gesicht nicht sehen. Mit dem blinden Mut eines verirrten Bergsteigers sagte er: »Tausend Dollar. Wenn Sie mit mir in ein Hotel gehen.«

»Wir gehen doch ins Hotel Europa?«

»Ich meine in ein Hotelzimmer, Frau Nová.«

Sie betrachtete ihn mit offenem Mund, ihre Augen zwinkerten.

»Ich äh ... ich glaube, ich verstehe nicht ganz«, sagte sie langsam.

»Tausend Dollar, Frau Nová, harte Währung, einen Haufen Geld biete ich Ihnen, wenn Sie mit mir in ein Hotelzimmer gehen.«

Sie schnaubte verächtlich und betrachtete ihn mit einem Widerwillen, der selbst den Widerwillen von Jana noch übertraf, und wandte ihren Kopf ab.

»Sie wissen nicht, was Sie sagen, Herr Hoffman.«

Sie lief weg. Er folgte ihr. Jeder Schritt tat ihm weh. Es war lange her, daß er gerannt war, aber er durfte sie nicht entwischen lassen. Er sah ihre Haare auf den Schultern tanzen. Der Stock unten an seinem Bauch stand ihm quer in der Hose und erschwerte die Verfolgung.

Er packte sie am Arm.

Sie blieb stehen und warf ihm wieder einen vernichtenden Blick zu.

Er schnappte erschöpft nach Luft, sein Herz konnte jeden Augenblick platzen.

»Verzeihen Sie bitte«, sagte er. »Sie sind...« Er schluckte, feuchtete sich die Lippen an. »Sie sind eine Göttin. Ich bete Sie an.«

»Einer Göttin bietet man kein Geld«, sagte sie wütend.

»Ich weiß nichts anderes, um Sie für mich zu gewinnen.« Er klang verzweifelt, spielte alle seine Trümpfe auf einmal aus. Aber sein Geschlecht glühte.

»Das ist die falsche Art«, sagte sie kopfschüttelnd.

»Ich kenne keine andere«, sagte er flehentlich. »Ich suche Ihre Liebe, aber es ist mir klar, daß Sie die meine nicht suchen.«

Sie verbarg ihr Gesicht in den Händen. Hoffman keuchte noch immer, betrachtete ihre Finger, ihren geschwungenen Hals.

»Zweitausend«, hörte er sie hinter ihren Händen sagen.

»Zweitausendfünfhundert«, sagte er erstickt, »ich gebe Ihnen zweitausendfünfhundert.«

»Dreitausend«, hörte er ihre gepreßte Stimme.

»Wie Sie wünschen«, antwortete er. »Sie kriegen dreitausend Dollar.«

Sie reagierte nicht.

Er konnte ihr Gesicht nicht sehen und wartete, bis sie den Mut hatte, die Scham in ihren Augen zu zeigen. Er hob eine Hand und legte sie auf ihren Arm. Sie trat einen Schritt zurück, das Gesicht noch immer in ihren Händen verborgen, und machte sich von seiner Berührung los.

»Nehmen wir ein Taxi«, sagte er.

»Hotel Europa geht nicht«, sagte sie. Sie versteckte sich noch immer.

»Warum nicht?«

»Dort müssen Sie Ihren Paß vorzeigen.«

»Und ein anderes Hotel?«

»Ich kenne jemanden im International.«

»Ich vertraue Ihnen«, sagte er. »Und ich bin Ihnen dankbar, daß Sie an meine Stellung denken.«

Jetzt ließ sie ihre Hände sinken, er konnte ihre traurigen Augen sehen.

»Ich brauche das Geld«, sagte sie.

Der frühe Morgen des 24. August 1989

Er ging mit Miriam am Strand entlang. Ein pfeifender Wind trug ihre Worte davon, und er sah ihren redenden Mund und den panischen Blick, aber er wußte nicht, warum sie so heftig gestikulierte. Dann sah er Esther. Sie verschwand in den hohen Wellen. Er kämpfte sich durch die dicken Schaumkronen zu ihr hin und packte sie am Arm. Mit einer einzigen Welle wurden sie zurück an den Strand geworfen, und er schleppte sie auf den feuchten Sand. Gleich füllte das Wasser hinter ihm ihre Spuren. Er drückte seinen Mund auf die kalten Lippen seines Kindes. Angst pochte in seinen Adern. Er versuchte, Leben in ihre Lungen zu blasen. Aber sie schlug lachend ihre Augen auf und umarmte ihn. Es war ein Spiel.

Sie gingen weiter. Esther war kleiner als Miriam, er fragte, wie das käme. Esther hatte eine Wachstumsstörung, das war alles. Marian saß auf einer Decke und holte aus einem riesigen Binsenkorb Kaviardosen heraus, für jeden eine.

Sie saßen und aßen.

Die Sonne trocknete seine Kleider.

Noch bevor sich die Bilder auflösten, wußte Hoffman, daß er träumte. Er kehrte zurück aus dieser anderen Welt, glückselig und von jenem Alptraum erlöst, in dem seine Kinder gestorben waren, und als er die Augen aufschlug, sah er Irena in einer Ecke des Zimmers im Sessel sitzen.

Er schloß die Augen und blieb einen Augenblick liegen. Er war herumgeirrt in der Welt von Wundern und Vergessenheit. Er hatte Esther festgehalten und Miriam zugehört. Er hatte mit seiner Familie gegessen. Er hatte geschlafen. Mein Gott.

Er richtete sich auf und schaute auf Irena.

Sie hatte sich angezogen, rauchte eine Zigarette, deren dünner Rauch im Licht einer Stehlampe tanzte. Die Luft im Zimmer war verbraucht. Trotz des offenen Fensters bekam er kaum Sauerstoff in seine Lungen.

»Gehst du fort?« fragte er mit trockenem Mund. Er stützte sich auf einen Ellbogen.

Sie nickte, während sie Rauch ausstieß.

»Ich habe geschlafen«, sagte er.

»Ich wollte dich nicht wecken. Aber das Briefchen wurde nicht so, wie ich wollte, sonst wäre ich schon weg gewesen.«

»Vor zwanzig Jahren habe ich zum letztenmal geschlafen.«

»Was meinst du?«

Sie sprach sanft und zärtlich, wie eine Geliebte. Er merkte, daß sie alle beide flüsterten.

»Ich habe heute zum erstenmal wieder geschlafen. Das verdanke ich dir.«

»Leidest du unter Schlaflosigkeit?«

»Chronisch. Aber jetzt hab ich geschlafen. Durch dich.«

»Wirklich wahr?«

»Durch dich, Irena, durch dich. Wirklich wahr, durch dich.«

Überrascht und erfreut lächelte sie. Sie stand auf.

»Ich muß gehen.«

»Ja«, sagte er.

»Paßt du auf dich auf? Du kannst einfach durch die große Halle rausgehen. Nimm ein Taxi.«

Sie bückte sich und nahm ihre Handtasche.

»Seh ich dich nächste Woche?« fragte er.

Sie steckte ein Päckchen Zigaretten und ein Feuerzeug in ihre Tasche und sah kurz zu ihm auf. Sie nickte.

»Ich geb dir dann das Geld«, sagte er.

»Kleine Scheine ...«

»Mach ich.«

Er streckte eine Hand nach ihr aus. Sie nahm seine Finger, hielt aber Abstand vom Bett.

»Ich hab geschlafen, Irena. Du weißt nicht, was das für mich bedeutet. Du hast das fertiggebracht. Deine ... deine Liebe.«

»Übertreibst du nicht?«

Er schüttelte den Kopf. »Nein, nein, nein. Ich bin bei dir eingeschlafen. Du hast mich erlöst.«

»Das klingt ja fast religiös.«

»Ist es auch.«

Sie ließ seine Hand los und machte zwei Schritte zur Tür: »Der Artikel?«

»Großartiger Artikel«, sagte er. »Kann so gedruckt werden.«

»Bist du sicher?« Sie drückte ihre Zigarette in einem schweren Glasaschenbecher aus.

»Ja«, sagte er.

»Paß auf dich auf, Felix.«

Er nickte. Sie öffnete die Tür und verschwand.

Er ließ sich wieder auf die Matratze sinken. Die Betttücher rochen nach ihrem Schoß. Er zog das Laken über seinen Kopf und füllte seine Lungen mit ihrem Duft.

Während er so in seinem kleinen Zelt lag, spürte er, wie seine Arme und Beine glühten. Jugendliche Kraft breitete sich prickelnd in seinem Bauch aus. Er gab sich der Erinnerung an ihren Orgasmus hin, und sein Geschlecht richtete sich schon wieder auf, wie bei einem Zwanzigjährigen. Sein sich auflösender Körper war noch stark genug, eine dreißigjährige Frau zu befriedigen, und das erfüllte ihn mit einem uralten männlichen Stolz. In der nächsten Woche konnte er wieder zwischen Irenas Brüsten einschlafen. Er wußte, daß sie für ihn das Ende bedeuten konnte, aber kein Preis war ihm zu hoch.

Plötzlich sah er erwartungsvoll in die Zukunft. Er würde Irena mit Geld und Geschenken überhäufen, er würde sie nach Luxus und Komfort süchtig machen und sie an sich binden, bis er völlig verarmt und sattgevögelt pensioniert wurde und auf den Tod warten konnte.

Irenas Körper war voller Lebenskraft, er konnte sich in ihren Augen verlieren, er hatte sie geküßt und gestreichelt – angebetet –, und als sie seinen Kopf packte und seinen hungrigen Mund aus ihrer Scham stieß, hatte er die Zukkungen ihres Orgasmus gespürt. Sie hatte ihn aufgefordert, sich auf sie zu legen und ihm auf ihren Körper geholfen. Er hatte sein Alter vergessen und sich völlig der Lust hingegeben, die in ihrem Gesicht strahlte.

Sein Geschlecht klopfte wieder heftig, und er packte den glühenden Stab und befriedigte sich selbst.

Eine halbe Stunde später verließ er den Kastenbau des Hotels International. Die marmorne Halle war leer, bis auf zwei Männer in Trainingsanzügen, die in breiten Sesseln beim Ausgang saßen und einen Aschenbecher vollgeraucht hatten. Er ging in die stickige Nacht hinaus, ohne daß sie ihn eines Blickes würdigten. Zwei Taxen standen vor der Tür, und er ließ sich zur Residenz zurückfahren.

Es war Viertel vor zwei. Er hatte geschlafen. Seine Kinder waren tot und seine Ehe bis zur Unkenntlichkeit zerschlissen, aber im Augenblick konnte er sich nur darüber wundern, mit welchem Eifer er dem nächsten Mittwoch entgegensah. Er hatte hier noch ein paar Jährchen vor sich und konnte Irena noch jahrelang genießen – solange seine Einkünfte das zuließen.

Er mußte natürlich auf seine Stellung Rücksicht nehmen und auf Marian. Er würde nicht verhindern können, daß er Irena ab und zu irgendwo begegnete, sie war schließlich Journalistin, aber einen Skandal mußte er vermeiden. Die zwei Männer am Ausgang des Hotels arbeiteten ohne Zweifel für den FSZS, und ein solches Risiko durfte er nicht mehr eingehen.

Aber als ihm diese Ängste bewußt wurden, wischte er sie beiseite und nahm sich vor, Irena auf jeden Fall weiterhin zu treffen, um jeden Preis. Und wie unglaubwürdig es klingen mochte, sollte auch sie für den FSZS arbeiten (in diesen Ländern konnte man mit Gewißheit gar nichts ausschließen), dann würde er ihr deswegen nicht etwa aus dem Weg gehen. Wenn sie sein Schicksal war, würde er es akzeptieren; alles andere war ihm im Grunde nichts wert.

Das Taxi hielt vor seinem Haus. Er hatte noch nichts

gegessen und spürte, wie ihm vor Hunger das Wasser im Mund zusammenlief. Er hatte ihren Schoß gekostet; jetzt kam die Räucherforelle dran, die heute nachmittag mit der diplomatischen Post gekommen war. Die Forelle steckte in einem Paket mit Delikatessen eines Traiteurs aus Den Haag; mit dabei lagen allerlei Prospekte und Haager Anzeigenblätter, um die er gebeten hatte.

Er konnte es mit der Nacht aufnehmen. Er hatte geschlafen.

Der Morgen des 29. September 1989

Als John Marks abends gegen sieben Uhr am Flughafen Charles de Gaulle in Paris angekommen war, nahm er einen Anschlußflug nach München, obwohl sein Ticket auswies, daß er in eine Air-France-Maschine nach Rom umsteigen sollte.

In München nahm er den Zug nach Wien, mit einer Fahrkarte zweiter Klasse, und lange nach Mitternacht überließ er es dem Wiener Taxichauffeur, ihm ein Nachtquartier zu besorgen. Der Mann brachte ihn ins Hotel Alpha im 9. Bezirk, einer ruhigen Gegend nahe der Innenstadt. Das Hotel befand sich in einem bescheidenen Neubau in einer Straße aus dem vorigen Jahrhundert. Das Zimmer war sauber und ruhig.

Er hatte sich die Gesichter seiner Mitreisenden eingeprägt, aber er wurde nicht verfolgt. Unterwegs hatte er weder Zeitungen noch Zeitschriften angeschaut. Er hatte geträumt und sich seinen Erinnerungen hingegeben.

Seine Verabredung mit Marian Hoffman sollte um elf Uhr stattfinden, aber er ließ sich schon um sechs Uhr wekken. Nach dem Duschen trank er aus einem der Plastikbecher, die er mitgenommen hatte, eine Tasse Kaffee, die ihm ein pakistanischer Zimmerkellner gebracht hatte. Die ersten Straßenbahnen donnerten am Hotel vorbei. Er zog den Anzug an, den er für seinen besten hielt, einen Anzug von Brooks Brothers. Ein schlichter, klassischer Schnitt, aber der Kenner sah die Qualität des Stoffes und die Meisterhand des Schneiders. Für alle Fälle nahm er einen leichten unauffälligen Regenmantel mit, auch wenn es warm und trocken war.

Der Morgen war klar. Er ging ein paar Häuserblocks weit und fing beim Näherkommen einer Straßenbahn mit der obligatorischen *Chemischen Reinigung* an, stundenlangen Scheinbewegungen, um eventuelle Verfolger abzuschütteln. Zwanzig Meter entfernt war eine Straßenbahnhaltestelle. Er beeilte sich und sprang auf das Trittbrett. Dann warf er einen Blick durch das Rückfenster und sah ein beruhigend leeres Trottoir. Er setzte sich auf einen einzelnen Sitzplatz neben die Doppeltür in der Mitte des Waggons und ließ sich zum Stephansdom bringen.

Er überließ sich jetzt nicht mehr den Erinnerungen an Marian, sondern konzentrierte sich auf mögliche Beschatter und Beobachter.

Im Kaffeehaus gegenüber vom Dom, am Stephansplatz, bestellte er eine Mélange, aber er mißtraute der Tasse und ließ sie stehen. Er blätterte eine Wiener Morgenzeitung durch, die in einem hölzernen Stab steckte (er sah, wie die Druckerschwärze die Finger seiner Handschuhe schwärzte) und beobachtete den Eingang. Das Kaffeehaus füllte sich mit feinen älteren Damen und ihren ebenso feinen Schoßhündchen. Nach einer halben Stunde verließ er das Lokal.

Er tauchte ab unter den Platz und nahm auf einem blitzsauberen Bahnsteig die U-Bahn zum Praterstern, jenseits des Donaukanals, und wartete dort ein paar Minuten, bis sich die Tore zum Volksprater öffneten.

Das Riesenrad stand noch still. Vor dem Eingang kehrten dunkle Männer, Gastarbeiter, wie er vermutete, den Abfall zusammen. Ihre altertümlichen Besen bestanden aus Stöcken, an denen Reisigbündel befestigt waren. Er summte die Melodie aus dem *Dritten Mann*.

Zwischen ganzen Familien von Frühaufstehern, bereit, sich auf die Attraktionen zu stürzen, machte er einen Spaziergang über das Gelände. Er nahm einen anderen Ausgang, hielt ein Taxi an und gab dem Fahrer Anweisung, ihn zum Südbahnhof zu bringen. Er saß schräg auf der Rückbank und hielt den rückwärtigen Verkehr im Auge. Er schwitzte in seinem Regenmantel.

Fünfundzwanzig Minuten lang wanderte er im Bahnhof von Bahnsteig zu Bahnsteig, vorsichtig, wie in Kriegszeiten. Er stieg in einen Zug ein, ging durch mehrere Waggons und stieg wieder aus. Danach – er hatte den Regenmantel mittlerweile ausgezogen – nahm er die U-Bahn zum Südtiroler Platz. Dort wechselte er die Fahrtrichtung und stieg in die Linie zum Karlsplatz. Ein Taxi brachte ihn zum Westbahnhof, von dort spazierte er durch die Mariahilfer Straße Richtung Linzer Straße, er bog dann nach links ab Richtung Schönbrunn.

Wieder nahm er ein Taxi (er staunte immer, daß die Europäer ausgerechnet den Mercedes, der für Amerikaner den Gipfel an Reichtum und Kultur darstellte, zum Taxi des Kontinents erklärt hatten) und gab dem Fahrer die Thaliastraße als Adresse an. Ecke Wattgasse stieg er aus und gelangte auf einem Umweg in die Pension Klopstock in der Klopstockgasse, einer heruntergekommenen Straße im 17. Bezirk, wo hauptsächlich Gastarbeiter und gestrandete Emigranten aus Osteuropa wohnten.

In der engen Eingangshalle saß Simon Berenstein hinter dem abgenutzten Sekretär, den Marks 1958 mit ihm zusammen auf einer Auktion gekauft hatte. Berenstein sah auf und grüßte ihn lässig mit einem Kopfnicken, als käme John Marks hier täglich vorbei.

Marks trat näher und entdeckte in Berensteins breiter Hand die altmodische Stahlfeder, mit der dieser seine Romane schrieb. Hinten im Wohnzimmer stand eine schwere Truhe, in der Dutzende von Berensteins Romanen lagen. Die Manuskripte durften nicht gedruckt werden. »Erst wenn ich unter der Erde bin, dürfen sie das lesen.« Er war russischer Jude, der in den fünfziger Jahren nach Österreich geflüchtet war. Marks hatte noch nie eine Zeile von ihm gelesen, nahm aber der Einfachheit halber an, daß es Meisterwerke waren.

Berenstein schrieb weiter, während er seine Fragen stellte.

»Bleibst du länger, John?«

»Nur heute.«

»Wann kommst du mal wieder für ein paar Wochen?«

»Ich weiß es nicht, Simon.«

»Nie mehr, was?«

»Ich weiß es nicht, Simon.«

»Zimmer 305. Sie ist schon da.«

Marks legte den Briefumschlag oben auf den Sekretär. Berenstein ließ ihn liegen, als sei er unwichtig, und Marks ging zum altmodischen Aufzugskäfig. Er schloß die Tür, eigentlich nur ein Drahtgitter, der Aufzug zitterte und arbeitete sich ächzend in den dritten Stock hoch.

Mit einem Ruck blieb er dort stehen. Marks öffnete die Tür und suchte im Gang nach der Nummer 305. Dunkles Parkett lag auf dem Flur, seine Ledersohlen verrieten ihn schon. Er blieb vor dem Zimmer stehen, klopfte mit seiner behandschuhten Rechten an und trat ohne auf eine Reaktion zu warten sofort ein.

Marian saß auf der Lehne eines schweren Sessels, der vor dem Fenster stand. Der Hitze entsprechend trug sie ein luftiges geblümtes Kleid mit halblangen Ärmeln. Sie schaute sich um, als er eintrat, und lächelte nervös. Als sie aufstand, strich sie ihr Kleid glatt. Marks war auf der Türschwelle stehengeblieben, die Hand an der Klinke.

Zum ersten Mal hatte er im Gästezimmer seines Appartements in Daressalam mit ihr geschlafen, 1972, und zum letzten Mal hatte er sie in Rio de Janeiro 1977 gesehen, kurz vor dem brasilianischen Karneval. Sie war jetzt zwölf Jahre älter. Er sah, daß sie ihr Haar gefärbt hatte und eine graue Locke über der Stirn als kleine Huldigung an ihr Alter beibehalten hatte.

Er suchte nach Worten. Er schluckte, sah, wie ihre Finger nervös mit dem Griff ihrer Handtasche spielten. Sie zögerten beide. Als sie auf ihn zukam, mußte er die Arme ausbreiten. Jahrelang hatte er von diesem Augenblick geträumt; jetzt war es soweit, und er hatte Angst vor ihrer Berührung. Er hörte ihre Tasche hinunterfallen, sie schlang ihre Arme um seine Taille. Draußen balgten sich ein paar Katzen.

Als ihr Griff um seine Taille sich lockerte, ließ er sie ebenfalls los. Sie faßte seine Hände – seine Handschuhe –, und sie blieben voreinander stehen. Sie war größer als er. Er hörte sich schnauben.

»Wie schön, dich zu sehen, Marian.« Er sprach ihren Namen wie *Mary Ann* aus, die niederländische Aussprache war ihm nie geläufig geworden.

Sie nickte zärtlich. Ihre Augen wanderten über sein Gesicht, betrachteten die Falten, suchten die Haare auf seinem Kopf. Ihre Finger streichelten die Handschuhe.

»Du siehst gut aus, John.«

»Du bist keinen Tag älter geworden«, sagte er.

Sie lachte wie ein junges Mädchen: »Du übertreibst...«

»Nein... du siehst wunderbar aus«, sagte er mit einem Schluchzen in der Stimme. Er zwinkerte und hielt seine Tränen zurück. Er wagte nicht, sie zu küssen.

»Es ist, als wäre es gestern gewesen, findest du nicht?« sagte sie.

Er nickte. »Gestern«, bestätigte er, »alles ist noch so klar. Es ist erst ein paar Stunden her.«

Plötzlich liefen Tränen über ihre Wangen. Er geleitete sie zum Bett und setzte sich neben sie. Sie weinte still und in sich versunken, wie nur Menschen weinen können, die ihren Verlust hinnehmen.

»Achte nicht auf mich«, sagte sie.

Sie holte tief Luft und zog eine Packung Papiertücher aus ihrer Handtasche. Sie tupfte die Tränen von den Wangen und lächelte mit großen Augen.

»Es ist so wunderbar, dich wiederzusehen, John. Erzähl mir alles, wo du wohnst, wie es dir und deinen Kindern geht, deiner Frau, das möchte ich auch gern wissen.«

Er erzählte ihr, daß er sich hatte scheiden lassen, nachdem Marian in Rio ihr Verhältnis beendet hatte, und daß er seither allein lebte.

Sie hörte ernst und aufmerksam zu, hielt krampfhaft seinen Arm fest, ihre Finger brannten durch den Stoff hindurch, und sie fragte nach seinem Haus in Vienna, Virginia, und wie er seine Tage verbrachte. Sie wollte auch wissen, wie er sie gefunden hatte, und er verschwieg ihr die Wahrheit, erzählte nur, daß ein Freund von ihm in Prag stationiert war und zufällig etwas über den neuen niederländischen Botschafter gesagt hatte.

Sie glaubte ihm. Die Wahrheit war, daß er sie seit Rio keine Woche aus den Augen verloren hatte. Er hatte die Erlaubnis bekommen, ihr zu sagen, daß er Berichte über sie erhielt – wie jeder ehemalige Agent wurde auch sie regelmäßig überprüft –, aber wenn er ihr das sagte, würde er ihr Gefühl von *privacy* verletzen, also ließ er es bleiben. Er fragte nach ihrem Mann, und sie erzählte flüsternd, als könnte ihr Mann sie belauschen, daß ihr zweites Kind auch gestorben war und die Ehe mit Felix eine Hölle.

Sie sah ihn beunruhigt an, als es laut an die Tür pochte. Und Marks, der wußte, was kommen würde, ließ Berenstein herein. Der trug ein Tablett mit Whisky und einer Schale mit Papaya-Stücken.

»Diese idiotische Kombination ist nicht meine Erfindung«, sagte er mit seinem russischen Akzent. »Sie stammt von meinem Freund John.« Er setzte das Tablett auf das Tischchen vor dem Fenster.

In diesem Moment küßte Marian John auf die Wange, als wären all die Jahre nicht vergangen. Ungezählte Male hatte John ihre Rendezvous mit Whisky und Papaya verschönt. Es war das einzige, was er beim ersten Mal in Daressalam im Haus gehabt hatte.

»Machen Sie sich nichts draus, wenn Sie es nicht runter bringen«, sagte Berenstein, während er wieder aus dem Zimmer ging. »*Enjoy.*«

John öffnete die Flasche Chivas und erzählte ihr ein bißchen Klatsch über die Firma. Er wollte sich waschen.

Unweigerlich würde sie die Frage stellen. Sie tat es nach dem ersten Schluck. Er trank nichts und rührte nichts an.

»Warum wolltest du mich sehen, John? Ist irgendwas los? Oder wolltest du… wolltest du mich einfach nur sehen?«

»Natürlich wollte ich dich sehen…«

»Aber das ist nicht alles?« fragte sie melancholisch.

»Nein…«

»Es ist irgendwas los, oder?«

»Ja, es ist etwas los.«

»Erzähl es mir.«

Er sah nach draußen. Ein grauer Innenhof. Unten standen überquellende Mülleimer. Katzen suchten nach Futter.

»Etwas mit deinem Mann.«

»Felix?«

»Ja.«

Abwehrend setzte sie sich aufrecht hin.

»Erzähl schon. Was ist los?«

»Er… er hat ein Verhältnis mit einer Agentin vom FSZS.«

Sie schaute ihn glasig an, ohne zu blinzeln, und wartete, als brauchte sie ein paar Sekunden, um seine Worte zu analysieren. Dann senkte sie den Kopf.

»Ja?« flüsterte sie. »Hat er schon etwas weitergegeben?«

»Noch nicht. Ist dir irgend etwas aufgefallen?«

»Nein. Wer?«

»Eine Journalistin.«

»Irena Nová«, sagte sie. »Weißt du etwas über sie?«

»Sie ist dreiunddreißig. Hat studiert. Ist wirklich Journalistin, aber auch Agentin. Gewitztes Weib.«

Sie hob die Stimme: »Warum muß ich das wissen, John? Was wollt ihr von mir?«

»Ich wollte dich warnen.«

»Wieso, warum?«

»Ich will es nicht beschreien, aber da könnte etwas außer Kontrolle geraten.«

»Möchtest du, daß ich ihn warne?«

»Wenn du das tun willst... ich hab die Zustimmung für dich bekommen: Du darfst es ihm sagen, ja...«

»Nein.«

»Nein?«

»Laß ihn doch. Laß ihn in seinen eigenen Abgrund fallen.«

»Marian, es kann aber ernst werden.«

Er unterstrich seine Worte mit den Händen, als ob er ein Plädoyer vor Geschworenen hielte.

Sie sagte: »Alles was er will, ist ein Skandal.«

»Aber er hat Zugang zu heißer Information.«

»Felix?! Daß ich nicht lache. Er ist nur ein einfacher Botschafter.« Sie schüttelte den Kopf. »Er hat nichts, was sie gebrauchen könnten.«

»Ich versichere dir, es ist so.«

Sie schaute ihn gequält an, als wünschte sie, daß er seine

Erzählung wieder zurücknähme. Er wich ihrem Blick aus, schaute zu den Katzen hinunter.

»Warum können wir uns nicht... einfach hier so treffen, John?«

Er murmelte: »Auch wenn wir uns nicht um die Welt kümmern, die Welt kümmert sich um uns.«

Sie schlug die Augen nieder, rieb mit der einen Hand über die andere.

»Das ist alles so lächerlich«, sagte sie, »das ist alles so unwirklich.« Sie sah auf: »Wie kommt er an die Information?«

»Er hat einen Freund, einen Studienfreund von früher, der Probleme hat. Er ist Direktor der Forschungsabteilung von Philips, Hein Daamen.«

»Nein.« Sie schüttelte krampfhaft den Kopf. »Nein, John, das ist unmöglich.«

»Es tut mir leid«, sagte er.

»O mein Gott.«

Marks wollte jetzt keine Pause entstehen lassen, er starrte nach unten auf die Mülleimer und fuhr fort: »Daamen ist ein Schulbeispiel. Trinkt, hat homosexuelle Kontakte neben seiner Ehe. Er ist erpreßbar.«

»Wissen die Tschechen das?«

»Natürlich. Sie wollen deinen Mann zu Daamen schikken.«

»Hat er noch andere Leute vom FSZS getroffen?«

»Ja.«

»Die sind dort ganz schön infiltriert, was?«

»Wir haben eine ganz spezielle Quelle, ja.«

»Was soll ich also tun?«

»Du kannst deinen Mann auf die Gefahr aufmerksam machen. Du darfst ihm erzählen, was du jetzt weißt.«

»Glaubst du wirklich, das würde ihn zurückhalten?«

»Vielleicht.«

»Nein.«

Er hatte damit gerechnet, daß sie das sagen würde. Er hatte seinen Chef Chris Moakley davon überzeugt, daß man sie nach all den Jahren wieder einsetzen konnte. Sie nahm einen Schluck.

»Willst du mir helfen?« fragte er.

»Ich arbeite nicht mehr für die Firma«, sagte sie. Sie nahm die Flasche und schenkte nach.

»Hilf *mir*.«

»Nein. Warum? Ist da noch etwas? Ist Felix nur ein Teil der Geschichte?«

»Ja.«

»Himmel... und ich dachte, daß ich hier nach zwölf Jahren mein... meine Liebe wiedersehen würde.«

»Es tut mir leid«, sagte er trocken.

»Du lieber Gott... ich weiß nicht, ob ich es noch zusammenbringe, John. Ich bin nicht mehr dieselbe wie damals. Ich möchte mein Buch fertigschreiben. Das ist das einzige, was mich noch interessiert am Leben...«

»Wenn du nicht willst, akzeptieren wir das natürlich. Aber... es wird dann wohl schwieriger für uns.«

»Du setzt mich unter Druck.«

»Es ist wichtig.«

»Für wen?«

»Für die Firma.«

»Nicht für mich«, sagte sie spöttisch.

»Auch für dich. Für uns alle.«

»Erzähl es mir.«

»Du mußt erst unterschreiben, Marian.«

Sie machte eine herrische Bewegung: her damit. Er holte das Formular aus seiner Innenstasche und faltete es für sie auseinander. Er gab ihr einen Stift.

»Unterschreiben bedeutet gar nichts«, sagte sie. Sie unterschrieb.

»Also?« fragte sie.

Er steckte das Blatt Papier wieder ein und suchte nach einem Anfang.

»Warum trägst du Handschuhe?« fragte sie.

»Ein Ekzem«, log er. Er traute sich nicht, ihr zu sagen, daß er Angst hatte, die Welt zu berühren.

Sie trank einen Schluck Whisky und stellte sich neben ihn. Zusammen schauten sie auf die hungrigen Katzen dort unten. Plötzlich kam Simon Berenstein besenschwingend in den Innenhof gelaufen. Auf seinen alten, krummen Beinen jagte er die Katzen weg und fluchte dazu auf russisch.

»Kennst du ihn schon lange?«

»Ich bin ihm 1958 in Riga begegnet.«

»Arbeitet er für euch?«

»Nein.«

»Was willst du von mir? Ich verstehe nicht«, sagte sie nachdenklich.

»Wir haben eine wichtige Quelle in Prag. Carla. Carla arbeitet für den FSZS. Aber noch mehr für uns. Sie ist Doppelagentin. Carla möchte raus. Sie will zu uns kommen. Dein Ehemann kennt sie.«

»Felix? Wieso?«

»Es ist ein Staatsgeheimnis, Marian, du hast gerade unterschrieben.«

»Wer?«

»Irena Nová.«

Mit einem Ruck drehte sie sich zu ihm um.

»Sie arbeitet für uns als Doppelagentin«, sagte Marks mit gedämpfter Stimme; er war sich der Bedeutung dieser Erklärung bewußt.

»Nová? Aber...«

»Aber?«

»Dann kann sie doch die Information...« Sie beendete ihren Satz nicht und setzte sich hin, vornübergebeugt, die Handflächen gegeneinander gelegt, als wollte sie beten. Sie schloß die Augen. »Ich will das alles nicht wissen, John.«

»Du kannst uns helfen.«

»Ich kann euch nicht helfen. Ich kann es wirklich nicht... Weiß Felix, daß sie eigentlich für euch arbeitet?«

»Nein. Für ihn ist sie nur eine tschechische Agentin. Dein Mann...« Seine Stimme zitterte, und er schluckte. Er fürchtete plötzlich, daß er doch auf ihre Hilfe verzichten mußte. »Die Information von deinem Mann kann ihr helfen, das Land zu verlassen. Wir geben diesem Herrn Daamen in Eindhoven Spielmaterial, und dann...«

Sie schüttelte den Kopf.

»Ich will es nicht hören.« Sie schaute ihn flehentlich an. »Du sollst mich da nicht mit hineinziehen. Ich will das nicht mehr. Keinen Verrat mehr, keinen Betrug, keine Odysseen durch ein Spiegelkabinett. Das ist doch alles Wahnsinn. Ich kann nicht mehr.«

Sie stand auf und nahm ihre Handtasche.

»Du hättest mich in Ruhe lassen sollen, John. Wir hatten zusammen... wir haben gemeinsame Erinnerungen, für die wir hätten leben können.«

»Ich bin deinetwegen geschieden.«

»Nein. Um deiner selbst willen.«

»Deinetwegen, *Mary Ann*.«

»Wegen deines Selbstwertgefühls bist du geschieden. Wegen deiner Moral. Und das ist schön. Dies hier ist es aber nicht.«

Sie ging zur Tür. Plötzlich blieb sie stehen. »Bekommt ihr es dort in Langley eigentlich niemals satt? Was ist das für eine Welt, an der ihr bastelt?« Sie begann befreit zu lachen. »Ihr seid eigentlich lauter kranke kleine Jungs, John. Du auch.«

Gleichzeitig mit ihr legte Marks seine Hand auf die Türklinke, sein Leder auf ihre Haut.

»Bitte«, sagte er. »Ich flehe dich an.«

Sie hörte nicht mehr zu und ging lachend den Gang hinunter.

Der späte Abend des 28. Oktober 1989

Der Chrysler New Yorker bog in den Sunset Boulevard ein. Freddy Mancini landete im großen Korso, der jeden Samstagabend nach dem letzten Film anfing und bis in die Morgenstunden dauerte. Er hatte schon darüber gelesen, und dies war das erste Mal, daß er die vier endlosen Autoschlangen mit eigenen Augen sah.

Auch das Zentrum von San Diego konnte am Samstagabend voll werden. Aber in Diego saßen Menschen in den Autos, die irgendwoher kamen und irgendwohin wollten, während der Korso auf dem Sunset Boulevard und dem Hollywood Boulevard, wo er in einer Dreiviertelstunde sein mußte, aus lauter Menschen bestand, die die Autoschlange als ihren Spaziergang betrachteten. Der Weg war das Ziel. Der Korso war der Höhepunkt der Woche.

Er sah Autos aus den Fünfzigern, deren Chromteile mit Samtlappen poliert waren, als kämen sie direkt aus dem Ausstellungsraum; er sah hochgekurbelte Pick-ups auf meterhohen Rädern, auf und ab wippende Autos mit verstellbaren Achsenfedern, die wie ungeduldige Frösche mit dem Hinterteil in die Luft sprangen.

Wunderschöne Mädchen winkten ihm zu, Mexikaner mit Haarnetzen und Macho-Schnurrbärtchen horchten auf die Miami Sound Machine, Schwarze mit großen Sonnenbrillen fuhren mit gigantischen Ghettoblasters umher und beschallten den Boulevard mit ihrem *rap*.

Seine vierhundertunddreißig Pfund erregten viel Aufsehen. Sein New Yorker, ein zweitüriger *sedan de ville*, hatte breite Türen (einer der Gründe, warum er dieses Auto gekauft hatte), ein verstellbares Lenkrad, und außerdem hatte er einen Maßsitz einbauen lassen, der seinen enormen Umfang abstützen konnte. Diesen Sitz hatte er in einer Zeitschrift gesehen, die ihm jemand empfohlen hatte – *This is not edible*, ein Monatsblatt für die echten Schwergewichte (das hieß: mit einem Gewicht von mindestens dreihundert Pfund) – und er hatte ihn sofort gekauft. Die Fenster ließ er zu. Die heiße, mit Abgasen verpestete Sunset-Luft blieb draußen, drang nicht in seinen New Yorker.

Seit Bobby ihn verlassen hatte, war er nicht mehr zu bremsen. Er aß Tag und Nacht. Er schlief essend ein und wachte essend wieder auf. Er war jetzt allein zu Hause. Sein panamesisches Dienstmädchen Teresa – sie hatte ein flaumiges Schnurrbärtchen auf der Oberlippe – verwöhnte ihn und behandelte ihn wie ein dreijähriges Kind. Neben seinem strategisch vor dem Fernseher plazierten Sessel hatte er einen Kühlschrank aufgestellt. Teresa kochte ihm würzige mexikanische Gerichte, die er im Lauf des Abends mit *tv-dinners* und Fast food ergänzte, alles aus der Tiefkühltruhe des Supermarktes. Er hatte sich in den Tiefen seines Körpers verirrt.

Wenn er in den Spiegel sah – bald mußte er die Türen in seinem Haus verbreitern lassen –, erkannte er eine schwache Erinnerung an das Gesicht des schmalen jungen Mannes, der er einmal gewesen war, überdeckt von den vielen Kilo Fett. Ein großes, rundes Doppelkinn, rosig wie bei einem fettgemästeten Schwein, das man ins Schlachthaus trieb, waberte unter seinem Kinn. Wenn er im Bett lag, trieb er auf einer Lage Fett. Er versuchte, sich seinen ursprünglichen Körper wieder ins Gedächtnis zu rufen. Er war immer schmal gewesen, Essen hatte ihn bis zu seiner Heirat mit Bobby kaum interessiert, und er sah diesen Jungen von früher in einem Astronautenanzug stecken, ein mageres Kerlchen in einer Schutzhülle, die alle Bewegungen schwer und träge werden ließ. In seinem Fall war der Raumanzug aus Fett und Muskeln.

Bobby hatte sich einen Anwalt genommen, und nun lief die Scheidung. Sie verlangte die Hälfte des Hauses (als ob man das einfach durchsägen konnte), die Hälfte der drei Autos (dito) und die Hälfte seiner zwölf Waschsalons. Außerdem verlangte sie hunderttausend Dollar Schadenersatz wegen des jahrelangen körperlichen und geistigen Schadens, den er ihr durch seinen unersättlichen Hunger zugefügt hatte.

Freddys Anwalt David Goldman nahm Bobbys Ansprüche sehr, sehr ernst.

»Die Geschworenen könnten ihr womöglich recht geben, Freddy.«

»Sie hat mich verlassen, Dave, Geschworene mögen keine Frauen, die weglaufen. Sie ist die Verräterin.«

»Aber du wirst auch im Gerichtssaal sitzen...«

»Was willst du damit sagen?«

»Na ja, sie können mit eigenen Augen sehen, warum Bobby weggelaufen ist.«

»Ich bin dick, na und? Was macht das aus?«

»Was das ausmacht? Weißt du, was du sagst? Das macht eine Menge aus, das macht eine Riesenmenge aus, nämlich die Hälfte von dem, was du durch harte Arbeit erworben hast.«

»Nur weil ich dick bin?«

»Du bist nicht einfach nur dick, Freddy, du gehörst zu den hundert dicksten Männern in den Vereinigten Staaten und somit zu den dicksten Männern der Welt. Meine Sekretärin hat sich bei der Redaktion dieser Zeitschrift, die gegenwärtig dein Leib- und Magenblatt ist, erkundigt, und von den hundert dicksten Männern sind nur vier verheiratet; von diesen vieren sind drei mit einer ebenso dikken Frau verheiratet, das sind drei gut funktionierende Ehen, in denen sich Mann und Frau dumm und dämlich fressen. Also: nur in einem einzigen Fall war von Liebe die Rede, und dieser eine Fall, mein lieber Freddy, das warst du.«

»Was willst du damit sagen?«

»Daß Bobbys Anwalt diese Zahlen auch hat und davon Gebrauch machen wird, um zu zeigen, daß eine Ehe mit einem extremen Schwergewicht so unwahrscheinlich ist wie das Gehen auf dem Wasser.«

»Was rätst du mir, was soll ich tun, Dave?« fragte er eingeschüchtert.

»Nimm ab, Freddy, tritt in den Gerichtssaal wie ein junger Gott und zeig ihnen, daß du überhaupt nicht eßsüchtig bist. Denn das wird ihre Taktik sein. Du bist süchtig, werden sie rufen – ein *food junkie*.«

Seit diesem Gespräch hatte er dreißig Pfund zugenommen. Um halb eins mußte Freddy am Hollywood Boulevard angekommen sein, in Zimmer 21 eines Travelodge-Motels. Der Mann, den er am Telefon gehabt hatte, sprach ohne ausländischen Akzent. Er hatte sich »Jan« genannt; und Freddy, der vor ein paar Tagen seine Bezirksbibliothek aufgesucht hatte, fand diesen Namen in den Büchern tschechischer Autoren.

Also war Jan ein tschechischer Name. Jan hatte am Telefon ein Treffen in San Diego vorgeschlagen, aber das war Freddy zu nah am eigenen Wohnort. Er selbst hatte Los Angeles als Gegenvorschlag genannt, und eine halbe Stunde später hatte ihn Jan zurückgerufen, um ihm mitzuteilen, daß L. A. auch gut war. Travelodge, Ecke Hollywood Boulevard und Vermont Avenue, Samstag nacht um halb eins. Das war ungewöhnlich spät, aber Freddy hatte Verständnis dafür, daß solche Treffen zu ungewöhnlichen Zeiten stattfanden.

Er kam nur langsam voran, und verlegen erwiderte er die hochgehobenen Daumen und winkenden Hände in den Autos um ihn herum. Er hielt die Fenster geschlossen, und die Klimaanlage pustete kühle Luft in das mit braunem Leder ausgeschlagene Gefährt. Er hörte einen Sender, der rund um die Uhr Nachrichten brachte. Sie berichteten von einer Demonstration heute in Prag, die von der Obrigkeit zerschlagen worden war. Er kannte Prag.

Auf dem Beifahrersitz stand ein Karton mit Naschereien, die er vor seiner Abfahrt in San Diego gekauft hatte. Er wühlte nach einer Dose Cashewnüssen von Planter's und fühlte den Boden der Dose. Vielleicht konnte er in diesem Travelodge etwas bestellen.

Die Reise nach Europa hatte ihn gebrochen. Bobby hatte sich verliebt und er selbst etwas gesehen, was er nicht hätte sehen dürfen. Die Befragung hatte er wie ohnmächtig durchgestanden. Er fühlte sich noch nutzloser als vor seinem Besuch in Prag. Er hatte sich vor der Heimkehr nach San Diego gefürchtet, als ob er geahnt hätte, daß mit Bobby etwas nicht stimmte, und als dieser Anruf von ihr kam und sie ihm sagte, daß sie in Miami bei Bob Johnson bleiben würde, dem grauhaarigen Witwer aus der Reisegesellschaft, einem belesenen Mann, der wenig redete und sich ganze Tage auf die vom Reisebüro versprochenen Sehenswürdigkeiten vorbereitete, da hatte er gelassen den Hörer aufgelegt und war schnell zu seinem Supermarkt gefahren. Er fühlte sich erniedrigt und zur gleichen Zeit befreit. Bobby hatte ihn wegen eines anderen verlassen und damit den Stab über ihm gebrochen: Er war ein Stück Dreck, ein minderwertiges Wesen. Aber es war ihm auch sofort klar, daß ihn jetzt niemand mehr zurückhalten würde bei seinem unstillbaren Heißhunger.

Er fing an, noch größere Mengen in sich hineinzustopfen. Und unter seinem Fett entwickelte sich eine schreckliche Wut. Er konnte nicht mehr an Bobby denken ohne bittere Erinnerungen. Ihre Kinder ergriffen keine Partei, sie waren »verständnisvoll«, und »wir haben dich ebenso lieb wie Mama«. Als der Brief von ihrem Anwalt kam, wollte er sie ermorden.

Es war eine schockierende Entdeckung: Er war bereit, alle Folgen zu tragen, wenn es ihm nur gelang, ihr Leben kaputtzumachen. Die Wut, die er mit sich herumtrug, hatte tiefe und starke Wurzeln. War es möglich, daß er sie schon all die Jahre so heftig gehaßt hatte wie jetzt? War es möglich, daß er sein Leben vergeudet hatte neben einer Frau, die ihn von Anfang an erniedrigte und verachtete?

Nach dem zweiten Kind war er schnell dick geworden. In dieser Zeit hatte er seinen beruflichen Erfolg, und er nahm ebenso zu wie der Umfang seiner Waschsalonkette. Damals begannen auch ihre bissigen Bemerkungen, als ob sie ihm den Erfolg nicht gönnte. In Gesellschaft machte sie ihn oft zur Zielscheibe ihres Spotts, er war während seiner Ehe oft errötet. Freddy konnte sie nicht verstehen: Auch Bobby hatte doch von seinem gutgehenden Geschäft profitiert, aber eigentlich haßte sie ihn für den Luxus, den er ihr bot, als hätte er sie absichtlich damit von ihm abhängig gemacht.

Bobby hatte sich verliebt. Er hatte nur noch einmal am Telefon mit ihr gesprochen. Dann hatten die Anwälte das Gespräch fortgesetzt.

»Wie kann man sich in jemanden verlieben, der genauso heißt wie man selbst«, hatte er gefragt.

»Er heißt Robert«, antwortete sie giftig.

»Und du Roberta.«

»Jeder nennt mich Bobby, weißt du das nicht mehr?«

»Ihn vielleicht auch.«

»Na und? Er wird Bob gerufen. Das ist doch unterschiedlich genug. Bob und Bobby.«

»Ich finde es seltsam«, sagte er.

»Ich komme nicht mehr wieder, Freddy.«

»Wir sind noch immer verheiratet.«

»Das heißt nichts. Ich bleibe bei Bob.«

»Ich hab dich auch oft Bob genannt anstatt Bobby. Es ist fast, als ob du sagtest, daß du bei dir selber bleibst.«

»Mit dir kann man nicht vernünftig reden, glaube ich.«

»Kommst du wirklich nicht mehr zurück, Bobby?«

»Nein. Und das ist besser so. Auch für dich, Freddy. Das einzige, was du willst, ist essen, und ich halte dich nur davon ab. Ich bin dir lästig, und du bist mir lästig.«

»Warum bin ich dir denn lästig?«

»Du bist dick und lebst wie ein Mehlsack.«

»Wir haben es immer gut gehabt, Bobby.«

»Hör zu. Ich hab mir einen Anwalt genommen, der wird einen Tag ausmachen, an dem ich meine Sachen abholen komme. Ich will nicht, daß du dann da bist, okay?«

»Ich bin aber da.«

»Wenn die Anwälte das miteinander absprechen, dann mußt du dich danach richten. Sonst lasse ich dich verhaften.«

Freddy war doch zum Zuschauen dageblieben, und Bobby hatte ihre Drohung wahrgemacht. Vor allen Nachbarn hatte sie ihn aus seinem eigenen Haus werfen lassen. Die Polizisten bekamen ihn kaum vom Fleck, aber er hatte seinen Widerstand dann aufgegeben, und sie hatten ihn in einem Streifenwagen zur Bezirkswache gefahren. Weil es eine richtige Verhaftung war, mußten sie ihm Handschellen anlegen, aber seine Arme waren so dick, daß sie seine Hände auf dem Rücken nicht nebeneinander brachten. Zwei Tage später kam der Brief von ihrem Anwalt.

Freddy hatte beschlossen, daß sie ihr Recht auf Leben verwirkt hatte.

Aber er kannte niemanden, der bereit war, sie gegen Bezahlung zu ermorden. Er war nicht imstande, es selbst zu tun, daher brauchte er die Hilfe eines Profis. Aber wo fand man einen erfahrenen *hitman*? Nicht im Branchenbuch.

Die Herren, die er im Haus am Potomac getroffen hatte,

waren sozusagen Diplommörder. Er hatte aber nie mehr etwas von Marks oder seinen Assistenten gehört, und es war nicht ratsam, sie zu fragen, ob sie einen Mord begehen wollten. Nach der Befragung hatten sie ihn ins Flugzeug nach Hause gesetzt und ihn mit seinen Zweifeln und Mängeln alleingelassen. Er wäre gern in dem Haus geblieben – Carolyn machte den besten Truthahn auf dieser ganzen verdorbenen Welt –, aber nachdem sie ihn ausgequetscht hatten, wollten sie ihn wieder loswerden.

Er hatte den Mund gehalten, und auch Bobby hatte kein Wort aus ihm herausbekommen. Und doch war das Gefühl der Verbundenheit, das er in dem schönen Haus empfunden hatte, langsam verschwunden, und jetzt dachte er mit Verbissenheit an die Tage zurück, die er Marks geopfert hatte. Und dafür nicht einmal einen Anruf, einen Brief, einen Dank.

Er war jetzt dem Gewühl auf dem Strip entronnen und ließ die unzähligen Ampeln und Neonreklamen über die spiegelnde Haube seines New Yorkers gleiten. Er fuhr durch bis zur Vermont Avenue, bog dort links ab und fuhr auf die Kreuzung mit dem Hollywood Boulevard zu.

Hier konnte man am Straßenbild die Uhrzeit ablesen, Mitternacht war vorbei. Es war belebter als in S. D., aber ohne den Jahrmarktsrummel vom Strip, wo auch die Trottoirs von Tausenden von Sunset-Freaks bevölkert waren, Punks vor ihren Klubs, Angels neben ihren Harley-Maschinen, und Ledertunten vor ihren Tuntenzwingern.

Er sah die Reklame vom Travelodge aufleuchten. Es gab auch eine Auffahrt von der Vermont Avenue, und er parkte sein Auto vor dem Motel, einem L-förmigen, zweigeschossigen Gebäude mit schlichten Hotelzimmern und einem Parkplatz davor. Vier Stunden hatte die Fahrt von San Diego hierher gedauert, und er hatte ununterbrochen in seinem Auto gesessen. Unter dem Spezialsitz befand sich ein kleiner Elektromotor, der das ganze Ding ein Viertel um die eigene Achse drehte, so daß sein Körper diese Bewegung nicht machen mußte, wenn er ausstieg.

Zimmer 21 lag in einer Ecke des Obergeschosses. Er hielt sich am Treppengeländer fest und zog sich Stufe um Stufe hinauf. Nach fünf Stufen blieb er stehen, um Atem zu schöpfen. Es dauerte volle zwei Minuten, bis er im ersten Stock angekommen war.

Der Schweiß strömte ihm übers Gesicht, als er an die Tür klopfte.

Ein Mann mit einem kahlen Eierkopf machte ihm auf.

»Kommen Sie herein, Herr Mancini.«

»Sagen Sie ruhig Freddy zu mir.«

»Ich bin Jan«, sagte der Mann.

Er machte eine einladende Geste. Das Zimmer war schmal. Ein paar bescheidene Möbel standen darin, und ein Küchenblock bildete die Rückwand. Durch die offene Tür neben der Anrichte konnte man ein Schlafzimmer erkennen. Es war eine kleine Suite. Vor dem Sofa stand ein zweiter Mann. Genau wie Jan war er um die Vierzig und trug einen tadellosen dunkelblauen Anzug. Trotz der späten Stunde wirkten die beiden munter und frisch, wie eifrige Mormonen.

»Hallo Freddy«, sagte der zweite, »ich bin Peter.«

Er sprach seinen Namen deutsch aus. Er hatte eine tiefe, schnarrende Stimme.

Freddy ließ sich schwer auf das Sofa sinken. Das hölzerne Untergestell krachte, als er sein Gewicht darauffallen ließ. Er holte ein Päckchen Papiertaschentücher aus seiner Herrenhandtasche.

»Wie war die Fahrt, Freddy?« fragte Jan.

»Sehr gut, ohne Probleme.«

»Kann ich dir was einschenken? Willst du etwas essen?« fragte Jan.

»Gerne. Einen Scotch... und einen Hamburger, geht das?« Er nestelte ein Kleenex aus dem Plastikpäckchen und tupfte über sein Gesicht und die Fettschichten unter dem Kinn und im Nacken.

Jan gab Peter ein Zeichen. Der ging zur Anrichte und rief durch das Telefon, das dort an der Wand hing, den Zimmerservice an. Demnach war Jan hier der Boss.

»Wird gemacht. Wir freuen uns, daß du da bist, Freddy«, sagte Jan. Er zog ein Päckchen Zigaretten aus dem Sakko und hielt es Freddy hin.

»Rauchst du?«

»Nein, danke schön«, sagte Freddy.

Die Männer waren zuvorkommend. Er hatte keine Angst vor ihnen.

»Unterwegs nichts aufgefallen?« fragte Jan.

Freddy kapierte, daß er damit meinte, ob ihn jemand verfolgt habe.

»Nein, glaube ich nicht«, sagte er, obwohl er darauf gar nicht geachtet hatte. Ihm schien diese Verabredung unter größter Geheimhaltung zustande gekommen zu sein.

»Dein Brief hat uns überrascht«, sagte Jan. Er setzte sich Freddy gegenüber in einen Sessel. »Wir wußten erst nicht, was wir damit anfangen sollten. Deshalb haben wir dich angerufen.«

Peter schenkte ein Glas Scotch ein. Jan nahm den Brief aus seiner Innentasche und reichte ihn Freddy.

»Das ist doch dein Brief, Freddy?«

Er schaute auf den Umschlag und erkannte seine Handschrift.

»Ja.«

»Nimm den Brief mal raus«, sagte Jan.

»Ich erkenne den Umschlag. Das ist meine Handschrift.«

»Ich möchte doch, daß du ihn dir ansiehst«, drängte Jan. Er holte den Brief aus dem Umschlag und hielt ihn Freddy vor die Nase.

»Das ist mein Brief, ja«, sagte Freddy, der in Jans Pedanterie die übertriebenen Formalitäten des Ostblocks zu erkennen glaubte.

Jan lächelte und steckte den Brief wieder ein. Peter gab ihm das Glas. Gierig trank er einen Schluck, die Eiswürfel stießen gegen seine Zähne.

»Der Hamburger ist unterwegs«, sagte Peter.

Auch bei ihm hörte Freddy keine Spur von Akzent. Diese Tschechen hatten eine perfekte Englischausbildung gehabt, oder aber es waren gebürtige Amerikaner.

»Du hast also Material für uns. Jedenfalls schreibst du das in deinem Brief«, sagte Jan.

»Ja.«

»Was für Material?«

»Informationen.«

»Was für Informationen?«

»Informationen über die Tschechoslowakei.«

»Die Tschechoslowakei?« wiederholte Jan.

»Ja, zufällig habe ich dort etwas miterlebt, und eine gewisse Stelle in Langley interessierte sich für meine Erfahrungen.«

Jan und Peter wechselten einen Blick. Freddy spürte, daß diese Worte, die er sich unterwegs ausgedacht und eingeübt hatte, ihr Ziel trafen.

»Das ist aber was Besonderes«, sagte Jan.

»Das ist es auch«, bestätigte Freddy. Er trank sein Glas aus, und Jan machte Peter auf das leere Glas aufmerksam. Peter stand auf, um nachzuschenken.

»Und du tust es... aus Idealismus?« fragte Jan.

Freddy schüttelte den Kopf und schlug die Augen nieder.

»Nein.«

»Kannst du uns etwas über deine Gründe sagen?«

»Nein«, antwortete Freddy.

»Ich weiß nicht, was du zu erzählen hast, Freddy, aber ich muß natürlich wissen, warum du uns helfen willst. Versetz dich mal in unsre Lage. Vielleicht bist du ja ein Provokateur und willst uns einen Riesenbären aufbinden.«

»Ich brauche eure Hilfe«, sagte Freddy.

»Hilfe? Und deshalb kommst du zu uns?«

»Ja.«

»Hilfe wofür?«

»Ich hab ein Problem. Ich gebe euch Informationen, und ihr helft mir bei der Lösung dieses Problems.«

»Interessant«, sagte Jan mit breitem Lächeln.

Peter schenkte ihm noch ein Glas ein. Dankbar sah Freddy zu ihm auf.

»Gut, hör zu, Freddy…« sagte Jan, »du schreibst also einen Brief an die tschechische Botschaft, du bietest Material an, wir rufen dich zurück, und jetzt bist du hier. Was hast du uns zu bieten?«

»Erst will ich wissen, was ihr für mich tun könnt.«

Auch das hatte er unterwegs ständig wiederholt; zufrieden hörte er sich diese Antwort geben.

»Das hängt ganz von dir ab, Freddy.«

»Was *willst* du denn?« fragte Peter freundlich.

»Wenn du für uns wichtige Informationen hast, dann sind wir natürlich bereit, als Gegenleistung das eine oder andere zu tun«, erklärte Jan. Er zündete sich endlich die Zigarette an, mit der seine Finger gespielt hatten.

»Erst wollen wir deine Geschichte hören, dann reden wir über die Belohnung«, fügte Peter hinzu.

»Nein.« Freddy schüttelte den Kopf. »Ich möchte erst über die Belohnung reden. Sonst hat es keinen Sinn.«

Wieder sah er die beiden Männer einen Blick wechseln. Peter übernahm jetzt die Gesprächsführung.

»Findest du das nicht ungewöhnlich, Freddy? Zuerst über die Belohnung zu reden und erst dann über die Ware?« Er hatte einen tiefen Baß.

»Nein. In diesem Fall nicht.«

Peter versuchte es jetzt mit einer Drohung. »Wir sind neugierig, Freddy, aber nicht um jeden Preis.«

»Schaut mal«, sagte Freddy, »ihr seit hierher gekommen, und das bedeutet, daß ihr brav eure Hausaufgaben gemacht habt. Ihr habt etwas herausgefunden, sonst wärt ihr nicht hier. Habe ich recht? Also wißt ihr auch, daß ich in diesem Haus bei Potomac gewesen bin.«

»Was ist da bei Potomac?« fragte Jan.

»Ein Safe House.«

»Steht dort ein Safe House?« fragte Jan auffordernd.

»Ja«, sagte Freddy. Er unterstrich seine Worte mit einer Bewegung der linken Hand und war auf der Hut vor zuviel unbezahlter Information.

»Okay«, sagte Peter, »gut, du sollst deinen Willen haben, Freddy, reden wir zuerst über die Belohnung.«

»Wir machen das miteinander aus. Ihr müßt in einer Art Vertrag festlegen, worauf wir uns geeinigt haben.«

»Okay«, wiederholte Peter, »einverstanden, Jan?«

»Ich gebe mich geschlagen«, sagte Jan, und zum Zeichen seiner Niederlage hob er beide Hände.

Sie lachten alle drei. Freddy hatte das Gefühl, jetzt schon gewonnen zu haben. Mit einem neuen Papiertuch tupfte er sich die Schweißtropfen von der Stirn.

Jemand klopfte an die Tür.

Erschrocken schaute Freddy sich um. Aber seine Gesprächspartner schien das unerwartete Klopfen nicht weiter zu beunruhigen. Peter stand ganz gelassen auf.

»Das wird der Zimmerservice sein«, sagte er. Er öffnete die Tür, und tatsächlich stand jemand mit einer Pappschachtel draußen, ein Schwarzer mit einer Baseballmütze.

»*Refill?*« fragte Jan.

Freddy nickte. Er sah, daß Peter den Lieferanten bezahlte und die Tür wieder schloß.

»Hier, Freddy, dein später Imbiß.«

»Der erste Teil meines späten Imbisses«, korrigierte Freddy. Peter lachte und setzte sich wieder auf den Küchenstuhl.

»Ich hab Rückenschmerzen. Kann nur auf harten Stühlen sitzen.«

»So hat jeder irgend etwas«, sagte Freddy.

Er biß in den Hamburger. Er schmeckte sofort, daß er zweitklassig war, zu viel Sauce, das Brot war klitschig, das Fleisch gepreßt und erinnerte an poröse Schuhsohlen.

Jan stellte das Glas auf das niedrige Tischchen zwischen dem Sofa und seinem Sessel.

»Gut. Zurück zum Geschäft«, sagte er, während er sich zurücklehnte. »Was willst du, Freddy?«

»Eine Liquidierung.« Er hatte den Mund voll, aber er hatte längst gelernt, auch mit vollem Mund deutlich zu sprechen.

»Eine was?« sagte Jan. Er setzte sich wieder aufrecht hin. Peter rutschte auf seinem Stuhl nach vorne.

»Liquidierung«, wiederholte Freddy.

»Liquidierung?« fragte Peter. »Was meinst du mit Liquidierung?«

»So heißt das.«

»Du meinst eigentlich Mord?« sagte Jan.

»Das ist was anderes«, sagte Freddy. »Wenn man Mord sagt, meint man ein Verbrechen. Ich meine etwas, das nur recht und billig ist.«

Jan starrte ihn verblüfft an. Langsam lehnte er sich wieder zurück. Freddy nahm einen neuen Bissen. Er fühlte, wie ihm die Sauce über das Kinn lief, und wischte die Spur mit einem Taschentuch weg.

»Wen?« fragte Peter.

»Meine Frau«, sagte Freddy. Er hatte den Mund voll, aber er war gut zu verstehen.

»Deine Frau?!« Jan schoß in die Höhe, schaute ihn verblüfft an.

»Also deine Frau«, wiederholte Peter. Er war die Ruhe selbst.

Freddy nickte. Er hatte gesagt, was zu sagen war. Er hatte des längeren darüber nachgedacht. Er war dafür extra aus San Diego hierher gekommen, und notfalls würde er auch zu ihrer Botschaft nach Washington fahren, denn ein heiliger Haß brannte in seinem Leib, und er war bereit, Opfer zu bringen. Wenn die Tschechen Bobby töteten, würde er ihnen erzählen, was er wußte – er wußte nicht viel, aber jedenfalls genug, um die Kosten für einen Killer (er war überzeugt davon, daß sie die Namen von Killern in ihren Adreßbüchern stehen hatten) zu rechtfertigen.

»Wir sollen einen Mord begehen, und dann erzählst du uns alles, was du weißt?« faßte Jan Freddys Gedankengang zusammen.

Freddy nickte.

»Findest du es komisch, daß wir erst wissen wollen, *was* wir von dir kriegen, bevor wir so was tun?«

Aus dieser Frage hörte Freddy eine ernsthafte Erwägung seines Vorschlags heraus. »Nein«, antwortete er.

Peter lachte auf einmal los, und Freddy schaute ihn verblüfft an.

Der Mann saß da und wieherte vor Lachen, seine Schultern zuckten, er beugte seinen Kopf und schirmte sein Gesicht mit der Hand ab. »Tut mir leid«, hörte Freddy ihn sagen.

Freddy sah zu Jan hinüber in der Hoffnung, bei ihm Unterstützung zu finden, aber es sah so aus, als ob Jan seinerseits ein Lachen unterdrückte und sich schnell eine neue Zigarette anzündete, um seine Verwirrung zu kaschieren. Als Peter die Hand vom Gesicht nahm, war er wieder ernst und gefaßt. »Es tut mir leid«, sagte er wie ein trockener Beamter, »aber all dies hat meine Lachmuskeln plötzlich strapaziert. Wir hatten erwartet, daß Sie Geld von uns verlangen würden, oder ein Auto oder ein Haus oder Frauen, aber nicht so etwas. Dies ist wirklich ungewöhnlich, Herr Mancini…«

»Freddy, sag doch Freddy…«

»Natürlich, Freddy… so einen Wunsch haben wir hier noch nie gehört.«

»Das ist es, was ich will«, sagte Freddy.

Er fühlte sich durch ihr unprofessionelles Verhalten beleidigt, war aber fest entschlossen, bei seinem Vorschlag zu bleiben. Mit den Fingern scharrte er die Reste in der Schachtel zusammen und schob Salatblätter und Tomatenscheiben in den Mund.

Jan stand auf und deutete auf den Spiegel über seinem Sessel. »Siehst du diesen Spiegel, Freddy?«

Er sah kurz auf und nickte.

»Das ist ein *Einwegspiegel*, Freddy.«

Jan schob eine Hand in die Tasche und ließ einen Ausweis sehen.

»Im Zimmer nebenan steht eine Videokamera. Die hat unser kleines Treffen aufgenommen. Wir arbeiten für Herrn Marks.«

Freddy schaute zu Peter. Der Mann nickte mit schuldbewußtem Gesicht, als täte es ihm leid, daß er Freddy reingelegt hatte.

»Wir haben deinen Brief abgefangen. Das gehört zu unserer Arbeit.«

Freddy verstand nicht, was er meinte. Er sah auf den Spiegel und auf den Ausweis in Jans Hand, er suchte in Peters Gesicht nach einer Erklärung, starrte in die leere Schachtel, in der nur ein paar Fettflecken an den Hamburger erinnerten, und plötzlich begriff er, was hier gespielt wurde: Die Tschechen wollten ihn auf die Probe stellen. Er lächelte.

»Ich hab euch durchschaut«, sagte er wohlwollend.

»Ja?« fragte Jan.

»Ich fall hier nicht drauf rein«, sagte Freddy lachend.

»Worauf nicht?« tönte Peters Radiostimme.

»Auf das hier...« Freddy machte eine Handbewegung. »Setz dich wieder hin«, sagte er zu Jan, »reden wir wieder über das Geschäft.«

»Möchtest du mit Herrn Marks sprechen?« fragte Jan.

»Natürlich!« rief Freddy. Er war so munter, daß er sogar ihre Scherze vertragen konnte.

Peter stand auf und verschwand im Schlafzimmer hinter der Küche.

Jan setzte sich wieder. »Warum lachst du, Fred?« fragte er.

»Weil das hier ein einziger großer Witz ist«, sagte er.

»Was ist ein Witz?«

»Dieses sogenannte Arrangement. Das ist ein ganz normaler Spiegel, und du bist ein Tscheche.«

»Wenn das so ist... warum sollten wir das alles tun?«

»Um mich auf die Probe zu stellen, natürlich.«

»Um was zu tun?«

»Na, um zu testen, ob ich nicht beim ersten besten Verhör umfalle! In Filmen sieht man das doch immer!«

Peter kam zurück und hielt ihm ein drahtloses Telefon hin.

»Herr Marks hat das Gespräch mitgehört«, sagte er. »Er ist in Europa. Er will dich gern sprechen...«

Freddy glaubte kein Wort von dem, was Peter behauptete, nahm aber bereitwillig das Telefon entgegen.

»Hey, John!« rief er überschwenglich.

»Hallo Freddy«, hörte er John Marks sagen.

Die Verbindung war schlecht, und Marks' Stimme klang schwach, aber die Imitation war gut gelungen. Freddy mußte zugeben, daß sie wirklich ihr Bestes taten, um die Illusion so perfekt wie möglich zu machen.

»Wie geht's, Freddy?«

»Gut, John. Und dir?« Freddy schnitt eine Grimasse in Richtung der beiden Männer, aber die schauten ihn weiter unbewegt an.

»Auch gut. Aber Freddy, ich mache mir Sorgen um dich.«

»Das ist nicht nötig, John.«

»Ich denke doch. Dieser Brief ist eine schlimme Sache. Freddy, du hast dich dem Staat gegenüber zum Schweigen verpflichtet, du hast eine Unterschrift geleistet, weißt du noch?«

»Ja, natürlich weiß ich das noch...«

Ein häßlicher Zweifel beschlich ihn. Dieser Mann traf nicht nur John Marks' Stimme, sondern auch seinen betulichen Ton. Freddy wollte nicht wahrhaben, daß sein Brief in die falschen Hände geraten war.

»Da stehen hohe Strafen drauf, Freddy. Wenn wir das vor Gericht bringen, sitzt du den Rest deines Lebens hinter Gittern. Ich nehme an, daß du das nicht willst.«

»Wer will das schon?«

»Warum hast du den Brief geschrieben?«

»Weil ihr mich einfach links liegengelassen habt.«

»Du wolltest doch dein Leben ganz normal wieder aufnehmen?«

»Ohne Bobby?«

»Auf Bobbys Verhalten haben wir keinen Einfluß.«

»Hör mal, du Stimmenimitator, ihr kümmert euch um Bobby, und dann erzähle ich euch, was ich weiß.«

Es kam keine Antwort, in der Leitung rauschte es.

»Kannst du mir bitte Jan geben?« sagte Johns undeutliche Stimme.

Freddy hielt das Telefon hoch. »Der Chef!« sagte er.

Jan übernahm den Hörer und hörte aufmerksam zu, nickte und warf einen scharfen Blick auf Freddy.

Freddy spürte, wie eine überlegene und triumphale Stimmung seine Laune aufhellte. Er hatte sich nicht reinlegen lassen und war seinen Richtlinien treu geblieben, die er in den vergangenen Wochen aufgestellt hatte. Natürlich hatten sie erwartet, daß er erst ableugnen, dann abschwächen, schließlich abhauen würde. Aber er hatte Rückgrat bewiesen und seinen Vorschlag verteidigt, wie man es von einem selbstsicheren Menschen, der an seine Sache glaubte, erwarten konnte. Es war Zeit, sich selbst zu belohnen und dem Appetit nachzugeben, der seinen Magen so angenehm kitzelte, und er wandte sich an Peter.

Es entging ihm nicht, daß dieser plötzlich eine Waffe in der Hand hielt, aber ihn überraschte gar nichts mehr.

»Glaubst du, wir können noch etwas bestellen?«

Jan antwortete: »Komm, wir bringen dich irgendwo hin, wo du ein bißchen ausruhen kannst, Freddy.« Er drückte auf einen Knopf am drahtlosen Telefon und beendete das Gespräch.

»Ist mir recht«, sagte Freddy, »und vielleicht kriegen wir dort was zu trinken, denn mir scheint, wir haben was zu feiern.«

»Könnte sein«, sagte Jan.

Peter war aufgestanden und öffnete die Flurtür. Ein Mann stand draußen und drehte ihnen den Rücken zu, auf seiner Jacke stand in großen Leuchtbuchstaben FBI. Er drehte sich um, und Freddy erkannte den Schwarzen, der den Hamburger gebracht hatte. Auch er war plötzlich bewaffnet und hielt eine Beretta *riot gun* mit beiden Händen fest wie ein erfahrener *cop*.

»Kommst du mit?« fragte Jan.

»Wohin gehen wir?« fragte Freddy.

Er verstand nicht, warum sie alle plötzlich eine Waffe in der Hand hielten, als ob sie ihn verteidigen müßten.

»Warum lauft ihr eigentlich damit herum?« fragte er.

»Wir müssen dich mitnehmen, Freddy«, sagte Jan.

»He, ich bin mit meinem Auto hier, also fahre ich selber.«

Er versuchte, vom Sofa aufzustehen, zog sich an der Sofalehne aus der gepolsterten Tiefe, aber es war klar, daß er ernste Probleme damit hatte. Jan winkte Peter, und die beiden Männer stützten ihn unter den Armen und zogen ihn aus dem Tal des durchgesessenen Sitzmöbels.

»Danke schön«, sagte Freddy keuchend. Er nahm seine Herrenhandtasche auf.

»Kommst du mit uns mit, Freddy?« fragte Jan.

»Natürlich.«

»Dir ist klar, wohin wir jetzt gehen?«

»Wir gehen doch etwas essen und trinken?«

»Nein, Freddy, wir gehen zu einem Arzt. Der untersucht dich. Du kriegst ein Beruhigungsmittel, und wir reden dann morgen weiter. In Ordnung?«

»Warum?« fragte Freddy.

Er verstand nicht, was Jan damit meinte. Ängstlich schaute er die drei Männer an, die ihn zur Außentür führten.

»Du brauchst Ruhe, Freddy«, sagte Peter.

»Warum denn?«

Freddys Stimme klang auf einmal hoch und jung wie die eines zehnjährigen Kindes. Er trat in die Nacht hinaus. Die Luft umarmte ihn wie eine warme Frau.

»Du bist ein bißchen verwirrt, Freddy.«

Sie schoben ihn in Richtung Treppe, aber er brauchte keine besondere Aufforderung.

Freddy ließ sich fallen, und die Schwerkraft besorgte den Rest. Die eisernen Kanten der Stufen schnitten ihm ins Fleisch. Er erinnerte sich, wie er in Prag gestürzt war, und auch wenn der Fall vielleicht nur eine einzige Sekunde dauerte, war er doch lang genug für das Stoßgebet in seinem Kopf: Ich will zurück zum Licht in diesem langen Gang, zum Licht, das streichelt und liebkost, dem Licht, das tröstet und erlöst...

Der Morgen des 24. November 1989

Irena stand Schlange vor dem Grenzübergang in der Friedrichstraße.

Es hatte diese Nacht geregnet, endlich hatte der Herbst den langen Sommer besiegt. Sie wartete inmitten von lauter Ostdeutschen, die jetzt ungehindert zum Kurfürstendamm gehen konnten. Ihr Töchterchen stand geduldig neben ihr, die Kinderhände steckten in wollenen Fäustlingen, auf dem Kopf trug sie eine bunte Mütze und in der Hand ein rührendes kleines Köfferchen, wie für einen Übernachtungsbesuch.

Die Vopos standen rechts und links vom Grenzübergang in ihren Häuschen, in den Wachttürmen, überall, aber sie schickten niemanden zurück. Gespannt verfolgte Irena, was sie taten, und sah, daß die Pässe recht nachlässig kontrolliert wurden. Einer der Polizisten trug an einem Gurt ein Holzbrett um den Bauch geschnallt; er legte die aufgeklappten Pässe darauf und stempelte die Freiheit auf eine der Seiten. Die Kontrolle war nur noch eine Formsache, aber ihr Herz schlug bis zum Hals.

Sie hatte kein tschechisches Ausreisevisum und wußte nicht, ob die Vopos außer Ostdeutschen auch andere durchlassen durften. Die Schlange schob sich voran. Gleich hinter den Betonmauern und Stacheldrahtsperren fielen sich Menschen jubelnd um den Hals. Auf beiden Seiten der offenen Grenze winkten sie einander mit Schals und Tüchern zu, aber die Tränen von gestern waren verschwunden.

»Mama«, sagte Vera, »wartet dort auch jemand auf uns?«

»Ja, für uns ist auch jemand da.«

Sie schaute auf die Wartenden im amerikanischen Sektor und fragte sich, welcher der Männer wohl extra ihretwegen zu diesem Grenzübergang gekommen war. Zwei Kamerateams filmten, wie die Ausflügler ihre ersten Schritte auf westdeutschen Boden setzten. Bis jetzt hatten sie immer Wort gehalten.

Die Schlange schob sich weiter.

Sie nahm die wollene Hand ihres Kindes und blieb vor dem Vopo stehen. Er besah sich ihren grünen Paß. Er hatte die vielen Dutzend Pässe vor ihr jeweils mit einem Lächeln abgestempelt, von seinem Schießbefehl endlich befreit (hatte er wohl geschossen, überlegte sie, hatte er jemanden ermordet, der von der einen Seite seiner Stadt zur andern gelangen wollte?), aber jetzt schaute er verwirrt auf, und sie sah an seinem Gesicht, daß er für diesen Fall keine Richtlinien bekommen hatte. Er wollte Vorschriften, Reglements, war ratlos, genau wie ein Hund ohne Herrchen.

»Wie kommen Sie in die DDR?« fragte er.

»Ich bin über die Grenze gegangen«, antwortete sie mit beherrschter Stimme.

Er warf einen kurzen Blick auf Vera: »Wie?«

»Auf meinen zwei Beinen«, sagte Irena, und nun zitterte ihre Stimme.

Der Mann nickte. Vor einer Woche hätte ihre Antwort

zu einem Tobsuchtsanfall geführt. Damals hätte er sie verhaftet.

»Sie haben kein Ausreisevisum«, sagte der Mann. »Offiziell können Sie hier gar nicht sein.«

»Ich bin aber hier.«

»Offiziell nicht.«

»Wenn Sie Ihre Augen aufmachen, sehen Sie, daß ich offiziell hier bin.«

Sie sah, daß er seine Wut hinunterschluckte. Er zischte ihr zu: »Gehen Sie hier weg. Geh zurück. Verschwinde hier.«

Sie fühlte die unsicheren Blicke ihrer Tochter, die zu ihr aufsah, beeindruckt vom Ton dieses Gesprächs, das sie nicht verstehen konnte. Irena hielt ihre Hand fest umklammert, ihrem Kind sollte nichts geschehen.

Das Kamerateam kam näher. Gemeinsam mit dem Vopo schaute Irena in das dicke Glas der Linse, die große Fernsehkamera schickte sie beide um die Welt. Eine Angel mit einem Mikrofon baumelte über ihren Köpfen, und zu Tode erschrocken schaute sie den Vopo an. Unter dem Schirm seiner Polizeimütze erkannte sie in seinen Augen dieselbe Angst. Während das gläserne Weltauge auf sie gerichtet war, erschien unter seinem panischen Blick ein gezwungenes Lächeln. Er stempelte ab.

Sie zog Vera mit sich, und sie liefen zwischen den Betonwänden entlang, wichen Pfützen aus und betraten einfach den Westen. Irena schleifte ihr Kind mit sich, Vera rannte auf ihren kleinen roten Stiefelchen. Derselbe grauverhangene Himmel, dieselbe Luft in ihren Lungen.

Sie rannten beinahe in ihn hinein, einen Mann, einen Jüngling noch, der vor ihnen stand.

»Frau Nová?«

Sie blieb stehen und betrachtete ihn mißtrauisch. Aber er war hübsch, gut gekleidet, ein blendendes Gebiß.

»Mein Name ist Maclaughlin. Ich bin hier, um Sie im Namen der Regierung der Vereinigten Staaten willkommen zu heißen. Dies ist sicher Vera. Kommen Sie mit mir mit?«

Der Morgen des 2. Dezember 1989

Spinoza schrieb im siebten Kapitel seiner *Abhandlung*:

»Das Ziel ist also, klare und deutliche Ideen zu haben, nämlich solche, die aus reinem Geist kommen und nicht aus zufälligen Erregungen des Körpers entstanden sind.«

Unrasiert und in einem Anzug, den er schon eine Woche lang trug, saß Hoffman hinter einem wackeligen Gartentischchen im leeren Wohnzimmer seines Sommerhauses in Vught. In Griffweite stand ein Glas Frankfurter Würstchen. Er hatte sich wieder mit Spinoza beschäftigt.

Das Sommerhaus war ein gediegenes Holzblockhaus, 1963 von einer Firma errichtet, die schwedische Fertighäuser herstellte, und 1971 von Hoffman gekauft. Es hatte ein großes Wohnzimmer mit offener Küche, drei Schlafzimmer und eine Kammer, in der Möbel und allerlei Sachen aufbewahrt wurden, die sich im Lauf der Jahre angesammelt hatten. Miriam hatte alles verkauft.

In einem *Cash & Carry*-Großmarkt in Den Bosch hatte Hoffman eine einfache Einrichtung gekauft. Das Sommerhaus stand nicht weit südlich vom Eisernen Mann, einem idyllischen See im Wald, dessen Ufer teilweise mit Villen zugepflastert war. Im Norden des Sees lag das ehemalige Konzentrationslager Vught – seit den fünfziger Jahren war es der Wohnort geflüchteter Süd-Molukker –, komplett mit den Baracken, in denen noch die Schreie widerhallten. Sein Haus war hinter Büschen und Bäumen versteckt, und sogar jetzt im Herbst, nachdem die Blätter gefallen waren, konnte man von der Bundesstraße aus nichts von dem Holzhaus erkennen. Ein hundert Meter langer Sandweg verband das Grundstück seines Hauses mit der Bundesstraße, und der nächste Nachbar war ein Campingplatz zwei Kilometer weiter, der zum Glück jetzt ganz leer stand.

Bevor er hierher gefahren war, hatte er in Boxtel, zwei Stunden Spaziergang Richtung Süden, eingekauft und sich Vorräte für mindestens eine Woche besorgt. Im Augenblick war es ihm egal, was er in den Mund schob. Er füllte seinen Magen und hielt sich am Leben. Jetzt aß er gerade das Glas mit den Frankfurtern leer. Er quetschte zwei schmutzige Finger in das Glas, zog ein Würstchen heraus, schüttelte die Tropfen ab und biß hinein. Wenn die stramme Haut der Würstchen aufplatzte, gab es ein knakkendes Geräusch. Er verstand jetzt, warum sie Knackwürstchen hießen.

Elektrizität war da, aber kein Wasser, vermutlich war etwas mit der äußeren Wasserzuleitung nicht in Ordnung, denn er hatte den Haupthahn geöffnet und die Leitungen kontrolliert und keinen Defekt gefunden.

Unter seinem Tischchen stand ein Heizofen, und auf einem tragbaren Fernseher sah er abends die Revolution in Prag. Hinter ihm, neben der einfachen Couch, lag die Schachtel mit den Filmdosen. Nachdem er in Boxtel eingekauft hatte, hatte er auch den Film aus dem Schließfach seiner Bank in Den Bosch genommen. Er ging damit ein

Risiko ein, aber er rechnete damit, daß niemand davon wußte (auch die Tschechen und die Amerikaner nicht).

Er konnte sich nicht waschen. Spinoza legte Wert auf einen sauberen Körper, aber für die Verbesserung des Verstandes brauchte man in erster Linie einen sauberen Geist, und er hatte seine Gedanken auf die hundertzehn Abschnitte der *Abhandlung* gerichtet, um nicht selber vom Wahnsinn angefallen zu werden.

Hoffman schirmte sich damit ab von Irenas Verrat, besiegte seinen erschöpften Körper und konzentrierte sich.

Er faßte in Gedanken zusammen: Spinoza war auf der Suche nach dem Glück. Aber der Weg, den er wies, führte nicht schnurstracks in den Himmel oder zu Bhagwan, sondern zum Verstand. Was Hoffman in den vergangenen Monaten stückweise gelesen hatte, war eine Anleitung, die auf eine *Methode* abzielte, mit der man seinen Verstand reinigen konnte.

Mit einem gereinigten Verstand konnte man die Natur untersuchen. Man konnte dann die Erscheinungsformen der Natur in ihren vornehmsten Prinzipien begreifen, und bei dieser Einsicht würde einen der Atem Gottes an den Schläfen streifen. Denn alles, was existierte, bestand in gegenseitiger Verbindung, die mit Gesetzen zu erfassen war – hierin erkannte Spinoza die Hand Gottes.

Hoffman war nicht sicher, ob es richtig war, Spinozas Gott so zu verbildlichen, mit Hand und Atem; die Natur selbst war Gottes Hand, der Verstand selbst war Gottes Geist. Aber er brauchte ein solches Hilfsmittel, um Spinozas Ideen fassen zu können.

Die Art, wie Spinoza seine Methode entwickelte, hatte

—

Hoffmans Aufmerksamkeit auf seine eigenen bruchstückhaften Vorstellungen von Wahrnehmung, wahrer Idee, Fiktion und so weiter gelenkt, aber sie waren lächerlich einfältig. Spinoza dagegen war ein ausgebildeter Mensch, der Wissenschaft betrieb und aufzuzeigen versuchte, wie man als Wissenschaftler den höchsten Nutzen aus seiner Arbeit ziehen konnte. Hoffman konnte nicht leugnen, daß das interessant war (so, wie auch ein Artikel in der Beilage des NRC interessant sein konnte), aber er wollte hauptsächlich von Spinoza wissen, wie ein durchschnittlicher Laie – einer, der sein Auto oder seinen Fernseher nicht selbst reparieren konnte, einer, der schon von $E = mc^2$ gehört hatte, einer, der sich *Gödel, Escher, Bach* gekauft hatte, aber auf der dritten Seite steckengeblieben war, einer, der so tat, als könnte er mit der schweren Materie eines Schwarzen Lochs etwas anfangen, einer, der noch immer überrascht war von Radiowellen und Frequenzen und der am Stammtisch über *Photonen* redete, einer, der sein Land verraten hatte – wie dieser wieder lernen konnte zu beten.

Als heute morgen, nach einer langen Nacht, die er zeitunglesend überlebt hatte, die blasse Sonne durch die nächtlichen Wolken gebrochen war, da hatte er Spinozas wissenschaftliche Methode auf einmal als eine Form von Liturgie begriffen. Er hatte früher ab und zu eine Synagoge besucht, und wenn die Thorarollen aus der Lade geholt und im Beisein von zehn Männern gelesen wurden, dann mußte er abseits bleiben, obwohl er mitsingen und die fremden Buchstaben lesen wollte.

Wenn Spinoza das Ausüben von Wissenschaft tatsächlich als eine neue Form der Liturgie auffaßte, konnte man dann überhaupt noch beten? Konnte man den Gott von $E = mc^2$ um Vergebung anflehen? Hoffman glaubte Spinozas Gedanken richtig auszulegen, wenn er in Einsteins Formel eine Äußerung der göttlichen Natur erkannte, aber sein Verlangen nach einem Ritual ließ Spinoza unbeantwortet.

Als er heute früh darüber nachdachte, stand er draußen und pißte auf die schwarzen Blätter. Der warme Urin zischte auf der kalten Erde. Während er mit beiden Händen seinen Schwanz festhielt, hatte er den Kopf so weit wie möglich in den Nacken geworfen. Die Regenwolken, aus denen es die ganze Nacht auf das Dach getrommelt hatte, zogen nach Osten weg, und Hoffman wurde Zeuge, wie die Sonne gerade durch die Wolken brach; er sah Strahlen durch die Luft herunterschießen, und Wärme liebkoste seinen Kopf.

Hoffman wollte wie Spinoza da stehen, den Blick auf den Feuerball gerichtet, voller Fragen wie diesen: Wie entstehen die Strahlen, fällt das Licht auf Wasserteilchen, und was ist Licht überhaupt?

Diese Fragen entbehrten nicht der ästhetischen Bewunderung für den Mechanismus, den er wahrnahm, nein, im Gegenteil, religiöse Liebe schwang darin mit, und er hatte sich über Zeit und Raum hinweg mit Spinoza und den Sonnenanbetern verwandt gefühlt (er wußte wohl, daß er hier Wasser und Feuer miteinander verglich, aber vor den vermodernden Blättern hatte ihn ein Gefühl überkommen, das an Verzückung grenzte und ihn zu großen Vergleichen inspirierte).

Er wollte beten.

Er hatte beten wollen, als Esther starb, mit jener Weisheit auf ihren Zügen, und er hatte beten wollen, als Miriam starb, mit der Nadel in ihrem Arm. Er war inzwischen ausgetropft und hatte sich einen Meter weiter auf die Blätter sinken lassen. Er betrachtete sich selbst von oben und hielt den Atem an über dieses Schauspiel menschlicher Verzweiflung und menschlichen Hochmutes (Verzweiflung, weil er auf der Flucht war und nicht mehr mit Verzeihung rechnete; Hochmut, weil er glaubte, Gott erreichen zu können). Hoffman bat den Herrn im Himmel um Einsicht und Verstand, und um Hilfe beim Ergründen der *Abhandlung*.

Liturgie, hatte er gedacht, vielleicht war dies das Schlüsselwort. Dazu brauchte man ein Buch, feste Rituale, ab und zu ein paar Kerzen und Opfer.

Er war wieder ins Haus gegangen und hatte sich vor dem Heizofen gewärmt. Zwischen zwei trockene Brotscheiben hatte er ein paar Sardinen gelegt, und während er durch den verwahrlosten Garten ging, frühstückte er. Er hatte sich nicht gewaschen, trug seit seiner Ankunft hier die gleichen Kleider und wußte, daß er den muffigen Geruch alter Männer ausströmte, aber es war niemand in seiner Nähe, der daran hätte Anstoß nehmen können.

In den vergangenen Tagen hatte er alles noch einmal durchgelesen und jetzt die letzten Kapitel erreicht, die er noch nicht kannte. Es waren nur noch drei.

Das siebte Kapitel beschäftigte sich mit der »Lehre von der Definition«. Denn Spinoza wollte die Natur so exakt wie möglich beschreiben, und das bedeutete: Man mußte

Erscheinungen gründlich analysieren und so tief in sie eindringen, bis man bei ihrem Wesen angekommen war. Oder: Man brauchte Definitionen, Beschreibungen des Wesentlichen. Er unterschied zwischen Definitionen von »erschaffenen« und »nicht erschaffenen« Dingen. Mit ersteren zielte er auf die wahrnehmbare Wirklichkeit, mit den letzteren auf die unendliche ewige Natur, oder: Gott selbst.

Die Definition von Gott mußte vier Voraussetzungen erfüllen:

1. Das Objekt brauchte zu seiner Erklärung nichts außerhalb seiner selbst, es war in sich selbst vollkommen.
2. Die gegebene Definition räumte jeden Zweifel hinsichtlich der Frage aus, ob das Objekt auch wirklich existierte.
3. Die Definition durfte keine Adjektive umfassen.
4. Alle Eigenschaften des Objektes wurden aus seiner Definition abgeleitet.

Hoffman war nun schrecklich neugierig auf die Definition, aber Spinoza ließ sie hier beiseite. Hoffman besah sich die vier Voraussetzungen noch einmal aufmerksam.

Die erste verriet etwas über seinen Ursprung. Gott war nichts anderes als sein eigener Ursprung. Er war nicht erfunden worden oder Wirkung des Eingreifens einer anderen Macht, nein, Er war Alles.

Nach der zweiten Voraussetzung suchte Hoffman vergebens. Er fand keine Definition, deshalb konnte er auch nicht beurteilen, ob die Definition Zweifel ausschloß. Er entdeckte in sich den Wunsch, eine solche Definition schwarz auf weiß zu sehen; er besaß die unverbrüchliche

Fähigkeit zu glauben, aber auch Zweifel besaß er im Überfluß; falls seine Augen eine Definition sahen, sollte sein Herz glauben – das versprach er sich.

Er hatte sich selbst zugrunde gerichtet und suchte nach einer Form für seine Buße – er starrte nach draußen, auf die kahlen Äste des Brabanter Waldes, und er erinnerte sich, wie er über die Autobahn gefahren war, seine Augen geschlossen und sich stramm hingesetzt hatte, um den ersten Sekundenbruchteil des Aufpralls aufzufangen, bevor ihn das Blech auseinanderriß. Aber eine halbe Minute später saß er immer noch in dem Opel Corsa und hatte die Augen wieder offen und den Augenblick seines Todes auf eine unbestimmte Zukunft verschoben, auf ein paar Tage oder Wochen. Er wollte wissen, was Irena zu ihrem Tun bewogen hatte, was ihn selbst bewogen hatte. Es gab zu viele offene Fragen.

Er mußte sie beantworten.

Bis zu diesem Moment mußte er Opfer bringen und sich selbst reinigen. Aber er wußte nicht, wo er anfangen sollte.

Spinozas dritte Voraussetzung sprach für sich: In einer Definition Gottes durfte man keine Wörter verwenden wie »der Höchste«, »der Weiseste«, »der Mächtigste«. Hoffman begriff, daß dies leere Worte waren, wenn man auf Spinozas Art nach Gott suchte.

Die vierte Voraussetzung wies direkt ins Zentrum von Spinozas Gottesbegriff. Die Definition Gottes lag am Ursprung alles Seienden und war nichts Geringeres als Erklärung, Ursprung und Wesen der Welt. Vielleicht war die Definition, die alles beschrieb, Gott selbst, und daher war es für Spinoza unmöglich, sie zu geben.

Wenn Hoffman es richtig verstanden hatte, dann meinte Spinoza, daß man die Natur durch sorgfältige und liebevolle Untersuchung in ihren wesentlichen Prinzipien beschreiben konnte und daß man mit den Ergebnissen dieser Untersuchung auch Gott fand, selbst wenn man nicht in der Lage war, eine allumfassende Definition von Gott zu geben. Hoffman, der kein Gelehrter war, erinnerte sich an Einsteins Ausspruch über die innere Logik der Welt: »Gott würfelt nicht.« Spinoza hatte etwas ähnliches ein paar hundert Jahre früher behauptet: Schau genau auf das Spiel, entdecke die Regeln, sie führen zu Gott.

Hoffman hatte geglaubt, daß Geld zu Irena führte. Er hatte sie kaufen wollen, weil er nichts anderes hatte, das sie für ihn aufschließen konnte.

Bei ihrem vierten Treffen, auf einem breiten Bett mit rostfleckiger Matratze im neunten Stock des Hotel International, nachdem er sich in ihrer Leidenschaft entladen hatte, setzte sie sich in ein Handtuch gewickelt auf den Sessel neben der Stehlampe und steckte sich eine Zigarette an.

»Felix«, hatte sie gesagt, »ich muß dir etwas sagen.«

Während sie sprach, schaute sie ihn die ganze Zeit an: Sie sagte, sie werde gezwungen, für den tschechischen Geheimdienst zu arbeiten.

Er wollte ihr glauben. Sie hätte ihm alles sagen können, er war bereit, alles zu glauben, was ihr Mund sagte. Sein Hunger nach ihrem Schoß ließ ihm keine Wahl.

Sie hatte ihm Schlaf geschenkt.

»Sie haben Methoden, dich zu brechen«, hatte sie gesagt. Verbissen zog sie an der Zigarette. »Sie sorgen dafür, daß deine Angehörigen entlassen werden, du bekommst für nichts mehr die Erlaubnis, sie ersticken dich langsam.«

»Womit haben sie dir gedroht?« wollte er wissen.

Sie erzählte, daß sie ihren Bruder zusammengeschlagen hatten, daß ihre Mutter aus ihrer Wohnung geworfen werden sollte. Sie steckte eine Zigarette an der anderen an.

»War es Zufall, daß du mir damals in der italienischen Botschaft geholfen hast?«

»Natürlich«, sagte sie ärgerlich. »Dachtest du, so etwas könnten sie arrangieren?«

Nein, dachte er, sein Herz konnten sie nicht arrangieren.

Natürlich war ihm klar, daß er sich in ein undurchsichtiges Gespinst verstrickte, aber solange er sich an ihrem Körper laben konnte, ließ er sich durch nichts abschrekken. Beim nächsten Treffen, zwei Tage später, nannte sie Hein Daamen. Das hatte ihn abgeschreckt. Er merkte, daß sie Nachforschungen angestellt hatten und über Dossiers verfügten, in denen sie seine Geheimnisse aufbewahrten.

Hein durfte er nicht betrügen. Hein hatte ihm nach der Befreiung geholfen. Hein hatte ihn mit nach Hause genommen, und unter einem Kruzifix aus schwarzem Holz hatte er in Heins Zimmer den Winter 1944 durchschlafen, erschöpft vom Warten, vom Kampf gegen die würgende Angst, daß seine Eltern ihn vergessen hätten.

Hoffman sagte nein zu Irena. Aber sie kam mit Argumenten. Hein hatte Schulden, Hein hatte einen Freund (was Hoffman nicht verwunderte, Hein war ein mädchenhafter Junge gewesen, der ihn wie eine ältere Schwester getröstet hatte), Trudy und ihre fünf Kinder wußten nichts von diesem Freund oder von den Geldsorgen; die Information, die Hein liefern konnte, war harmlos und nicht-militärischer Art. Sie versuchte, Hoffman klarzumachen, daß es für Hein nur von Vorteil war, falls Hoffman ihn dazu überreden konnte, ein paar Papiere zu kopieren. Vierzig Kopien à zehn Cent im Austausch gegen zweihundertundfünfzigtausend Gulden auf ein Nummernkonto in der Schweiz.

»Sie wollten dir auch noch etwas geben«, meinte sie, »aber ich habe ihnen gesagt, du wärst beleidigt, wenn man dir dafür Geld anböte.«

»Wieviel?« fragte er.

»Hunderttausend Gulden.«

»Ich bin nicht beleidigt«, sagte er, und sie hatten, nota bene, noch darüber gelacht.

Beim nächsten Treffen, diesmal in einem kleinen Hotel in der Innenstadt, weil das International mit einer großen Gruppe von Koreanern besetzt war, hatte sie über Hein geschwiegen. Sie hatten sich geliebt, sie hatte sich geduscht und war dann verschwunden. Sie hatte nicht gedrängt und schien die Folgen, die sich aus seiner Weigerung ergaben, stumm zu ertragen. Er weigerte sich nicht. Aber er traute sich auch nicht.

Merkwürdigerweise war es Marian, die den Weg ebnete. Sie mußte nach Holland. Sie hatte sich dort mit Trudy Daamen verabredet.

Hoffman organisierte auch für sich einen Besuch in Holland und schlug vor, zusammen mit den Daamens essen zu gehen, um die Tradition aufrechtzuerhalten.

Als er Irena dies erzählte, fiel sie ihm um den Hals und warf ihn aufs Bett und fraß ihn auf. Zwei Tage später traf er im Hotel International einen Offizier des FSZS.

Er flog mit Marian nach Schiphol. Sie wohnten in separaten Zimmern im Hotel Bel Air in Scheveningen, und am Samstag, dem 21. Oktober, aßen sie mit Hein und Trudy im Blauen Lotus in Eindhoven. Hoffman verabredete sich mit Hein, als die beiden Frauen auf der Toilette waren. Für den nächsten Tag um zwei Uhr nachmittags im Hotel Central in Den Bosch.

Trotz Heizofen fühlte er sich verkrampft und fröstelte im Haus. Er war überstürzt aus Prag abgereist. Unterwegs in Deutschland hatte er Unterwäsche, ein paar Oberhemden und einen dicken Pullover gekauft, und den Pullover zog er jetzt an, über sein Hemd mit der Krawatte. In der moosbewachsenen Duschzelle hing ein Spiegel, in dem er seinen müden, unrasierten Kopf sah. Der Kragen an seinem Hemd war schwarz angelaufen.

Er ging nach draußen und spazierte um das Holzhaus herum. Er sog die Waldluft in seine Lungen, spähte wachsam umher, auf der Suche nach Feldstechern oder einem Gewehrlauf. Hier konnten sie ihn ohne Zeugen ermorden. *Sie*, das konnten die Niederländer sein oder die Tschechen oder die Amerikaner. Für jeden war er die abzuschießende Beute.

Letzten Sonntag hatte er in Prag den Frühzug nach Berlin genommen. Tags zuvor war er vom Minister persönlich mittels Codebericht zu dringenden Konsultationen nach Den Haag zurückgerufen worden, und als er im Außenministerium telefonisch nachfragte, um Näheres zu hören – vielleicht hatte das kodierte Telex mit den wahnsinnigen Entwicklungen dieser Woche zu tun, überall Demonstrationen, Dubcek hatte sich am Freitag auf dem Balkon gezeigt –, da wurde er weiterverbunden zu einem Mann, den er nicht kannte, einem Herrn Van der Voort, der ihm erzählte, daß der Minister seine Heimreise dringend befohlen habe, und ob er noch am selben Nachmittag das Flugzeug um halb vier Uhr nehmen wolle, sein Platz sei reserviert.

Er hatte diesen Van der Voort gefragt, in welcher Abteilung er arbeitete, und der Mann hatte geantwortet: »Im Sonderkabinett des Ministers.« Davon hatte Hoffman noch nie etwas gehört.

Hoffman rief Wim Scheffers an, in seiner Stimme lag die Vorahnung nahenden Unheils.

»Das Sonderkabinett des Ministers? Was ist denn das?« hatte Wim gefragt.

»Van der Voort?« fragte Hoffman weiter.

»Ich kenne keinen Van der Voort. Was ist los bei dir?«

»Sonnema hält mich zum Narren«, hatte Hoffman gesagt.

Irena hatte ihm eine Telefonnummer gegeben, aber sie nahm nicht ab. Er versuchte es den ganzen Samstag nachmittag, alle zehn Minuten. Am späten Nachmittag ließ er sich mit einem Taxi zu einem tristen Außenbezirk mit heruntergekommenen Betonhochhäusern bringen. Sie wohnte im sechsten Stock auf einer zugigen, langen Galerie mit dreißig anderen Appartements, hinter einer grüngestrichenen Tür, von der die Farbe abblätterte. Sie machte nicht auf.

Als er wieder nach Hause kam, bleich vor Ungewißheit, wartete Marian auf ihn. Sie saß unten und arbeitete; normalerweise saß sie oben in ihrem Zimmer.

»Den Haag hat angerufen. Man wollte wissen, ob du schon abgeflogen seist.«

»Wer hat angerufen?«

Sie sah auf einen Zettel. »Van der Voort. Wer ist denn das?«

»Einer von den Karrieremännchen«, sagte er.

Er ging zum Buffet, schraubte den Verschluß von der Flasche und schenkte sich Whisky in ein Glas.

»Du auch?«

Sie nickte.

Dies war einer der seltenen Augenblicke, in denen sie beide im Salon waren. Marian saß in einer Sofaecke und hatte Bücher und Papiere wie einen Verteidigungswall um sich herum aufgebaut, auf einem Beistelltischchen standen ein Teewärmer und eine Tasse. Auf dem Parkett neben dem Sofa stand das Telefon in Griffweite. Sie setzte die Brille ab, deren Bügel an einem Silberkettchen befestigt waren, das sie um den Hals trug; sie klappte das dicke Buch zu, das auf ihrem Schoß lag.

»Kein Eis, oder?« fragte er.

»Nein.«

Er reichte ihr das Glas.

Gierig trank er einen Schluck, sah plötzlich auf den Boden.

Sie sagte: »Ist irgend etwas los, Fee?«

Er kippte den Rest hinunter und ging zum Buffet, um nachzuschenken.

»Das ist nicht gut für dich, Fee.«

»Ich weiß«, sagte er.

»Darum tust du es sicher auch?«

»Wer weiß.«

»Was ist denn? Wenn irgend etwas los ist, kannst du es mir ruhig sagen. Wer ist dieser Van der Voort?«

»Ein Beamter«, sagte er trocken.

Er setzte sich ihr gegenüber, mit dem Glas in der Hand. Marian warf einen achtlosen Blick auf ein Papier.

»Es hat noch jemand angerufen – Frau Nová«, sagte sie.

Er verzog keine Miene und nippte an seinem Glas.

»Eine Journalistin«, erklärte er ziemlich beiläufig. »Was wollte sie?«

»Sie rief aus Deutschland an. Sie sagte, sie könne die Verabredung nicht einhalten. Hattest du wieder eine Verabredung mit ihr? Das Interview ist doch schon erschienen?«

»Das war für eine andere Zeitung«, log er. »In welchem Deutschland war sie? Ost oder West?«

»Macht das noch einen Unterschied?«

Er zuckte die Achseln und deutete mit einer Handbewegung an, daß ihm das egal sei.

»Ich glaube, sie sagte, sie sei in Heidelberg.«

In Heidelberg war ein großer amerikanischer Heeresstützpunkt. Demnach war sie übergelaufen. Sie hatte den Zug nach Berlin genommen und war mit dem Strom quer durch die gesprungene Mauer in den Westen geschwommen. Mit den Geheimnissen im Kopf hatte sie Fersengeld gegeben und ihn verraten. Im Austausch gegen politisches Asyl und Polizeischutz hatte sie den Amerikanern die Namen von Landesverrätern angegeben. Sie hatte auch ihn genannt. Natürlich hatte sie auch ihn genannt. Sie rächte sich für seinen dämlichen Versuch, sie zu kaufen. Die dringenden Konsultationen, die ihn nach Den Haag riefen, waren lediglich der Versuch, ihn auf niederländischem Boden zu verhaften. Van der Voort war ein Geheimdienstler. Irena hatte den Amerikanern seinen Namen gegeben, und die Amerikaner hatten ihn dem niederländischen Geheimdienst zugespielt.

Er trank sein Glas leer. Jetzt nur nicht durchdrehen. Es war überhaupt nichts passiert.

»Warum schaust du so finster? Sag doch, was los ist!«

»Nichts«, sagte er unwirsch, »es ist nichts los, glaub mir doch.«

»Ich glaube dir nicht, mein Schatz.«

»Sagte sie noch etwas?«

Sie hob die Brille hoch und schaute durch die Gläser auf das Zettelchen.

»Du solltest ihr verzeihen, daß sie die Verabredung nicht einhalten könne. Das klingt ziemlich intim, oder?«

Das Telefon klingelte, und sein Herz klopfte heftig. Marian bückte sich und griff nach dem Hörer.

»Ja?«

Sie horchte und nickte. »Augenblick bitte.« Sie legte die Hand über die Sprechmuschel und flüsterte: »Wieder dieser Van der Voort.«

Ächzend erhob er sich aus dem Sessel. Er hob den Apparat vom Parkett auf und nahm den Hörer aus ihrer Hand entgegen.

»Hoffman«, sagte er und ging ein paar Schritte von ihr weg.

»Hier Van der Voort«, hörte er. »Sie haben den Flug offenbar nicht geschafft, wie ich höre.«

»Stimmt«, sagte Hoffman, »ich hatte noch soviel zu tun, daß ich ihn verpaßt habe.«

»Der Minister hat den Codebericht selbst paraphiert«, sagte Van der Voort. »Sie weigern sich also, eine Weisung Ihres obersten Dienstherrn auszuführen. Das ist Insubordination, Herr Hoffman, das kann Sie Ihren Job kosten.«

»Welches ist eigentlich genau *Ihr* Job, Herr Van der Voort?«

»Hören Sie zu, Sie nehmen morgen früh die Malev-Maschine um halb zehn. Wenn Sie mit diesem Flug nicht ankommen, fürchte ich um Ihren Posten.«

»Wer bist du, Van der Voort?«

»Ich diene meinem Land, Herr Hoffman. Kommen Sie nach Den Haag. Wir sind keine Unmenschen. Wir haben Verständnis. Wir können vergessen. *Aber kommen Sie.* Am Telefon können wir das nicht verhandeln.«

»Ja... bis morgen«, stotterte Hoffman. Er beendete das Gespräch. Man befürchtete also, er könnte überlaufen. Nur, wohin?

Gestern hatte Dubcek vor mehreren hunderttausend Menschen gesprochen. Milos Jakes war zurückgetreten, die Dissidenten hatten die Macht übernommen. In Berlin saßen die Moffen betrunken auf der Mauer und schwadronierten mit Bierdosen in der Hand vom ewigen Deutschland, sogar in Bulgarien gingen die Leute auf die Straße. Das machte ihm angst. Er hatte Angst vor den Menschenmassen, vor den Sprechchören. Er wußte, daß die Illusion, die sich jetzt in Osteuropa ausbreitete, bald in Enttäuschung umschlagen würde. Heute sollten sich Bush und der Salon-Kommunist Gorbatschow auf Malta treffen. Im Weißen Haus und in Downing Street begriffen sie einfach nicht, daß die alte kommunistische Bande, die den Ostblock beherrscht hatte, noch immer die besten Bundesgenossen waren, die man sich wünschen konnte.

Er stellte das Telefon auf den Couchtisch und setzte sich wieder hin.

»Morgen muß ich nach Den Haag«, sagte er mit niedergeschlagenen Augen.

Er trank einen Schluck und spürte Marians gespannten Blick.

»Da ist doch irgend etwas los. Du willst es mir nicht sagen, aber ich merke, daß etwas los ist. Wir sind noch nicht gestorben, Fee. Wenn wir wollen, haben wir noch eine Zukunft.«

»Hör mal, Marian, es ist nichts los. Ich erzähl es dir später, okay?«

»Wenn nichts los ist, brauchst du es mir später auch nicht zu erzählen, scheint mir.«

»Ach, sind wir unter die Klugscheißer gegangen?«

»Mensch, komm doch mal aus deinem Panzer heraus, sag es doch...«

»Laß mich in Ruhe!«

Er hievte sich aus dem Sessel und ging aus dem Salon. Aber auf der Türschwelle zur Halle blieb er stehen.

»Marian...«

Sie sah auf, hart und streng.

»Ob wir heute abend irgendwo essen gehen?«

Sie nickte verblüfft, ein Lächeln schimmerte unter ihrer Maske.

»Ja, wie schön«, sagte sie.

Sie waren ins Expo-Restaurant an der Moldau essen gegangen. Sie hatte sich geschminkt, ein elegantes Kleid angezogen und ihm fragend in die Augen geschaut. Hinter den meterhohen Fenstern lag die Stadt zu ihren Füßen, ein Labyrinth aus dunklen Gassen, Dächern, Türmen und Kapellen. Auf dem großen Platz in der Stadtmitte stand eine halbe Million Demonstranten. Aber da, wo sie saßen, war nichts zu sehen. Sie hatten über nichts Bestimmtes geredet, und zu seiner Verblüffung hatte er sich ruhig und zufrieden gefühlt.

Bevor sie in ihr Zimmer ging, küßte sie ihn auf die Wange. In seinem Arbeitszimmer und in der Küche hatte er den Morgen abgewartet. Er aß und trank, las die Zeitungen, die am Samstagmorgen mit dem Kurier aus Holland gekommen waren. Gegen sechs Uhr verließ er das Haus. Leise zog er die Tür ins Schloß. Er hatte beschlossen, keine Kleidung einzupacken. Spinoza und seine persönlichen Papiere steckten in seinem Diplomatenkoffer. Er ging so lange herum, bis er ein Taxi fand. Er kaufte eine Fahrkarte nach Berlin und fuhr ab. Sein Diplomatenpaß öffnete ihm jeden Schlagbaum.

Im Bahnhof Zoo hatte er den Zug nach Hannover bestiegen. Weil er vermutete, daß die großen Autoverleihfirmen an den Polizeicomputer angeschlossen waren, hatte er bei einer kleinen Mietwagenfirma ein Auto gemietet, einen Opel.

Er war zuerst Richtung Süden gefahren, und hinter Frankfurt war er dem Rhein gefolgt. Bei Straßburg überquerte er die französische Grenze und kehrte über Nancy, Metz und Luxemburg bei Maastricht ins Königreich zurück, zu seinem Arbeitgeber, der mittlerweile Jagd auf ihn machte. Vier Tage hatte diese Reise gedauert, die Nächte hatte er in kleinen Dorfgasthöfen verbracht, wo man seine Papiere nicht sehen wollte. Er plante eine Flucht nach Südamerika, aber zuerst mußte er nachdenken, seinen ruhelosen Kopf hier zwischen den Bäumen irgendwie zur Ruhe bringen. Und dazu brauchte er Spinoza.

Es war still im Wald. Vögel, die in Brabant überwinterten, riefen einander, und ein unergründliches Rauschen seufzender Zweige streichelte sein Ohr. Wodurch wurde dies alles beherrscht? hatte sich Spinoza gefragt, welche Gesetze regierten diese Natur? Entdecke die Gesetze, und du entdeckst Gott, hatte er gelehrt.

Vielleicht, dachte Hoffman, lag die Belohnung des Wissenschaftlers in seinem Beitrag, egal wie klein, zur Entschleierung Gottes. Hoffman hatte sein Leben als Laufbursche vertan. Sein intimster Umgang mit Wissenschaft war die Verführung von Hein Daamen gewesen. Hein war Ingenieur und insgeheim schwul. Er war sein Bruder.

Er ging ins Haus und füllte ein Glas mit Mineralwasser. Er tat Nesquick hinein und trank diese kalte Schokolade. Von unterwegs hatte er Hein ein paarmal angerufen. Trudy hatte gesagt, er sei plötzlich verreist. In ihrer Stimme war keine Beunruhigung zu erkennen.

Er ging mit seinem Glas wieder nach draußen. In dieser Gegend war er aufgewachsen. In dem Dorf, wo er vor ein paar Tagen zum Einkaufen gewesen war, hatte er damals mit angstgeweiteten Augen zwischen den Schweinen gekauert und hatte auf die überfliegenden Bomber gehorcht. Genauso schmutzig wie jetzt, genauso ausgehungert nach Erlösung und tröstlich sauberen Bettüchern hatte er auf seine Eltern gewartet. Sie hatten nirgendwo ein Grab. Als die Kanadier mit zugehaltener Nase den Bauernhof besetzten, hielt er Rilkes *Elegien* in der Hand. Zur Zeit von Auschwitz las er Gedichte.

Jede dumpfe Umkehr der Welt hat solche Enterbte
denen das Frühere nicht und noch nicht das Nächste
gehört

Später hörte er, daß seine Eltern bei einer Schwester der Haushälterin, die sie an der Hekellaan gehabt hatten, untergetaucht waren. Unter den Dielenbrettern eines Bauernhofs in Berlicum hatten sie sich versteckt. Sie waren verraten worden.

Er spürte keine Vaterlandsliebe, stellte er fest, während er den Sandweg zur Bundesstraße zwischen Vught und Loon op Zand im Auge behielt, denn er hatte kein Vaterland. Dieses Volk hatte seine Eltern verraten, und er hatte es dem Volk mit gleicher Münze heimgezahlt. Er spürte auch keine Gewissensbisse, wenn er an den Staat der Niederlande dachte. Er begriff erst jetzt, daß er eine Art Berufsaußenseiter war, ein ewiger Flüchtling. Er schämte sich, wenn er an Marian dachte. Das war alles.

Er hatte Hein im Hotel Central in Den Bosch getroffen. Sie saßen unten im Hotel-Café zwischen den Kleinstadt-Honoratioren und schauten auf den sonntäglich leeren Marktplatz. Am Abend vorher hatten sie mit ihren Frauen zusammen gegessen.

»Du siehst gut aus«, hatte Hein gesagt, »das ist mir gestern schon aufgefallen.«

»Und du siehst aus wie eine Leiche auf Urlaub«, hatte Hoffman geantwortet.

Sie hatten etwas getrunken und eine Stunde später waren sie zu De Pettelaer gegangen, um etwas zu essen. Als Hoffman ihn in den letzten Zug nach Eindhoven setzte, war Hein betrunken. Er hatte gestanden, daß er einen schwulen Freund habe und sich außerdem noch an der Börse verspekuliert hätte. Er war sein Geld los und konnte nicht einmal mehr die Hypothek abzahlen. Hoffman sagte, er würde ihm helfen.

Zwei Tage später rief er Hein an. Hein kam ins Bel Air in Scheveningen.

»Ich kann dir helfen, Hein, aber...«

»Was aber?«

Sie saßen in einer Ecke der Bar, tief eingesunken in die breiten Ledersessel, und trotz des frühen Nachmittags waren sie schon beim Whisky.

»Ich bin meine Spargroschen leider auch los, alter Freund.«

»Wie das?«

»Erzähl ich dir später. Erst dein Problem.«

»Felix, ich bin dir so dankbar, weißt du? Selbst wenn du keinen roten Heller für mich auftreibst, allein die Tatsache, daß ich es jemand erzählen konnte, wirklich, alter Junge, das vergesse ich dir nicht.«

Hoffman, der Lügner, sagte: »Für mich bist du wie ein Bruder, Hein.«

Er erzählte, daß er in Prag jemanden kannte, der viel Geld für bestimmte Informationen übrig hatte. Er nannte den Codenamen für den Radar, den sie gerade in der Forschungsabteilung im Auftrag der Rüstungsfirma Holland-Signal konstruierten.

»Aber das ist technologische Spionage, Felix«, flüsterte Hein erschrocken und schaute sich plötzlich argwöhnisch um, als ob die Polizei schon bereit stand, um ihm die Handschellen anzulegen.

»Das habe ich mir auch überlegt, aber hör zu: Hier geht es um Informationen, die sie selbst niemals in Apparate umsetzen können«, sagte Hoffman mit einer Sicherheit, als könnte er dieses Problem beurteilen. »Es ist für sie viel zu kompliziert. Sie kriegen die Informationen, aber sie können nichts damit bauen.«

Hein nickte und überlegte fieberhaft die Konsequenzen von Felix' Vorschlag. Er griff Hoffmans Einschränkungen auf und nannte Einzelteile des Apparates, die sie im Osten nicht bauen konnten. »Sie könnten sie natürlich klauen lassen«, sagte er.

»Das ist nicht unsere Sache«, hatte Felix geantwortet.

»Mein Gott, Felix, was du mir da vorschlägst«, flüsterte Hein. »Das geht aber ziemlich weit.«

»Ich bin im Staatsdienst. Von mir aus kannst du es tun.«

»Und wenn es herauskommt?«

»Es kommt nicht heraus.«

»O Gott, Felix, ich hab mein Leben derart verpfuscht. Zum ersten Mal seit vielen Jahren habe ich wieder gebeichtet, aber der Depp hinter dem Gardinchen hat mir Rosenkränze aufgegeben, anstatt mir ein Darlehen zu geben.«

»Dies ist eine viel simplere Art, an Geld zu kommen, Hein. Es kommt nicht heraus. Niemand wird es je erfahren. Nur du und ich. Du kopierst die Konstruktionspläne, das ist für dich überhaupt kein Problem, denn du bist der Chef dort, und die gibst du mir. Das Geld liegt dann in Bern für dich auf der Bank.«

»Gibt es kein anderes Mittel?«

»Vielleicht. Aber dies hier ist das einzige, das mir einfällt.«

Hein schaute noch einmal argwöhnisch in der Bar herum und beugte sich dann zu Hoffman. Er flüsterte mit geröteten Augen: »Das ist Verrat, Felix. Wirklich Spionage. Und du bist mitschuldig.«

»Wenn es dir hilft, soll es mir egal sein. Aber es kommt nie heraus. Es bleibt für alle Zeiten ein ewiges Geheimnis. Dir hilft es mit einem Schlag aus der Patsche. Eine andere Art gibt es nicht. Du hast wieder Luft, um Geld auf die Seite zu legen, du kannst deine Rechnungen bezahlen, du kannst deinem Freund ein schönes Abschiedsgeschenk geben und ihn wegschicken, du kannst dein normales Leben wieder aufnehmen. Jemand anderes hilft dir doch nicht. Wenn du es nicht schaffst, lassen sie dich bei Philips auch bald fallen. Du hast die Wahl. Tu es.«

Wie ein gerissener Spieler hatte er Hein die Rechtfertigung für den Verrat untergejubelt. Und Hein machte mit.

Er ging wieder ins Haus zurück, holte sich eine Packung gefüllte Kekse (er merkte, daß sie schon ziemlich vertrocknet waren) und schlug die *Abhandlung* auf. Kapitel acht: Über die Ordnung.

»Um alle unsere Vorstellungen zu ordnen und zu vereinigen, ist es erforderlich, daß wir, sobald es geschehen kann und die Vernunft es erheischt, danach forschen, ob es ein Wesen gibt und von welcher Art es ist, das die Ursache aller Dinge bildet, so daß sein objektives Sein auch die Ursache aller unserer Ideen ist.«

Mit anderen Worten, umschrieb Hoffman: Existiert Gott? Und wenn Gott existiert, wie kann er dann die Ursache aller Dinge sein?

Spinoza ging davon aus, daß eine ordnende Kraft bestand, die sich in den Erscheinungen der Natur zeigte. Es war notwendig, »alle unsere Ideen immer von physischen Dingen oder von realen Wesen abzuleiten«. Naturwissenschaft, so verstand Hoffman, war in Spinozas Augen Gotteswissenschaft, und auch umgekehrt galt dies: Gotteswissenschaft war Naturwissenschaft.

Aber was mußte hier eigentlich untersucht werden? Spinoza zufolge war es »die Reihenfolge der festen und ewigen Dinge«, um das »innerste Wesen der Dinge« zu ergründen. Die Naturgesetze, die alles beherrschten, Newtons $f = ma$ und Einsteins $E = mc^2$ deuteten auf die Umrisse einer Göttlichen Kraft hin, die alles Seiende nährte.

Aber womit sollte man anfangen, und mit welcher Erkenntnis? »Denn alles auf einmal zu begreifen, ist etwas, das die Kräfte des menschlichen Verstandes bei weitem übersteigt«, schrieb Spinoza. Gab es für ihn einen Hoffnungsschimmer, fragte sich Hoffman, konnte er die Erkenntnis erwerben, mit deren Hilfe er zur Göttlichen Idee fand?

Im vorletzten Absatz dieses Kapitels schien Spinoza ihm eine helfende Hand zu reichen: wenn man *einen* wahren Gedanken hatte, konnte man daraus andere wahre Gedanken ableiten. Man brauchte also mindestens einen wahren Gedanken, eine einzige Idee, an der alle Zweifel abprallten.

Hoffman hatte noch nie etwas gefunden, das eine wahre Idee genannt werden konnte. Er war ein blinder Konsument gewesen, der das »innerste Wesen« der Dinge, die er sich angeschafft hatte, niemals erkannte. Er wußte nichts von Naturwissenschaften, nichts von der Natur. Er hatte nur in sich hineingestopft, gekaut und verdaut. Er war ein Spielball der Umstände gewesen, ein Spielball seiner Triebe.

Er trank das Glas Nesquick leer, um die trockenen Reste der Kekse herunterzuspülen, stand auf und verließ mit Darmkrämpfen das Sommerhaus. Er ging ein paar Meter in den Wald hinein und schob die kahlen Zweige beiseite. Er knöpfte sich die Hose auf, stieg aus den Hosenbeinen und legte die Hose neben sich. Er zog seine stinkende Unterhose aus. Die Kälte, die aus dem Boden aufstieg, traf unvermittelt seinen Hintern, und er zitterte. Krämpfe schossen ihm in die Nieren, stöhnend hockte er sich hin.

Zwei kleine, steinharte Kötel kamen heraus. Seine

letzte nennenswerte Produktion lag sicher zehn Tage zurück. Seit seiner Abreise aus Prag hatte er überhaupt nichts mehr ausgeschieden, dies war der erste Abfall, der seinen Körper verließ. Er aß Fabrikbrot, Fleischkonserven, Dosengemüse. Er litt noch mehr unter Verstopfung als in Prag. Vielleicht wäre es besser, nur frisches Obst zu essen, denn auch sein Körper mußte gereinigt werden.

Er hatte vergessen, eine Rolle Klopapier mitzunehmen, er griff nach einer Handvoll Blättern, um sich den Hintern abzuwischen. Als er sich wieder aufrichten wollte, spürte er die Ohnmacht in seinen Muskeln. Er griff nach einem Zweig, bog ihn zu sich herunter und zog sich mit beiden Händen hoch. Er stieg wieder in seine Hose.

In Berlin hatte er, seinen Diplomatenpaß schwenkend, den Westen durch eines der Mauerlöcher betreten. Der Fall der Mauer war der Anfang vom Ende. Es war ausgeschlossen, daß sich nun ein dauerhafter Friede über Europa senkte. Dieser Kontinent hatte den Frieden nur durch die Angst gekannt.

Er hatte die Moffen zu beiden Seiten der Mauer betrachtet, und das alte Feuer des *Herrenvolks* wetterleuchtete aus ihren betrunkenen Gesichtern. Es würde nicht mehr lange dauern, und sie würden schon wieder nach den verlorenen Gebieten in Polen und in der Tschechoslowakei und in Rußland rufen und lautstark ein Großdeutschland herbeibrüllen. Was Hoffman getan hatte, hatte er nicht aus Vaterlandsliebe getan oder zur Verteidigung des Status quo – er gab rundheraus zu, daß er Irena geholfen hatte, um mit ihr schlafen zu können. Er war der Sklave seiner

Triebe, aber er zog diese Knechtschaft der Knechtschaft der Diplomatie vor. Was nicht verhinderte, daß er sich schämte. Aber wenn er wieder vor der Wahl stände, sie zu verlieren oder mit gestohlenen Geheimnissen zu behalten, dann wüßte er, was er zu tun hatte. Denn im Grunde genommen hatte er keine Wahl.

Oder waren diese Überlegungen wieder nur eine Form von Selbstmitleid und Entschuldigung? Saß er nicht gefangen zwischen seinem stumpfsinnigen Verhalten und der Fähigkeit, sich selbst zu vergeben? Nackter Egoismus hatte ihn zum Verrat angestiftet, nichts anderes. Er war seinen Job los, seine Ehe, seine Einkünfte, alles, was ihm noch blieb, waren Erinnerungen.

In der Kammer öffnete er einen der Schränke. Er holte die Fotoalben heraus, als ob er sich selbst vor Augen führen mußte, daß er eine Vergangenheit besaß, und nahm sie mit zur Couch. Miriam hatte ihr Bestes getan, um Esther und ihre Eltern nicht zu beschädigen. Hie und da fehlte ein Stück von seinem Gesicht, oder er hatte einen Arm verloren. Auf einem Foto saß Miriam als Kleinkind auf seinem Schoß und besaß nur noch ihren Rumpf; sein Herz war weggeschnitten. Alle Filme, in denen sie geglänzt hatte, und das waren fast alle, hatte sie verbrannt. Sie war ihm nur als Pornostar geblieben, anderthalb Stunden lang, und wenn er nach Südamerika ging, dann würde er die Filmschachtel mitnehmen. Der Gedanke, daß Van der Voort oder die Amerikaner Miriam finden könnten, erfüllte ihn mit Scham.

Scham war ein Gefühl, das er kannte, er empfand

Scham, weil er den Krieg überlebt hatte, er fühlte Scham wegen seiner Ohnmacht beim Tod von Esther, Scham, wenn er Marian anschaute. Er nahm eine Zeitung, die neben dem Kamin lag, und las das Datum: 11. August 1984. Eine Zeitung von Miriam. Er zündete den Kamin damit an. Das feuchte Holz knackte und zischte, und er setzte sich vor das Feuer und wärmte seine Hände. In diesem Haus hatte sie ihr Geschlecht filmen lassen. Ein Kamerateam war hier herumgelaufen, sie hatten Lampen aufgestellt, und Miriam hatte ihre Beine gespreizt. Er hatte es nicht verhindern können.

Er überblickte die vergangenen Monate, und eine schicksalhafte Logik erschien vor seinem geistigen Auge. Wenn er darüber nachdachte, war er von der Unausweichlichkeit dessen, was er getan hatte, überzeugt. Es hätte vielleicht etwas später geschehen können, aber unvermeidlich war es gewesen. Das hatte er auch gesagt, als er Wim Scheffers am Sonntagabend vom Bahnhof in Hannover angerufen hatte.

»Wim? Hier ist Felix.«

»Felix, meine Güte! Wo bist du?«

»Das kann ich dir nicht sagen, Wim.«

»Was ist passiert? Ich hatte heute nachmittag Besuch von der Sicherheitsabteilung. Du wirst gesucht! Weißt du das?«

»Van der Voort?«

»Ja! Was ist denn los?«

»Bringen sie es in der Zeitung?«

»Zeitung? Warum denn? Was hast du getan?«

»Ich hab den Tschechen ein paar Sachen gegeben.«

»Was hast du? Und warum?«

»Warum? Darum. Aus Liebe.«

»Eine Frau?«

»Ja. Eine Frau.«

»Mein Gott, Felix, als sie heute nachmittag zu mir kamen, dachte ich mir schon, daß es so etwas war. Warum hast du das getan?«

»Ging nicht anders. Was hast du gehört? Wann wurde Alarm geschlagen?«

»Es scheint, daß Marian Alarm geschlagen hat.«

»Wann genau?«

»Heute früh. Du warst verschwunden.«

»So früh? Hat sie mich denn weggehen sehen?«

»Das weiß ich nicht. Felix, ich muß dir sagen... du mußt dich stellen. Vielleicht werde ich abgehört, ich weiß es nicht. Aber komm zurück und melde dich. Sie werden die ganze Sache vertuschen. Niemand hat ein Interesse daran, die Sache aufzubauschen. Und den tschechischen Geheimdienst gibt es doch sowieso nicht mehr. Komm hierher zu uns.«

»Nein. Ich muß nachdenken.«

»Was wirst du denn tun, Felix?«

»Nachdenken. Spinoza lesen. Ruf Marian an. Sag ihr, daß ich... daß ich sie nicht verletzen wollte...«

»Paß gut auf dich auf.«

Irena würde auch gut auf sich aufpassen. Sie war natürlich schon in Amerika. In den Spionageromanen, die er gelesen hatte, nannte man es *debriefing*. Sie würde ihre Haut teuer zu Markte tragen, Privilegien gegen kleine Happen Information eintauschen, und nach ein paar Monaten, wenn sie alle zufriedengestellt hatte (vielleicht nahm sie den Chef der Befragungsgruppe noch mit ins Bett), bekam sie Geld, ein Haus, einen anderen Namen.

Er hatte nicht erwartet, daß der große Sturm auch in der Tschechoslowakei losbrechen würde, niemand hatte das erwartet. Nachträglich begriff er, daß die Erstürmung der Mauer für alle Völker im Ostblock das Signal zum Aufbruch gewesen war. Er hatte deutsche Zeitungen gelesen, deutsches Fernsehen gesehen. Die Ostdeutschen waren *einkaufen* gegangen. Sie hatten ihre Trabis abgestellt und waren zum Schaufensterbummel aufgebrochen. Freiheit war die Freiheit zu konsumieren. Standen sie etwa Schlange vor den Buchläden (an Schlangen waren sie ja gewöhnt)? Mein Gott, dachte er, sie standen Schlange vor dem Kaufhaus des Westens! Hieß das proletarisch einkaufen? Und nicht nur die Deutschen, auch die Tschechen wollten eines schönen Tages mit einer American Express Goldcard bezahlen können. Hätte er damals seine Essays über den kritischen Konsumenten geschrieben, er wäre weltberühmt geworden. Sie waren nicht anders als er. Er war nicht besser als sie.

Er litt unter dem Bewußtsein, nicht anders zu sein.

Spinozas Gott bedeutete keinen Ausweg. Ihn konnte er nicht um Vergebung oder Erlösung bitten. Er konnte sich seinen Kopf an der Wand blutig schlagen, und niemand würde sein Flehen erhören. Wenn er das Bedürfnis nach Liturgie verspürte, blieb ihm nur die Liturgie vor einem Spiegel.

Die Flammen tanzten auf den Holzscheiten, und sein

Gesicht und seine Hände glühten. Der Kummer, der wie eine zu enge Jacke um seinen Körper spannte, war noch eitler als eitle Tränen, und so ermannte er sich und setzte sich wieder an den Tisch. Er vergaß das Haus und seine Umstände und las das letzte Kapitel: »Über die Eigenschaften des Verstandes«.

Der Verstand mußte auf das Verstehen gerichtet sein, damit man die Naturgesetze erkennen konnte. Aber was war der Verstand selbst genau? Mit unserem Verstand mußten wir eine Definition des Verstandes geben; seine Art, das heißt, seine Definition konnte aber erst gegeben werden, wenn wir seine Art schon kannten, und das war etwas Unmögliches, für das es keine Auflösung gab. Deshalb machte Spinoza eine Liste von acht Eigenschaften, die der Verstand aufweisen mußte:

1. Er begann hiermit: Wahre Erkenntnis kannte keinen Zweifel. Wenn man etwas sicher wußte (zum Beispiel: die Summe der Winkel eines Dreiecks ist gleich der Summe zweier rechter Winkel), dann verschwand der Zweifel, und Sicherheit war gleichbedeutend mit Erkenntnis.
2. Es gab Begriffe oder Ideen, die der Verstand absolut bildete (zum Beispiel den Begriff der »Quantität« oder »Ausdehnung«), und es gab Begriffe, die die Unterstützung anderer Begriffe nötig hatten (zum Beispiel der Begriff der »Bewegung«, der mit Hilfe anderer, absoluter Begriffe umschrieben werden mußte).
3. In den nicht-absoluten Begriffen waren die absoluten Begriffe wirksam; die Idee der »Bewegung«, die selbst nicht absolut war, hing ab von absoluten Begriffen wie

»Räumlichkeit« oder »Unendlichkeit«. Spinoza gab hier das Beispiel aus der Geometrie von der Bewegung einer Linie, die bis ins Unendliche fortgesetzt werden kann.

Hoffman zog daraus zwei Schlüsse: es gab erstens eine Hierarchie der Begriffe, und an der Spitze standen die absoluten Begriffe. Und zweitens: Im Verstand existierten Ideen wie »Unendlichkeit«, Ideen, die wir fassen konnten, weil die Natur uns durch unseren Verstand in die Lage versetzte, über solche Ideen nachzudenken. Letztlich ging es daher um die absoluten Begriffe.

4. »Der Verstand bildet zuerst positive Ideen, dann negative.«

Hoffman zufolge bedeutete dies, daß Definitionen keine Verneinungen enthalten durften. Die Natur, die Welt waren Dinge, die positiv existierten, daher mußten sie auch als solche beschrieben werden.

5. »Der Verstand nimmt die Dinge nicht so sehr unter dem Gesichtspunkt einer Dauer wahr, als gewissermaßen unter dem Gesichtspunkt der Ewigkeit und der unendlichen Zahl.«

Unser Verstand mußte sich vor allem auf die Ewigkeit richten, begriff Hoffman, auf die zeitlosen Gesetze, die die Natur kennzeichneten.

6. Dieser Punkt machte ihm lange zu schaffen. Er stand auf, ging vor dem Kamin hin und her und ließ die Worte in sich einsinken: »Die klaren und deutlichen Ideen, die wir bilden, scheinen so sehr aus der Notwendigkeit unserer Natur allein zu fließen, daß sie absolut nur von unserem Vermögen bestimmt zu sein scheinen.«

Es fiel ihm auf, daß in diesem langen Satz zweimal das

Wort »scheinen« vorkam, was sonst in der *Abhandlung* kaum der Fall war. Spinoza schien sich hier seiner Sache nicht ganz sicher gewesen zu sein.

Hoffman umschrieb die klaren Ideen, die im Satz erwähnt wurden, als Gesetze, die die Natur regierten. Diese *schienen* »aus der Notwendigkeit unserer Natur allein« hervorzugehen. Oder: Wir konnten gar nicht anders, als eines Tages die Gesetze zu entdecken, wir waren dazu vorbestimmt, weil unsere Natur so und nicht anders war. Aber das war nicht das Ende dieses Satzes: »... daß sie absolut nur von unserem Vermögen bestimmt zu sein scheinen.« Das war kompliziert. Hoffman ließ sich auf einen Stuhl sinken und starrte in das verlöschende Feuer. Es ging um den *Willen*, dachte er plötzlich, da stand eigentlich: Wenn wir wollen, dann können wir alles in Erfahrung bringen und wissen. Er nahm das Buch wieder auf und las.

7. In diesem Abschnitt unterstrich Spinoza die individuelle Freiheit des Wissenschaftlers: Er schrieb, man könne die Oberfläche einer Ellipse auf verschiedene Arten ausmessen, und die Unterschiede hingen vom persönlichen Vorstellungsvermögen ab und von der persönlichen Intuition.

8. »Ideen sind um so vollkommener, je mehr Vollkommenheit eines Objektes sie ausdrücken. Denn einen Baumeister, der eine Kapelle erdacht hat, bewundern wir nicht so sehr als den, der einen herrlichen Tempel entworfen hat.«

Hoffman fragte sich, inwiefern diese Liste überhaupt Eigenschaften des Verstandes aufzählte. Was er gelesen hatte, glich mehr einer Liste von Möglichkeiten, was man mit dem Verstand alles machen konnte und welchen Wert man dem beizumessen habe, was natürlich beim letzten Punkt am meisten auffiel. Bewunderung schien ihm keine Eigenschaft des Verstandes zu sein.

Als Hoffman die beiden letzten Absätze des Buches anschaute, sah er, daß der Übersetzer an der Seite unten drei Wörter hinzugefügt hatte: *Das Übrige fehlt.* Bleich starrte er auf diese Zeile.

Er hielt den Atem an, als er ein Autogeräusch hörte. Alarmiert ließ er das Buch sinken und schaute nach draußen. Auf dem Sandweg näherte sich selbstbewußt die Schnauze eines Mercedes, das Auto schaukelte über Löcher und Kuhlen, Regenwasser spritzte auf. Der Lärm der Zylinder dröhnte durch den Wald.

Er vergaß seinen alten Körper und sprang auf wie ein bedrohtes Tier, schnell und wendig. Er mußte fliehen.

Aber als er die Schachtel mit den Filmdosen sah, konnte er nicht weiterlaufen. Der ranzige Film mit Miriam lag da, ungeschützt und nackt auf dem blanken Dielenboden. Es war ein katastrophaler Fehler gewesen, den Film aus dem Bankschließfach zu holen. Wie konnte er weglaufen und Miriams Schande den Moffen überlassen?

Er legte sein Buch oben auf den Deckel und hob die schwere Schachtel hoch. Die Nervosität lähmte ihm die Beine. Aber er schleifte sie mit nach draußen, Lehm und Blei zugleich, umarmte die Schachtel, als könnte sie ihn stützen. Mit einem Ellbogen stieß er die Hintertür auf, das

Buch glitt vom Deckel, und er stapfte stramm durch die Blätter, seine Knie gaben fast nach unter dem Gewicht.

Die zurückschnellenden Zweige peitschten seine Stirn, und er fühlte sich von der letzten Wahrheit verlassen. Mit pochendem Herzen lief er unter den kahlen Bäumen, unter einem grauen Himmel. Er floh, weil ein Auto kam. Er ließ den Bauernhof hinter sich, versteckte sich im sicheren Wald. Das Gegrunze der unruhigen Schweine prallte gegen seinen Hinterkopf, und er spürte tödliche Müdigkeit in Armen und Beinen, aber er konnte nicht stehenbleiben. Er floh, weil in der Schachtel sein Leben steckte, und das wollte er seinen Eltern geben. Irgendwo hinter diesen Baumstämmen warteten Vater und Mutter an einem weißgedeckten Tisch, und er wollte ihnen dieses Geschenk bringen. Er würde ihnen erzählen, daß sie in dieser Schachtel $E = mc^2$ finden konnten, und daß in dieser Formel der Geist des Herrn über Himmel und Erde schimmerte. Er floh und suchte seine Eltern, denn nur sein Vater und seine Mutter konnten ihm den Schmutz vom Leib schrubben. Er fühlte, wie die Bäume still von oben auf ihn herunterschauten, und plötzlich zitterte er vor Wut, denn er konnte sich nicht mehr mit der Sprachlosigkeit der Bäume abfinden, die ihm doch erzählen konnten, wo seine Eltern waren, wo ihr Staub herumschwebte und ihre Asche herumwirbelte. Und seine Kinder, er durfte seine Kinder nicht vergessen, der Wind strich durch die Bäume und er wollte wissen, wo er hinrennen sollte in diesem Wald aus kahlen Stämmen, und wo er die Menschen finden konnte, die er unterwegs verloren hatte.

Er strauchelte und spürte, wie ihm die dicke Pappschachtel aus den Händen glitt, und er fiel auf ein Bett aus Blättern und Zweigen und Pilzen nieder. Die Schachtel riß auf, die Filmdosen rollten über den Boden. Sein Herz hämmerte wild in seinem Hals, er richtete sich auf, und der Anblick der zerrissenen Schachtel wühlte einen tiefen Kummer in ihm auf. Er kroch zu den einzelnen Dosen hin und legte sie gehetzt in ihr kaputtes Nest.

Einen einzigen wahren Gedanken brauchte er nur, eine einzige Idee, die über jeden Zweifel erhaben war.

Speichel rann über sein Kinn, er strich sich über den Kopf und sah Blut an seinen Fingern. Von Ohnmacht und Zweifel und Angst zerfressen, spähte er durch die Zweige hindurch und sah, daß der Fahrer des Mercedes ausstieg. Es war ein kleiner Mann in seinem Alter, er trug keine Uniform. Der Mann öffnete den Schlag für den Fahrgast, und eine Frau erschien. Hoffman erkannte Marian. Ein beiger Regenmantel mit hochgeschlagenem Kragen verhüllte ihre Gestalt, und obwohl die Luft grau und trübe war, hatte sie eine Sonnenbrille auf; mit hochgezogenen Schultern eilte sie in das Haus.

Hoffman konnte sich nicht bewegen. Keuchend hielt er eine Filmdose fest und starrte zum Auto hinüber, während ihm unzählige Fragen durch den Kopf schossen. Der Mann entdeckte ihn hinter den lichten Sträuchern. Reglos schauten sie sich beide an, durch hundert Meter Niemandsland getrennt. Der Wind strich über die kahlen Wipfel. Vögel flatterten auf. Marian kam aus der Hintertür des Hauses und blieb auf der Schwelle stehen, sie sah das Buch, das er verloren hatte. Mit beiden Händen nahm sie ihre Sonnenbrille ab und lief suchend in den Wald hinein.

Als sie ihn entdeckte, hielt sie ihm eine verzeihende Hand entgegen. Sie spreizte die Finger und streckte einen Arm aus, und während er sich zwischen die Filmdosen auf die kühlen, feuchten Blätter legte, als ob er dort schlafen müßte, wußte er sicher, wußte er absolut sicher, daß sie ihn trösten würde.

Der Abend des 31. Dezember 1989

Dem Auswärtigen Amt lag daran, jedes Aufsehen zu vermeiden. Wim Scheffers kannte den Stil des Hauses und hatte Hoffman von einem befreundeten Psychiater untersuchen lassen. Das Ergebnis stand von vornherein fest: Er wurde für vermindert zurechnungsfähig erklärt. Marian hatte einen Anwalt gefunden, der keine Skrupel kannte und mit Scheffers zusammen auf der Grundlage des psychiatrischen Gutachtens einen Kompromiß ausgearbeitet hatte: Hoffman hatte aus Gesundheitsgründen seinen Rücktritt eingereicht, und dieser Rücktritt wurde ehrenvoll gewährt. Die zusätzliche Pension hatte er, wie vereinbart, abgelehnt, und ein kurzer Bericht in der Personalrubrik des NRC-*Handelsblad* meldete das verfrühte Ausscheiden des Botschafters in Prag:

»*Dipl.-Volkswirt F. A. Hoffman,* Botschafter in Prag, wird zum ersten Januar kommenden Jahres seine Funktion niederlegen. Das Ministerium des Äußeren teilte mit, daß F. A. Hoffman (59) aus Gesundheitsgründen zurücktritt. F. A. Hoffman war jahrelang Geschäftsträger auf Zeit in Khartum (Sudan) und seit April d. J. Botschafter in der Tschechoslowakei. Er arbeitete seit 1959 für das Auswärtige Amt.«

Keine Zeile über die Affäre war in die Zeitungen gedrungen.

Marian hatte Pläne gemacht. Sie würden ein Häuschen an der Côte d'Azur oder in der Toskana kaufen, sie würden den Rest ihres Lebens gemeinsam genießen, sie würden Spaziergänge machen und in Museen gehen, sie würden einander beim Überqueren der Straße stützen und sich gegenseitig ankleiden, wenn es soweit war.

Er hatte sich wieder in Spinoza vertieft, in ein neues Buch, das er sich gekauft hatte. Mit diesem Buch auf dem Schoß saß er am Fenster und sah kurz auf, als eine verfrühte Silvesterrakete silbernen Schnee über die Stadt zu streuen versuchte, aber die Luft war feucht und löschte die Sterne. Sie saßen in Marians Zimmer im obersten Stock des Bel Air. Sie saß in dem anderen Sessel am Fenster, las und machte sich Notizen. Er begriff, daß sie ihre Studien niemals beenden würde.

Der Wind trieb den Regen ans Fenster. Der Fernseher in der Ecke zeigte Bilder von unbegreiflicher Fröhlichkeit, den Ton hatte er abgedreht.

Er hatte sich eine Biographie des Philosophen gekauft und außerdem das Buch, das er jetzt in Händen hielt, die *Ethik*, offensichtlich Spinozas Hauptwerk. Talmudische Sätze standen darin wie: *»Alles, was ist, ist in Gott, und nichts kann ohne Gott sein noch begriffen werden«*, und: *»Denken ist eine Eigenschaft Gottes, oder Gott ist etwas Denkendes.«* Damit konnte Hoffman fortan beten, ohne zu glauben.

Als es an der Tür klopfte, machte er auf. Ein Ober, der kein Niederländisch sprach, brachte Champagner in einem Kühler. Hoffman nahm ihm das Tablett an der Tür ab, und nachdem Marian ihre Bücher auf den Teppich gelegt hatte, stellte er es auf das Tischchen am Fenster.

»Wann endet eigentlich das zwanzigste Jahrhundert?« fragte er, »im Jahr 2000 oder im Jahr 2001? Was meinst du?«

Sie setzte ihre Brille ab und sah ihn fragend an. Aber dann antwortete sie und ließ ihre Verwunderung über die Frage beiseite.

»Ein Hunderter umfaßt die Zahlen von eins bis einschließlich einhundert«, sagte sie, »also würde ich sagen, das Jahrhundert ist erst zu Ende, wenn das Jahr 2000 abgelaufen ist.«

»Dann wäre erst das Jahr 2001 der neue Anfang?« sagte er.

Er setzte sich wieder hin und legte die *Ethik* auf seinen Schoß.

»Trotzdem hält jeder das Jahr 2000 für den neuen Anfang«, sagte er.

»Das ist eigentlich falsch, aber es ist so. Ich tue das auch.«

Er sagte feierlich: »Ich will das Jahr 2000 noch erleben.«

Er sah Liebe und Sorge in ihren Augen aufflackern.

»Ich auch, Fee«, sagte sie, »ich mache mit.«

Er schlug das Buch auf und las weiter. Auch sie vertiefte sich wieder in ihre Arbeit.

Eine Minute später sah er auf und sagte: »Aber ich will es nur erleben, weil dann das zwanzigste Jahrhundert vorbei ist, verstehst du?«

Sie nahm die Brille ab: »Nein. Wieso?«

»Dieses Jahrhundert muß weg. Ich will es sterben sehen. Das ist die einzige Art, es ihm noch ein bißchen heimzuzahlen. Wir haben es überlebt, und jetzt wollen wir es auch begraben.«

Sie nickte verloren. Sie schob die Brille wieder auf die Nase, und er schaute über die nassen Dächer von Den Haag. Wut strömte in seine Kinnbacken. Er wurde hungrig davon. Er senkte den Kopf und begann zu beten.

»Alles, was nach unserer Vorstellung uns selbst oder einem geliebten Wesen Freude bringt, versuchen wir, bei uns selbst oder bei dem geliebten Wesen zu bejahen, und umgekehrt versuchen wir alles, was unserer Vorstellung zufolge uns oder das geliebte Wesen betrübt, zu verneinen.«

Leon de Winter im Diogenes Verlag

Hoffmans Hunger

Roman. Aus dem Niederländischen von Sibylle Mulot

In der Nacht vom 21. Juni 1989 liegt Freddy Mancini, ein unmäßig fetter amerikanischer Waschsalon-Besitzer, neben seiner Frau im Bett eines Prager Hotels. Ihn quält der Hunger, und er schleicht sich aus dem Hotel. Dabei wird er Zeuge einer Entführung.
Zur selben Zeit sitzt der niederländische Botschafter in Prag, Felix HoΣman, in seiner Botschaft und schlingt die Reste eines Empfangs in sich hinein. Er liest dabei Spinoza. Auch HoΣman hat Hunger, metaphysischen Hunger, vor allem seit seine beiden Töchter auf tragische Weise starben. Seither ist er schlaflos. Sein einziger Trost – essen.
Ein dritter unglücklicher Mann: John Marks, Amerikaner und Ostblockspezialist.
Die Schicksale der drei Männer werden durch eine spannende Liebes- und Spionagegeschichte miteinander verwoben. Zugleich ist *Hoffmans Hunger* die Geschichte von Europa 1989, das sich eint und berauscht im Konsum. Ein Rausch, der nur in einem Kater enden kann.

»Ein Buch, das unter der Tarnkappe einer Spionage-Geschichte das Kunststück zuwege bringt, über das Verhängnis der Liebe und die Tragik des Todes, über die Ohnmacht der Philosophie und die Illusionen der Politik so ergreifend zu erzählen, wie man es lange nicht mehr gelesen hat.«
Peter Praschl/stern, Hamburg

»Leon de Winter erzählt Hoffmans Geschichte meisterlich schlicht in der dritten Person, dialogreich,

eben noch geruhsam, dann mit schnellen Schritten und Schnitten. Er erzählt diskret und intim zugleich. Und auch ungeheuer komisch.«
Volker Hage/Der Spiegel, Hamburg

SuperTex

Roman. Deutsch von Sibylle Mulot

»Was macht ein Jude am Schabbesmorgen in einem Porsche!« – bekommt Max Breslauer zu hören, als er mit knapp hundert Sachen durch die Amsterdamer Innenstadt gerast ist und einen chassidischen Jungen auf dem Weg zur Synagoge angefahren hat. Eine Frage, die andere Fragen auslöst: »Was bin ich eigentlich? Ein Jude? Ein Goi? Worum dreht sich mein Leben?« Max, 36 Jahre alt und 90 Kilo schwer, Erbe eines Textilimperiums namens SuperTex, landet auf der Couch einer Analytikerin, der er sein Leben erzählt. Da ist vor allem seine Auseinandersetzung mit dem Vater, der das KZ überlebte, aber in seinem Mercedes ertrank. Ein weiteres Trauma des assimilierten Juden aus dem Yuppie-Milieu: Fassungslos mußte Max mitansehen, wie er seine große Liebe Esther plötzlich an den orthodoxen Glauben verlor. Und sein Bruder Boy verliebt sich nun in eine marokkanische Jüdin, deren Familie arm und gläubig ist. So scheint Max der einzige, der nicht in den Schoß der Tradition zurückfindet. *SuperTex* ist die farbige Geschichte eines Generationenkonflikts, ein Feuerwerk des Humors.

»Leon de Winter erzählt die Geschichte des jüdischen SuperTex-Managers Max Breslauer mit amerikanischer Rotzigkeit, europäischer Nachdenklichkeit und mit einem vielleicht holländisch-jüdischen sechsten Sinn für Dramaturgie. Ein spannendes Buch, das man nicht mehr aus der Hand legen mag.«
Barbara Sichtermann/Zitty, Berlin

Serenade

Roman. Deutsch von Hanni Ehlers

Anneke Weiss, Mitte siebzig, seit langem Witwe, hat ihre Lebenslust und ihren Elan, sich munter in das Leben ihres Sohnes Bennie, eines verhinderten Komponisten, einzumischen, gerade erst richtig wiederentdeckt. Da diagnostizieren die Ärzte bei ihr ein Karzinom. Bennie drängt darauf, daß man seiner Mutter ihre tödliche Krankheit verschweigt. Das Leben scheint ganz normal weiterzugehen – Anneke verliebt sich sogar in den 77jährigen Fred Bachmann –, doch dann, wie aus heiterem Himmel, gerät alles aus den Fugen: Die alte Dame ist spurlos verschwunden. Bleibt die Hoffnung, daß sie zu einer ihrer Vergnügungsreisen aufgebrochen ist, mit der sie ihren Sohn immer stolz überrascht. Warum gibt sie nur kein Lebenszeichen von sich? Bennie und Fred machen sich auf die Suche. Sie finden Anneke – aber nicht etwa auf den Champs-Elysées, sondern auf dem Güterbahnhof von Split. Was hat Anneke zu dieser »Reise« bewogen?
Nur vordergründig witzig und leichtfüßig erzählt dieser Roman von einem Trauma, das jeden Tag neu aufzubrechen vermag.

»Ein neuer europäischer Romancier von Rang: Leon de Winter beweist, wie man E und U spielerisch verbindet.« *Abendzeitung, München*

»Unmöglich, *Serenade* nicht zu lieben, eine Geschichte, die sich als funkelndes Leichtgewicht tarnt, um von der dunklen Last des Lebens zu erzählen, den Wunden der Vergangenheit, die keine Zeit heilt. Es ist ein versöhnliches Buch, ergreifend und von optimistischer Menschlichkeit. Leon de Winter verzichtet auf Pathos und erzählt mit zärtlicher Ironie und spannender Einfachheit.«
Mario Wirz/Der Tagesspiegel, Berlin

Zionoco

Roman. Deutsch von Hanni Ehlers

Als Sol Mayer in Boston in der Boeing 737 auf die Starterlaubnis nach New York wartet, weiß er noch nicht, daß dieser Flug sein Leben verändern wird: Der attraktive Rabbiner, Starprediger von Temple Yaakov, der großen Synagoge an der Fifth Avenue, verliebt sich verzweifelt in seine Sitznachbarin, Sängerin einer kleinen Band.
Damit bekommt seine ohnehin nicht ganz intakte Gegenwart noch mehr Risse. Die Ehekrise mit Naomi, Erbin eines Millionenvermögens, der er sein soziales und materielles Prestige zu verdanken hat, läßt sich nicht länger verdrängen. Und beruflich hat sich der liberale Rabbiner mit öffentlichen Angriffen gegen orthodoxe Chassiden gerade mächtige Feinde geschaffen.
Vor allem aber wird seine dunkle Vergangenheit wieder virulent, die Zeit, in der Sol als Lebemann und Taugenichts gegen den übermächtigen Vater rebellierte. Nur ein Wunder hatte den jungen Mann, der damals nichts vom Glauben wissen wollte, nach dem Tod des Vaters bewogen, in dessen Fußstapfen zu treten und ebenfalls Rabbiner zu werden. Wunder – oder Delirium seines alkoholumnebelten Hirns? Eine Frage, die Sol seither metaphyische Qualen bereitet.
Eine Reihe stürmischer und aufwühlender Ereignisse zwingen ihn zu einer halluzinatorischen Reise, die ihn noch einmal in die Fußstapfen des Vaters treten läßt, wunderlicher, als er sich je hätte träumen lassen.

»Seine tragischen Geschichten sind mit einem subtilen Witz aufgeladen, wie ihn nur große jüdische Autoren beherrschen: Isaac Bashevis Singer zum Beispiel, Woody Allen oder Saul Bellow.«
Christian Seiler/profil, Wien

Connie Palmen
Die Gesetze

Roman. Aus dem Niederländischen von
Barbara Heller

In sieben Jahren begegnet die Ich-Erzählerin, eine junge Studentin, sieben Männern: dem Astrologen, dem Epileptiker, dem Philosophen, dem Priester, dem Physiker, dem Künstler und dem Psychiater. Sie begehrt an diesen Männern vor allem das Wissen, das sie befähigt, die Welt zu verstehen und zu beurteilen. Sie versucht die Gesetze, die sie sich für ihr Leben gewählt haben, zu ergründen, sucht nach dem, was Halt in einer unsicheren Welt geben kann.

»Sehr lebendig und ebenso philosophisch erzählt. Ein Bestseller der Extraklasse.«
Rolf Grimminger/Süddeutsche Zeitung, München

Die Freundschaft

Deutsch von Hanni Ehlers

Die Freundschaft ist ein Roman über Gegensätze und deren Anziehungskraft: Über die uralte und rätselhafte Verbindung von Körper und Geist; über die Angst vor Bindungen und die Sehnsucht nach Zugehörigkeit; über Süchte und Obsessionen und die freie Verfügung über sich selbst.
Ein aufregend wildes und zugleich zartes Buch voller Selbstironie, das Erkenntnis schenkt und einfach jeden angeht.

»Connie Palmen ist nicht nur eine gebildete, sondern auch eine höchst witzige Erzählerin.«
Hajo Steinert/Tempo, Hamburg

Der Roman wurde mit dem renommierten niederländischen AKO-Literaturpreis 1995 ausgezeichnet

Kleine Diogenes Taschenbücher

»Literarische und philosophische Kostbarkeiten.«
Kölner Stadt-Anzeiger

»Diogenes düst mit seinen Kleinen Taschenbüchern quer durch die Weltliteratur und setzt auf das Buch als Gebrauchsgegenstand und damit auf die Popularisierung einer stillen Art des Vergnügens in einer dröhnend lauten Welt. Wir ziehen mit.«
Eva Elisabeth Fischer / Süddeutsche Zeitung, München

Die Bergpredigt
Aktuelle Texte aus dem Neuen Testament. Ausgewählt von Christian Strich. Mit einem Vorwort von H.G. Wells

Bertolt Brecht
Die schönsten Gedichte
Ausgewählt von Silvia Sager. Mit einem Nachwort von Hannah Arendt

Wilhelm Busch
Die schönsten Gedichte
Ausgewählt von Christian Strich

Albert Camus
Weder Opfer noch Henker
Über eine neue Weltordnung. Aus dem Französischen von Lislott Pfaff. Mit einem Nachwort von Heinz Robert Schlette und einem Beitrag von Hans Mayer

Anton Čechov
Die Dame mit dem Hündchen
Zwei Erzählungen. Aus dem Russischen von Hertha von Schulz und Gerhard Dick

Luciano De Crescenzo
Sokrates
Sein Leben und Denken. Aus dem Italienischen von Linde Birk

Fjodor Dostojewskij
Die Sanfte
Deutsch von Johannes von Guenther

Doris Dörrie
Der Mann meiner Träume
Erzählung

Friedrich Dürrenmatt
Die Panne
Eine noch mögliche Geschichte

Albert Einstein & Sigmund Freud
Warum Krieg?
Ein Briefwechsel. Mit einem Essay von Isaac Asimov

Epiktet
Handbüchlein der Moral und Unterredungen
Herausgegeben, Vorwort und Schlußbemerkung von Wolfgang Kraus. Deutsche Übertragung nach J.G. Schulthess und K. Enk

Epikur
Über das Glück
Ausgewählte Texte. Aus dem Altgriechischen und herausgegeben von Séverine Gindro und David Vitali. Mit einem Nachwort von Ludwig Marcuse

Theodor Fontane
Die schönsten Gedichte
(vorm.: Wer schaffen will, muß fröhlich sein). Ausgewählt von Franz Sutter

Geschichten aus der Bibel
Die Geschichte von der Erschaffung der Welt
von Adam und Eva, von Abraham, Jakob und von Joseph und seinen Brüdern. In der Übertragung von Martin Luther. Auswahl der Texte von Franz Sutter

Die Geschichte von Hiob
In der Übertragung von Martin Luther
Die Geschichte von König David
In der Übertragung von Martin Luther
Die Geschichte von Moses
vom Exodus, den Zehn Geboten und dem Einzug ins Gelobte Land. In der Übertragung von Martin Luther. Auswahl der Texte von Franz Sutter

Johann Wolfgang Goethe
Die schönsten Gedichte
(vorm.: Liebesgedichte). Ausgewählt von Franz Sutter

Heinrich Heine
Die schönsten Gedichte
Ausgewählt von Anton Friedrich

Hermann Hesse
Die schönsten Gedichte
Ausgewählt von Christian Strich. Mit einem Essay des Autors über Gedichte und einem Nachwort von Maria Nils

Patricia Highsmith
Drei Katzengeschichten
Aus dem Amerikanischen von Anne Uhde

Hildegard von Bingen
Lieder
Zweisprachige Ausgabe lateinisch/deutsch. Ausgewählt von Silvia Sager. Mit einem Vorwort von Walter Nigg

I Ging
Das Buch der Wandlungen
Herausgegeben von Thomas Cleary. Aus dem Amerikanischen von Ingrid Fischer-Schreiber

Franz Kafka
Die Verwandlung
Erzählung
Brief an den Vater
Mit einem Vorwort von Max Brod

Immanuel Kant
Deines Lebens Sinn
Eine Auswahl aus dem Gesamtwerk. Herausgegeben und mit einem Vorwort von Wolfgang Kraus

Die schönsten Katzengedichte
(vorm.: Die allerliebsten Kätzchen). Ausgewählt von Anne Schmucke. Mit Zeichnungen von Tomi Ungerer

Lao Tse
Tao-Te-King
Neu ins Deutsche übertragen von Hans Knospe und Odette Brändli. Mit einem Nachwort von Knut Walf

Die schönsten Liebesbriefe deutscher Musiker
Herausgegeben von Anton Friedrich und Silvia Sager

Die schönsten deutschen Liebesgedichte
Ausgewählt von Christian Strich

Das kleine Liederbuch
Die schönsten deutschen Volkslieder. Mit Skizzen von Tomi Ungerer

Loriot
Szenen einer Ehe

W. Somerset Maugham
Die Leidenschaft des Missionars
Erzählung. Aus dem Englischen von Ilse Krämer

Mohammed
Die Stimme des Propheten
Aus dem Koran ausgewählt, herausgegeben und mit einem Vorwort von Wolfgang Kraus

Michel de Montaigne
Um recht zu leben
Aus den Essais. Mit einem Vorwort von Egon Friedell

Christian Morgenstern
Galgenlieder
Ausgewählt von Christian Strich

Eduard Mörike
Mozart auf der Reise nach Prag
Novelle

Walter Nigg
Teresa von Avila
Eine leidenschaftliche Seele
Franz von Assisi
Denken mit dem Herzen

No future?
Herausgegeben von Franz Sutter

Ingrid Noll
Stich für Stich
Fünf schlimme Geschichten

Rainer Maria Rilke
Briefe an eine junge Frau
Mit einer Erinnerung an Rilke von Romain Rolland
Briefe an einen jungen Dichter
Mit einem Vorwort von Joachim W. Storck
Die schönsten Gedichte
Ausgewählt von Franz Sutter. Mit einem Nachwort von Stefan Zweig

Joachim Ringelnatz
Die schönsten Gedichte
in kleiner Auswahl. Ausgewählt von Franz Sutter und Antje Stählin. Mit einer kleinen Autobiographie des Autors

Salomo
Weinen hat seine Zeit
Lachen hat seine Zeit
Die großen Dichtungen des Königs Salomo. Mit einem Vorwort von Ludwig Marcuse

Georges Simenon
Brief an meine Mutter
Aus dem Französischen von Trude Fein

Patrick Süskind
Drei Geschichten
und eine Betrachtung

Susanna Tamaro
Eine Kindheit
Erzählung. Aus dem Italienischen von Maja Pflug
Die Demut des Blicks
Wie ich zum Schreiben kam. Zwei Essays und ein Gespräch mit Paola Gaglianone. Deutsch von Maja Pflug

Henry David Thoreau
Über die Pflicht zum
Ungehorsam gegen den Staat
Aus dem Amerikanischen von Walter E. Richartz. Mit einem Nachwort von Manfred Allié

Mark Twain
Adams Tagebuch
und Die romantische Geschichte der Eskimomaid. Eine klassische und eine moderne Liebesgeschichte. Deutsch von Marie-Louise Bischof und Ruth Binde